VIRAL

DU MÊME AUTEUR

Les Os du diable, Laffont 2010.
Meurtres en Acadie, Laffont 2009, Pocket 2010.
Meurtres au scalpel, Laffont 2008, Pocket 2009.
À tombeau ouvert, Laffont 2007, Pocket 2008.
Meurtres à la carte, Laffont 2006, Pocket 2007.
Os troubles, Laffont 2005, Pocket 2006.
Secrets d'outre-tombe, Laffont 2004, Pocket 2005.
Voyage fatal, Laffont 2003, Pocket 2004.
Mortelles décisions, Laffont 2002, Pocket 2003.
Passage mortel, Laffont 2000, Pocket 2002.
Déjà Dead, Laffont 1998, Pocket 2000.

Kathy Reichs

Viral

traduit de l'anglais (États-Unis)
par Marie-France Girod

roman

ÉDITIONS

ISBN : 978-2-36107-010-6
© 2010, Kathy Reichs
© Oh ! Éditions, 2010, pour la traduction française

*Le roman est dédié aux braves gens
et aux chiens de Charleston.
Merci de m'avoir accueillie dans ces lieux !*

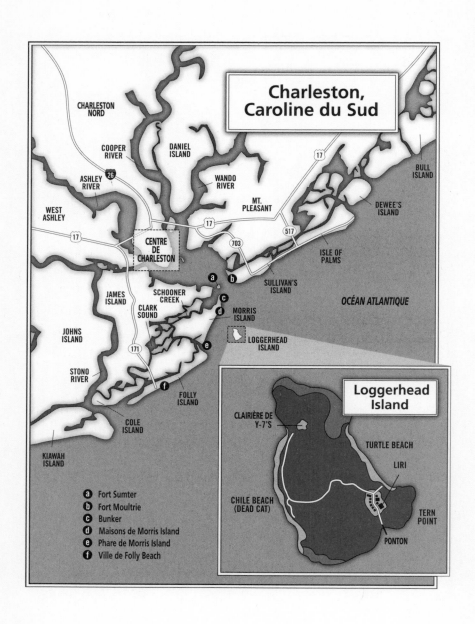

Charleston, Caroline du Sud

CHARLESTON NORD

COOPER RIVER

DANIEL ISLAND

ASHLEY RIVER

26

WEST ASHLEY

WANDO RIVER

MT. PLEASANT

17

17

703

517

BULL ISLAND

DEWEE'S ISLAND

ISLE OF PALMS

CENTRE DE CHARLESTON

JAMES ISLAND

SCHOONER CREEK

CLARK SOUND

JOHNS ISLAND

171

STONO RIVER

COLE ISLAND

KIAWAH ISLAND

ⓐ
ⓑ

SULLIVAN'S ISLAND

OCÉAN ATLANTIQUE

ⓒ
ⓓ MORRIS ISLAND

ⓔ

LOGGERHEAD ISLAND

ⓕ FOLLY ISLAND

ⓐ Fort Sumter
ⓑ Fort Moultrie
ⓒ Bunker
ⓓ Maisons de Morris Island
ⓔ Phare de Morris Island
ⓕ Ville de Folly Beach

Loggerhead Island

CLAIRIÈRE DE Y-7'S

TURTLE BEACH

LIRI

CHILE BEACH (DEAD CAT)

TERN POINT

PONTON

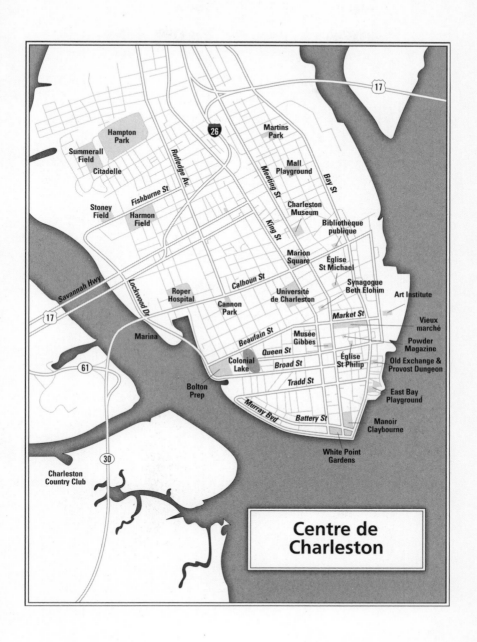

Centre de
Charleston

Prologue

Rien ne résonne plus fort qu'un coup de revolver.
Surtout si c'est toi qu'on vise.
Bang ! Bang !
Les balles cinglaient la voûte des arbres. Là-haut, les singes se dispersaient en poussant des petits cris.
Moi, en bas, je courais à toutes jambes.
Je filais comme un bolide dans le sous-bois. Incapable de réfléchir. Terrifiée.
Trouve le chemin !
Des formes défilaient dans l'obscurité. Des arbres. Des buissons. Des animaux surpris. Les tueurs avec leur flingue ? Impossible à dire. Le cœur battant à tout rompre, je fonçais. À l'aveuglette. Un sprint d'enfer.
Mon pied s'est pris dans une racine et vlan, par terre. La douleur a explosé dans ma jambe.
Debout !
J'ai senti quelque chose passer près de moi à la vitesse de l'éclair.
— Ben ?
Pas de réponse.
Si tu restes ici, tu es morte. Bouge-toi !
Je me suis relevée tant bien que mal et j'ai continué à courir dans le noir.
Est-ce que Hi était devant ? Shelton, lui, était parti sur la gauche, à travers la végétation.
Pourvu que ce soit Ben qui m'ait dépassée !
On n'avait pas de plan. Pourquoi en aurait-on eu ?

11

Personne ne savait que nous étions ici, ni ce qu'on y faisait.

Purée, qui donc essaie de m'abattre ?

Épuisée, j'ai inspiré une goulée d'air.

Plus tard, après la modification, j'aurais pu courir sans m'arrêter. Vite. Sans fatigue. Ma vision parfaite perçant la nuit. Pas comme maintenant, où j'étais perdue dans le noir, hors d'haleine.

Ces voyous n'auraient pas eu leur chance contre nous. Pas si nous avions déchaîné nos pouvoirs. Ma meute leur serait tombée dessus. Sans même qu'on ait eu à prononcer un mot pour se concerter. On n'en aurait fait qu'une bouchée, de ces ordures.

Mais pas cette nuit. J'étais mal partie. Et j'avais une trouille monstre.

J'ai donc continué à toute allure, la peau arrachée au passage par les branches. Et puis, enfin, je suis sortie du couvert.

La plage ! Je n'étais pas loin.

Une voix a jailli du néant.

— Tory ! Par ici !

Shelton.

Dieu soit loué.

Je distinguais à peine le bateau à la lumière des étoiles. J'ai sauté dedans et j'ai scruté le rivage. Personne. Pour le moment.

— Où est Hi ? Et Ben ?

Je chuchotais, hors d'haleine, trempée de sueur. Complètement affolée.

— Je suis là, a dit Ben en émergeant de l'obscurité. Il s'est glissé aux commandes, mais il est resté immobile, les clés à la main. Peur de mettre le contact. Peur de ne pas le mettre.

Et Hi, lui, était toujours là-bas.

On a attendu, les nerfs à vif. Mon courage se faisait la malle.

Allez, Hi, par pitié montre-toi !

Première partie

ÎLES

1

Tout avait commencé par une plaque d'identité militaire. Enfin, un singe avec une plaque. J'aurais dû me douter que ça sentait les ennuis à plein nez. Mais à l'époque, j'avais moins de flair. Je n'avais pas évolué. Pas encore.

Mais on en reparlera.

C'était un samedi matin ordinaire, chez moi, quoique mon chez-moi n'ait rien d'ordinaire. C'est original, et même franchement bizarre. Ce qui me correspond tout à fait.

Pour qui aime autant que moi la vie au grand air, il y a mille trucs intéressants dans mon environnement. Mais si tu n'es pas un amoureux de la nature, tu risques de trouver l'endroit où j'habite un peu… décalé.

Parce qu'en fait, je vis sur une île déserte. Ou du moins, sur une île où il n'y a pas foule.

Morris Island, Caroline du Sud. Le bout du monde. Ou disons, le bout du bout de Charleston. Assez chouette, si l'on n'est pas du genre à souffrir de la solitude. Moi si, mais bon. J'ai fini par apprécier d'avoir de l'espace.

Morris Island, mon île, donc, a une superficie modeste, à peine plus de dix kilomètres carrés. La moitié nord est une bande de buttes de sable, qui s'élèvent jusqu'à une dizaine de mètres en descendant vers le sud, là où l'île s'élargit. La partie ouest consiste en des marécages bordés de vasières. À l'est, l'Atlantique s'étend à perte de vue.

Des dunes, des marais, des plages. Et le grand calme.

Il n'existe que deux constructions modernes sur ce

minuscule bout de terre. L'une, c'est le groupe de bâtiments où j'habite, l'autre, une route. *La* route. Notre seul lien avec le monde extérieur. Une voie unique goudronnée, sans marquage, qui descend vers le sud en serpentant parmi les dunes et les marécages, avant de quitter Morris Island et de traverser Lighthouse Creek en direction de Rat Island. Par la suite, elle retrouve l'autoroute à Folly Beach, puis passe devant Goat Island et rejoint la ville.

Tout ça, c'était nouveau pour moi. Il y a encore un an, je n'étais jamais descendue plus bas que la Pennsylvanie. Et puis j'ai fait irruption dans la vie de Christopher « Kit » Howard.

Quelques mots sur lui, mon « coloc ».

Kit est mon père. Il y a exactement six mois que nous le savons, tous les deux. Depuis que je suis venue vivre avec lui ici, en Caroline du Sud.

Je n'avais pas le choix, après ce qui était arrivé à maman.

Après l'accident.

Pour une raison que j'ignore, ma mère n'avait jamais parlé de mon existence à Kit. Il ignorait qu'il avait un enfant. Depuis quatorze ans.

Il ne s'est pas encore remis du choc. Je vois ça à sa tête de temps en temps, quand il ouvre un œil après sa sieste, ou qu'il vient se reposer après avoir beaucoup bossé. Il sursaute en me voyant. Je sais ce qu'il se dit : « *C'est ma fille. J'ai une fille de quatorze ans et elle vit avec moi. Je suis son père.* »

Hé, c'est pareil pour moi, Papounet. J'essaie aussi de m'y habituer.

Comment décrire ce père qui m'est tombé du ciel ? Kit a trente et un ans. Il est biologiste marin et directeur de recherches à l'institut de Loggerhead Island. Un drogué du boulot.

Et un parent paumé.

Pas facile, sans doute, d'apprendre qu'on est l'heureux papa d'une ado. Et puis, peut-être qu'il se rappelle sa folle jeunesse. Toujours est-il qu'il ne sait comment s'y prendre avec moi. Un jour, il me parle comme à l'un de ses potes, le lendemain il me traite comme une petite fille.

Pour être honnête, c'est aussi ma faute si ça se passe comme ça. Je ne suis pas un ange. Et je suis un peu perdue, moi aussi, de me retrouver avec un père.

Donc, voilà. On est tous les deux. En plein milieu de nulle part.

Ce matin-là, de bonne heure, j'étais en train de classer des coquillages par espèces. Ringard ? Peut-être. Mais je suis folle de sciences. Je passe mon temps à chercher à comprendre des trucs, à trouver des réponses. Maman me disait toujours que c'était pénible d'avoir une fille plus brillante que certains profs de fac.

C'est comme ça.

La table de la cuisine était jonchée de piles de coquillages récemment nettoyés et polis. Des solariums. Des escargots de lune. Des arches rayées.

J'ai pris un nouveau spécimen dans le seau posé à mes pieds, en veillant à ne pas me tacher avec l'eau de Javel. C'était un casque granuleux, facilement reconnaissable à sa forme d'œuf, et à sa coquille blanche côtelée marquée de points rouges et bruns. Contente d'avoir fait cette trouvaille rare, je l'ai mis de côté pour qu'il sèche.

Le suivant était une palourde, mais il y a plusieurs espèces sur la côte de Caroline du Sud et j'avais du mal à identifier celle-ci. La coquille était encore incrustée de débris qui me cachaient les détails.

Excellent. J'allais pouvoir utiliser mes super-instruments, offerts par ma grand-tante Tempe.

Tu as certainement entendu parler d'elle.

Ça m'a fait un choc d'apprendre que j'étais apparentée à Temperance Brennan, l'anthropologue légiste universellement connue, mon idole. Lorsque Kit me l'a dit, j'ai eu du mal à le croire. La sœur de Tempe, Harry, est ma grand-mère.

Il y a donc une célébrité dans ma famille. Une scientifique renommée. Qui l'eût cru ?

Bon, c'est vrai que je n'avais encore rencontré Tante Tempe qu'une fois. Mais ce n'était pas de sa faute. Après tout, comme Kit, elle ne connaissait mon existence que depuis six mois.

Son boulot l'occupe beaucoup. Elle identifie des cadavres. Ben oui. Un corps peut être brûlé, décomposé, momifié. Il peut grouiller de vers ou être à l'état de squelette. Aucune importance. Tante Tempe va retrouver de qui il s'agit. *S'agissait*. Ensuite, les flics et elle vont tenter de savoir ce qui lui est arrivé.

Passionnant, à condition d'avoir le cœur bien accroché. Ce qui est mon cas, je crois.

La découverte de mon lien avec Temperance m'a aidée à mieux me connaître. À comprendre pourquoi j'ai besoin de répondre aux questions et de résoudre les énigmes. Pourquoi je préfère me plonger dans des bouquins sur les dinosaures ou le réchauffement de la planète plutôt que d'aller faire du shopping.

Je n'y peux rien. C'est dans mes gènes.

Tante Tempe a comme spécialité de faire parler les os. Et le nettoyage de la coquille de mollusques morts est une excellente façon de se servir de ce don.

Après tout, les coquillages sont des os.

Prenant dans ma trousse mon outil rotatif Dremel sans fil, j'y ai adapté le pinceau en soie. J'ai soigneusement abrasé les bernacles incrustées dans la coquille de la palourde, puis, au bout d'un moment, j'ai utilisé du papier de verre.

Une fois les plus grosses bernacles ôtées, je me suis servie de ma micro-sableuse Neytech. J'ai branché le tuyau à un petit compresseur à air et j'ai délicatement envoyé un jet de sable d'oxyde d'aluminium sur le coquillage. Ensuite, avec un cure-dents, j'ai ôté les particules restantes. Enfin, après avoir nettoyé le tout au jet dentaire, j'ai repris mon outil rotatif et j'y ai adapté cette fois la tête polisseuse.

Terminé.

Le coquillage luisait devant moi sur la table. Une coquille ovale tachetée, pourpre à l'intérieur. Dix centimètres de long. Des côtes rayonnantes proéminentes allant de la charnière au bord.

J'ai pris mon guide de la côte de Caroline du Sud pour confirmer mon intuition. Oui, c'était bien ça. Une bucarde géante. *Dinocardium robustum*.

Le mystère était résolu. J'ai posé la bucarde sur la bonne pile et plongé la main dans le seau. Vide.

Il était temps de passer à autre chose.

J'ai décidé de grignoter un truc. Le choix était réduit, car Kit n'avait pas fait les courses depuis une semaine. Je ne pouvais lui en vouloir. Le supermarché n'est pas sur sa route : il se trouve sur James Island, à trente minutes de chez nous.

C'est ça, la vie sur cette île. Le pied.

J'ai déniché des vieux bâtonnets de carotte. Et un Coca allégé. Oui, je sais, je suis accro. Mais j'essaie de manger sain. Qu'on me laisse au moins ma caféine. Mon réconfort.

J'ai consulté mon téléphone. Ils étaient en retard. Pas de texto, non plus.

Comment m'occuper ? De la daube à la télé, comme d'hab. Aucun bouquin tentant dans ma pile. Ça roupillait sur le Net. Rien de neuf sur Facebook.

Pas de devoirs à faire ce week-end. On était à la fin mai, et les profs semblaient avoir autant envie que leurs élèves de finir l'année en douceur.

J'étais coincée. À quatorze ans, impossible de sauter dans sa voiture et de se tirer. En plus, où je serais allée, hein ? Glander à Charleston avec les copains ? Ben non. Les miens habitent ici.

Restaient donc les options locales. Un choix limité, c'est le moins qu'on puisse dire.

Mais où étaient-ils donc ?

Ai-je précisé que mon pâté de maisons est le plus isolé de Charleston ? Du monde ? Il n'y a personne à des kilomètres à la ronde. D'ailleurs, sur la plupart des cartes, on ne voit même pas que Morris Island est habitée. En fait de quartier, il s'agit de dix habitations alignées en rang d'oignon à l'intérieur d'une structure en béton armé. Quarante habitants. Et rien d'autre.

En voiture, il faut rouler vingt minutes avant de trouver le moindre panneau de signalisation. Et là, la civilisation est encore loin. Mais on est sur la bonne voie. Généralement, mes copains et moi, on préfère le bateau.

Il n'y a pas beaucoup de gens qui vivent comme nous dans des baraquements de l'armée reconvertis.

Pas récents, qui plus est. La construction date de Mathusalem. Enfin, du XIXe siècle. De la guerre de Sécession, très exactement.

À l'époque, Morris Island protégeait le port de Charleston contre toute attaque par le sud. Pour bloquer l'accès par l'extrémité nord de l'île, l'armée des États confédérés construisit une forteresse, Fort Wagner. Les rebelles sudistes avaient donc des canons sur place, qui tenaient en ligne de mire la seule voie par laquelle les nordistes pouvaient arriver.

Fort Wagner, Fort Moultrie sur Sullivan's Island, et Fort Sumter, un bloc de béton édifié au milieu du port, constituaient le cœur de la défense de Charleston contre une attaque par la mer. En 1863, l'armée de l'Union tenta de prendre Fort Wagner. Le 54e d'infanterie du Massachusetts, l'un des premiers régiments américains composés de Noirs, conduisit l'assaut. Ce fut brutal. Et, malheureusement, un échec. Même leur colonel fut tué.

J'ai vu un film là-dessus. Denzel Washington a obtenu un Oscar, je crois. J'ai pleuré, et ça ne m'arrive pas souvent. J'aurais peut-être dû être du côté des soldats sudistes de Charleston, mais je suis une fille du Massachusetts. Pas question, en plus, que je défende des esclavagistes. Désolée.

Après la guerre, Fort Wagner a été laissé à l'abandon. La structure de base a quand même été conservée, et maintenant, Morris Island est une réserve naturelle administrée par l'université de Charleston, l'employeur de mon père. Comme de tous ceux qui vivent ici. Quand l'université a reconverti les vieux baraquements du fort, elle y a hébergé gratuitement les chercheurs qui travaillent dans ses locaux de Loggerhead Island, une île encore plus petite et plus isolée que Morris.

Mon père a sauté sur l'occasion, car on ne s'en sort pas bien avec un salaire de professeur.

J'attendais toujours. J'avais prévu d'aller à Folly Beach, mais c'était cuit.

Finalement, j'ai décidé d'aller faire un jogging, et pour ça, Morris, c'est le paradis. Je suis montée me changer dans ma chambre.

Dans notre petit monde, les maisons sont identiques.

20

Trois étages, et tout en hauteur. Les seules touches personnelles concernent la décoration et la répartition de l'espace.

Chez nous, au rez-de-chaussée, on trouve un office et le garage pour une voiture. Au premier, il y a la cuisine, la salle à manger et le séjour. Au deuxième, deux chambres, celle de Kit, sur l'arrière, et la mienne sur l'avant.

Le troisième consiste en une grande pièce qui sert de centre multimédia à Kit. Je l'ai baptisée la Tanière. Elle donne sur un toit terrasse, avec une vue magnifique sur l'océan. Pas trop déglingué, finalement, si l'on prend garde à l'escalier qui peut t'envoyer à l'hôpital.

Tout en laçant mes Adidas, j'ai jeté un coup d'œil par la fenêtre de ma chambre. Une silhouette familière remontait la jetée en courant. Hiram, lancé à pleine vitesse. Rien de bien impressionnant, il faut le reconnaître.

Il attaquait le plan incliné qui conduisait au bâtiment principal en soufflant comme un phoque, les joues écarlates, les cheveux collés sur son visage par la transpiration.

Oui mais voilà, Hi ne court pas pour le plaisir.

J'ai attrapé mes clefs et j'ai foncé à l'extérieur.

Il se passait quelque chose.

2

À l'extérieur, j'ai guetté l'arrivée de Hi.

Le soleil tapait sur la pelouse devant l'ensemble des maisons. Grande comme la moitié d'un terrain de foot, elle est le seul espace vert digne de ce nom aux environs. Je préfère ne pas penser au coût de l'arrosage.

Au-delà, on aperçoit les palmiers nains qui se dressent fièrement sur le sable, déterminés à donner du caractère à l'ensemble.

Une main en visière, j'ai regardé vers l'ouest. Une petite brume flottait sur l'océan, gênant la visibilité. *Loggerhead est quelque part par là*, ai-je pensé. Et Kit, qui bossait pendant le week-end une fois de plus.

Loin des yeux, loin du cœur, paraît-il. En tout cas, il ne passait pas beaucoup de temps avec moi.

Toujours pas de Hi.

On n'était qu'en mai, mais la température flirtait déjà avec les trente degrés. Il régnait une odeur d'herbe, de marais salant et de béton surchauffé.

Je suis quelqu'un qui transpire beaucoup, je l'admets. Et là, je commençais à ruisseler. Comment font-ils, ces gens du Sud, pour supporter la chaleur ?

Là-haut, dans le Massachusetts, il faisait encore agréablement frais à la fin du printemps. Un temps idéal pour faire du bateau. C'était la période de l'année préférée de maman.

Hi est enfin apparu, haletant, la tête et la chemise trempées de sueur. Pas besoin d'être voyante pour deviner qu'il y avait des ennuis dans l'air.

Il s'est avancé vers moi en titubant, visiblement à court de jus.

— Une… hmff… une minute, s'il te plaît.

Plié en deux, les mains sur les genoux, il essayait péniblement de reprendre son souffle.

— Finalement, a-t-il enfin repris, je crois que… hmff… ce n'était pas une bonne idée de courir comme ça. Il… doit faire quarante degrés. Mon caleçon est foutu.

C'est tout Hi. Raffiné jusqu'au bout des ongles.

Hiram Stolowitski habite à trois maisons de la mienne. Son père, Linus Stolowitski, est technicien de laboratoire à Loggerhead. Un homme digne et paisible. Pas le genre de son fils.

— Arrachons-nous d'ici.

Hi était encore essoufflé, mais il commençait à récupérer.

— Si ma mère me voit, elle va me traîner à la synagogue ou je ne sais quoi.

Ce n'était pas vraiment de la parano. Les accès de piété de Mme Stolowitski se soldaient souvent par un trajet en voiture de quarante minutes jusqu'au centre de Charleston, où se trouve la synagogue Kahal Kadosh Beth Elohim. J'y ai mis le temps, mais j'arrive à prononcer le nom.

La plupart des habitants de Morris Island sont d'accord sur un point : les lieux de culte sont trop éloignés pour qu'on s'y rende régulièrement.

Néanmoins, l'église presbytérienne que je suis censée fréquenter est beaucoup plus proche que la synagogue. J'y ai assisté une fois à un office avec Kit. Il ne m'a pas fallu plus de dix secondes pour comprendre qu'il n'avait jamais mis les pieds dans cet endroit. Nous n'y sommes plus retournés.

J'espère qu'on nous comprendra Là-Haut.

Ruth Stolowitski gère aussi le réseau de surveillance du voisinage. Superflu ? Complètement. Mais pas question de le lui dire. Elle est persuadée qu'une vigilance permanente est la seule façon d'éviter une explosion de la criminalité sur Morris Island. Pour moi, l'isolement total suffit. Qui va venir nous cambrioler ? Un crabe shooté au crack ? Une méduse junkie ?

Pour éviter l'œil vigilant de la mère de Hi, nous nous sommes donc rapatriés vers le côté du bâtiment. Qui, par chance, était à l'ombre.

Hi n'est pas gros, non, mais il n'est pas mince non plus. Dodu ? Enrobé ? Comme on veut. En tout cas, il ne passe pas inaperçu dans la foule, avec ses cheveux bruns ondulés et ses chemises à fleurs.

Ce matin-là, il arborait un modèle à motifs jaunes et verts sur un short beige dont la poche gauche était déchirée. Mieux valait éviter que Ruth Stolowitski voie ça.

— Ça va, maintenant ? ai-je demandé.

Le visage de Hi n'était plus de couleur prune, juste fraise écrasée.

— Une forme du tonnerre, a-t-il répliqué, le souffle toujours court. Merci de te soucier de ma petite santé.

Hi Stolowitski est un as du sarcasme.

Il commençait à reprendre son souffle, mais sa détresse était évidente.

— Ben a planté son bateau en pêchant à Schooner Creek. Il est allé trop près du bord et l'a échoué. Du coup, il a fait un vol plané et il s'est entaillé la jambe sur quelque chose. Je crois qu'il s'est fait très mal.

Ben Blue habite ici, mais il lui arrive de passer quelque temps à Mount Pleasant avec sa mère. C'est lui et Hi que j'attendais pour qu'ils me conduisent à Folly Island.

— Très mal comment ? C'était quand ? Il est où ? ai-je balbutié, inquiète.

— Il est allé avec le bateau jusqu'au bunker, où j'étais, mais là, le moteur a rendu l'âme. J'ai pris le vieux canoë pour revenir ici chercher Shelton. J'aurais cru que ça irait plus vite. Mauvaise idée. J'ai mis des heures.

Je savais maintenant pourquoi il était épuisé. Pagayer sur l'océan était drôlement pénible, surtout à contre-courant. Le bunker n'était qu'à un peu plus de deux kilomètres des maisons. Il aurait dû marcher. Mais je n'ai pas remué le couteau dans la plaie.

24

— Qu'est-ce qu'on fait ? a-t-il demandé. On va chercher monsieur Blue ?

Tom Blue, le père de Ben, s'occupe du service maritime entre Morris Island et Loggerhead Island, et de la liaison Morris-Charleston par le ferry.

On s'est regardés. Il y avait moins d'un mois que Ben possédait son runabout. Son père était très à cheval sur la sécurité en bateau. S'il était au courant de l'accident, Ben pouvait perdre son bien préféré.

— Non, ai-je dit. Si Ben avait eu besoin de l'aide de son père, il serait revenu avec toi.

Un silence. Sur la plage, les mouettes échangeaient les dernières nouvelles de leur communauté. Dans le ciel, des pélicans volaient, ailes étendues pour prendre au mieux le vent.

Décision. J'allais essayer de soigner moi-même Ben. Mais si la blessure était sérieuse, j'aurais besoin d'un médecin. Parent furieux ou pas.

— Retrouvons-nous sur le chemin. On va rejoindre le bunker en vélo.

J'étais déjà en train de courir chez moi pour attraper une trousse de premiers secours.

Cinq minutes plus tard, on filait sur une piste de sable durci qui serpentait parmi les dunes. Le vent était frais sur ma peau rendue poisseuse par la transpiration et faisait voler mes cheveux roux, emmêlés comme d'habitude.

J'ai pensé trop tard que j'aurais dû me mettre de la crème solaire. Avec ma peau claire de native de la Nouvelle-Angleterre, j'ai le choix entre deux couleurs, lavabo ou homard. Et le soleil déclenche généralement mes taches de rousseur.

Bon, je décris le reste. Les agences de mannequins ne risquent pas de se battre pour me proposer un contrat, mais je ne dois pas être trop moche. Je fais un mètre soixante-six et j'espère bien grandir encore. J'ai la chance d'avoir la silhouette longue et fine de ma mère. Elle m'a laissé au moins ça.

Le chemin qu'on suivait conduisait à Cumming's Point, l'extrémité nord-ouest de l'île. Sur la gauche, des dunes. Sur la droite, la plage en pente douce jusqu'à la mer.

Hi pédalait derrière moi en soufflant comme une locomotive à vapeur.

— Tu veux que je ralentisse ? ai-je lancé par-dessus mon épaule.

— Si tu as envie que je te laisse sur place… Tu as derrière toi Lance Armstrong, figure-toi.

Ben voyons. Et moi, je suis Lara Croft. J'ai réduit progressivement ma vitesse, et il ne s'est aperçu de rien.

Dans la mesure où Morris Island est constitué de dunes et de marais, seule la moitié nord a été construite. C'est là qu'on a bâti Fort Wagner. Et les anciens ouvrages militaires, qui sont pour la plupart de simples fossés, tranchées et autres trous.

Pas notre bunker. Lui, c'est un truc d'enfer. On est tombés dessus en cherchant à récupérer un Frisbee. Une veine incroyable. Il est abandonné et si bien caché qu'il faut le savoir pour le trouver. Complètement oublié. Apparemment, personne d'autre que nous n'est au courant de son existence. Et on a bien l'intention que ça continue.

Encore cinq minutes à appuyer sur les pédales et on a quitté le chemin. Puis, après avoir contourné une dune et plongé dans un creux, on a aperçu un mur du bunker, à peine visible dans le sable une trentaine de mètres plus loin.

Tout près de la construction, une piste descendait jusqu'à la plage. J'ai vu le bateau à moteur de Ben qui oscillait doucement au bord des brisants, attaché à un piquet à moitié submergé.

J'ai mis pied à terre et j'ai laissé tomber ma bicyclette dans le sable. Au même moment, un juron étouffé a résonné. Ça venait du bunker.

Inquiète, je me suis précipitée.

3

Je me suis glissée par l'ouverture étroite, en clignant des yeux pour m'adapter à l'obscurité après le soleil.

En matière de planque, la nôtre est top.

On arrive dans une salle qui doit bien faire quinze mètres sur trente, avec une hauteur sous plafond de trois mètres et des poutres sur les murs. Face à l'entrée, une meurtrière permet d'avoir une vue sur le port de Charleston. Une avancée en bois la rend invisible de l'extérieur.

Il y a une autre salle, plus petite, sur la gauche. On y accède par un passage bas, aussi serré que l'entrée. Au fond, un conduit affaissé s'enfonce dans la dune. Ça craint. Personne ne s'y risque.

Ben était affalé sur un vieux banc dans un coin de la grande salle, sa jambe blessée allongée sur une chaise. Du sang coulait de sa blessure au tibia.

Il m'a dévisagée, puis :

— J'ai demandé Shelton.

Ben n'est pas du genre bavard.

Ravie de te voir, moi aussi.

J'ai senti que Hi haussait les épaules derrière moi.

— Tory m'a harponné au passage. Tu as déjà essayé de lui dire ce qu'elle devait faire ?

Ben a levé les yeux au ciel. De beaux yeux, soit dit en passant, sombres, avec des cils comme j'aimerais en avoir.

J'ai haussé un sourcil, histoire de montrer ce que m'inspiraient leurs commentaires.

— J'ai apporté une trousse de secours. Fais voir ta jambe.

Ben, l'air renfrogné, suivait tous mes gestes du regard. Son attitude macho ne m'a pas trompée. Il avait peur que je lui fasse mal, mais il ne voulait pas le montrer.

Alors, mauviette, on manque de cran ?

Au contraire de nous, Ben a atteint l'âge magique de seize ans. Shelton les aura à l'automne et Hi vient d'avoir quinze ans au printemps. On termine notre troisième et Ben sa seconde.

Au lieu d'acheter un truc qui roule comme tout le monde, Ben a préféré mettre ses économies dans l'achat d'un vieux runabout Boston Whaler de seize pieds.

Il l'a baptisé *Sewee*.

Ben prétend avoir du sang indien dans les veines. La tribu des Sewee. J'en doute un peu, dans la mesure où les Sewee ont été absorbés par les Catawba il y a plus d'un siècle. Comment revendiquer des liens avec les Sewee, dans ce cas ? Mais Ben a un sale caractère. Alors mieux vaut laisser tomber.

Finalement, un bateau, c'est mieux que rien. Enfin, un bateau en bon état, si possible.

— Il y a une raison pour que tu sois venu faire le zouave dans cette baie, Ben ?

J'étais en train de nettoyer sa plaie à l'alcool iodé. Elle était moche, mais il n'y avait pas besoin de points de suture, Dieu merci.

— Je ne faisais pas le zouave, j'essayais simplement de me rapprocher du rivage, là où il y avait du poisson. Je me suis trompé sur la profondeur.

Il a retenu son souffle pendant que je finissais le pansement.

— Et ça a mordu ? ai-je demandé d'un air innocent.

Il s'est renfrogné un peu plus. J'avais vu juste.

— Ça serait peut-être bien de mettre ta chemise, a suggéré perfidement Hi. C'est un bunker chic !

Ben lui a jeté un regard noir.

Ayant exprimé son opinion sur la tenue correcte souhaitée, Hi est allé s'asseoir à l'unique table de la pièce. L'antique chaise en bois a protesté et Hi a préféré s'installer sur le banc.

Repoussant une épaisse mèche de cheveux couleur aile de corbeau, Ben a appuyé ses épaules musclées contre le mur du bunker.

— Je me disais que Shelton saurait réparer le bateau.

Très diplomatique. Ben essayait de s'excuser sans en avoir l'air.

Son bateau, c'est une obsession. Sentant qu'il était plus inquiet qu'il ne voulait bien le dire, j'ai accepté son rameau d'olivier.

— Si quelqu'un le peut, c'est bien lui, effectivement.

Ben a approuvé de la tête.

Sa mère, Myra Blue, habite un immeuble près de la marina de Mount Pleasant, et lui vit avec son père dans l'une des maisons de Morris Island. Le statut conjugal des Blue seniors n'est pas clair, mais on préfère ne pas poser de questions.

D'après moi, Ben a acheté le runabout parce que c'est plus facile de filer en bateau jusqu'à Mount Pleasant que d'y aller en voiture.

— J'ai mon portable, ai-je dit. Je vais envoyer un texto à Shelton.

— Si tu as du réseau, ça tiendra du miracle, a commenté Hi tandis que je me dirigeais vers la porte.

Ben se taisait, mais je sentais ses yeux noirs dans mon dos.

Hi avait raison. Déjà, sur Morris Island, on a de la chance quand la communication passe, mais autour du bunker, c'est le calvaire. Après avoir zigzagué une bonne dizaine de minutes au sommet de la dune, j'ai enfin réussi à envoyer un texto à Shelton. Au moment où je redescendais, j'ai entendu un bip. Un message. Shelton arrivait.

Tout en m'insinuant dans l'entrée du bunker, je pensais à Ben. Il était plutôt mignon, mais quelle tête de cochon ! Je le fréquentais pratiquement tous les jours depuis six mois, et je n'arrivais toujours pas à le comprendre.

Est-ce qu'il me plaisait ? Est-ce que cela expliquait nos joutes verbales ? Le flirt sans en avoir l'air ? Ou bien

Ben était-il la seule option possible dans notre minuscule mare aux canards ?

Peut-être que j'étais barge, tout simplement.

Sur cette note de gaieté, j'ai mis le nez à l'intérieur.

Hi s'était assoupi et Ben était toujours effondré sur son banc. Je me suis approchée de la meurtrière et me suis installée sur le rebord, dans l'une des encoches pour les canons.

Au loin, dans le port, Fort Sumter ressemblait au château des chevaliers de la Table ronde. En plus petit et plus déglingué. J'ai pensé au roi Arthur. À Kit. À la pauvre Guenièvre.

À ma propre mère. À l'accident.

J'ai respiré un bon coup. La plaie était encore à vif et je m'efforçais de ne pas y remuer le couteau.

Maman a été tuée à l'automne dernier par un chauffard en état d'ivresse. Un mécanicien nommé Alvie Turnbauer a brûlé un feu et percuté de plein fouet sa Corolla. Elle rentrait à la maison après avoir été chercher des pizzas. Turnbauer venait de quitter le bar où il s'était enfilé des Corona tout l'après-midi.

Turnbauer est allé en prison. Maman est allée au cimetière. Et moi, je suis allée en Caroline du Sud.

J'arrête. C'est encore trop douloureux.

J'ai pensé à autre chose. À des sandales vues dans la vitrine du *Banana Republic* de King Street. À la couleur que j'aimerais avoir sur les murs de ma chambre. À un point douloureux sur une molaire qui devait révéler une carie, hélas.

Un peu plus tard, une voix a résonné au-dehors.

— Quelqu'un a demandé un réparateur ?

Et Shelton a fait son entrée, un manuel et une chemise en carton bourrée de papiers à la main. Ben a immédiatement repris des couleurs.

Shelton Devers est petit et maigre, et il porte des lunettes rondes à verres épais. Il tient sa peau chocolat de son père afro-américain et ses pommettes et ses yeux en amande de sa mère japonaise. Ses parents travaillent tous les deux sur Loggerhead Island, son père Nelson en tant qu'ingénieur informatique, sa mère Lorelei comme technicienne des services vétérinaires.

— Excellente idée de consulter un expert, a lancé Shelton en levant les bras. Va en paix, frère Ben. Ton bateau est entre de bonnes mains.

Un silence, puis l'expression faussement solennelle de Shelton a fait place à un sourire. Ben a bondi sur ses pieds, la bouche fendue jusqu'aux oreilles.

Pas étonnant qu'il ait été soulagé. Shelton est un crack pour tout ce qui a des pièces, des parties, ou des pixels. Il adore les énigmes, les calculs, les chiffres. Les ordinateurs, aussi. Bref, c'est un peu notre gourou en technologie. D'ailleurs, c'est comme ça qu'il s'est baptisé.

Sa faiblesse ? Une trouille bleue des bestioles qui rampent. À sa demande, on garde en permanence une bombe insecticide dans le bunker. Bon, et puis disons qu'il ne risque pas de gagner un concours d'athlétisme.

Ben et Shelton ont étalé le manuel et les papiers sur la table et ils n'ont pas tardé à se chamailler sur la nature de la panne et la façon de la réparer.

Qui sait ? S'ils n'avaient pas réparé le bateau, on ne serait pas allés à Loggerhead cet après-midi-là. Et peut-être que rien ne serait arrivé.

Mais on y est allés.

Et c'est arrivé.

4

— Si tu ne trouves pas ce qui cloche, reconnais-le, au moins, a dit Ben d'un ton tranchant. J'aimerais mieux qu'on n'aggrave pas le problème.

J'ai vu que Shelton était vexé de ce manque de confiance. Il s'est raidi. Du moins, le bas de son corps, car le haut était enfoui à l'intérieur du bateau.

Il a sorti la tête.

— J'examine juste les possibilités l'une après l'autre. Relax, mec. Je vais trouver.

Un schéma à la main, il a replongé dans les entrailles du système électrique du bateau. Bras croisés, Ben le regardait faire.

— Je peux aider ? ai-je demandé.

— Non.

D'une seule et même voix.

Ok, j'ai compris.

Pendant que Hi bullait dans le bunker et que Ben et Shelton se disputaillaient, je suis allée m'asseoir sur la plage. À l'écart.

Devant le bunker, un promontoire se penche sur l'océan, créant une crique secrète. L'éperon rocheux protège le rivage, dissimule le bateau et son amarrage aux embarcations qui passent, et surtout, il isole une toute petite plage abritée.

J'ai jeté un coup d'œil au sentier qui montait vers notre sanctuaire. Même d'aussi près, il était impossible de savoir qu'il y avait une meurtrière.

D'après Shelton, notre bunker faisait partie d'un

ensemble de tranchées, « Battery Gregg », destiné à défendre le port de Charleston pendant la guerre de Sécession et qui n'a pas encore été totalement répertorié.

Cet endroit nous appartient. Il faut le garder secret.

Des voix stridentes m'ont arrachée à mes pensées.

— Le commutateur de batterie n'est pas coupé, au moins ?

— Bien sûr que non. Ça sent l'essence, le moteur est peut-être noyé. Attendons une minute pour voir.

— Mais non ! Peut-être que le moteur n'a *pas assez* d'essence. Pompe !

— Tu plaisantes, ou quoi ? Vérifie que l'interrupteur à bascule est bien poussé dans le capot, sinon ça ne va jamais démarrer.

J'en ai eu marre. Me sentant inutile, j'ai décidé de remonter au bunker, où il fait toujours frais, quelle que soit la température extérieure, et d'attendre avec Hi la suite des événements. J'étais à mi-chemin quand j'ai entendu le moteur rugir, puis l'explosion de joie des mécaniciens amateurs. Je me suis retournée. Ben et Shelton se tapaient dans les mains, ravis.

— Bravo les petits génies, ai-je lancé. Je suis impressionnée.

Double hochement de tête viril. L'homme venait de triompher de la machine.

— Qu'est-ce qu'on fait, maintenant ? ai-je demandé.

— On peut vérifier que tout fonctionne bien, a proposé Ben. En allant à Clark Sound, par exemple.

Pourquoi pas ? Une balade en bateau était ce qu'on avait prévu pour cet après-midi, à l'origine. Soudain, une idée m'est venue.

— Je propose Loggerhead. Avec un peu de chance, on pourrait localiser les chiens-loups. Personne ne les a vus depuis des jours.

J'avoue : je suis folle des chiens. Je les aime peut-être plus que les humains. Non, pas peut-être. Sûrement. Après tout, les chiens ne vont pas dire du mal de toi dans ton dos. Ni essayer de t'embêter parce que tu es la plus jeune de la classe. Ni se faire tuer au volant.

Les chiens sont honnêtes. On ne peut en dire autant de beaucoup de gens.

— Pourquoi pas ? a répondu Shelton. J'aimerais bien voir les singes.

Ben s'est contenté de hausser les épaules. La destination l'intéressait moins que le trajet en bateau.

Hi descendait le sentier.

— J'ai du mal à croire que deux rigolos comme vous aient réussi à le réparer.

— Avec une telle accumulation de matière grise, impossible d'échouer, nullard, a rétorqué Shelton en tapant de nouveau dans la main de Ben.

— Je suppose que c'était de la haute technicité ?

Hi s'est étiré en bâillant.

— Pas un simple commutateur à actionner ou un fil à rebrancher, bien sûr ?

Ben est devenu écarlate, tandis que Shelton se plongeait dans la contemplation de ses pieds.

Un à zéro pour Hi.

— Bon, tout le monde est d'accord pour qu'on aille à Loggerhead ? ai-je demandé.

— Oui, a approuvé Hi. Les singes sont toujours marrants. Pas de risque que ça se passe mal avec eux. À moins qu'un singe en veuille à ta vie, ou qu'il se shoote à l'héroïne ou je ne sais quoi.

Sans se soucier de nos regards en coin, il a sauté dans le bateau.

Quelques minutes plus tard, on filait sur la mer. Trop cool. Même pour quelqu'un qui passe autant de temps que moi en bateau.

Car je vais en classe en ferry-boat. Aller-retour. Du lundi au vendredi.

La bande et moi, on étudie dans une prestigieuse école secondaire de Charleston, la Bolton Preparatory Academy. Une adresse chicos. Que des maisons de planteurs et des arbres majestueux. Avec ses murs recouverts de lierre et ses statues décorées de fiente de pigeon, la Bolton Prep est tout aussi prétentieuse que le voisinage.

Je ne devrais pas me plaindre. C'est l'une des

meilleures écoles privées des États-Unis. Kit n'aurait jamais pu la payer, mais c'est l'université de Charleston qui prend en charge la majorité des frais de scolarité. Encore un avantage pour ses employés qui travaillent sur Loggerhead Island.

Le hic, c'est qu'à la Bolton Prep, on n'est pas très aimés.

Les autres élèves sont bourrés de fric. Et la plupart n'oublient jamais de nous le faire remarquer. Ils savent comment on a été inscrits et pourquoi on arrive en groupe tous les jours. Ils nous traitent de *boat people*, de cas sociaux, de bouseux.

Des cons prétentieux. Des snobs. Des gosses de riches.

Bref, ce jour-là, j'étais contente d'aller ailleurs qu'à l'école.

Nous, ceux de Morris Island, on se serre les coudes. À mon arrivée, les trois étaient déjà très liés. Surtout Ben et Shelton. Hi, lui, est un peu à part. On a du mal à le comprendre, parfois, mais il nous aide à tenir bon, c'est sûr.

Les garçons m'ont acceptée tout de suite. Le choix est réduit, sur l'île, alors pas question de faire la fine bouche. Sans compter qu'ils ont vu dès le début que j'étais – ne soyons pas modeste – super-brillante. Comme eux, quoi.

Au contraire de la plupart des élèves, nous adorons apprendre. Ça doit venir de nos parents. Pour moi, c'était formidable de rencontrer d'autres jeunes bons en sciences.

Kit n'était pas ravi que mes amis soient tous des garçons. Je lui ai fait remarquer qu'il n'y avait pas d'autres lycéens sur Morris Island. Et qu'en plus, il connaît leurs parents. Il n'a rien eu à redire. Mais Whitney, sa copine, ne se prive pas d'entonner ce refrain.

Si au début, on a été amis un peu par force, tous les quatre, on est ensuite devenus très proches. Bien sûr, je ne me doutais pas *de quelle manière* nous le deviendrions. Ni pour quelle raison.

Pour éviter les bas-fonds, Ben a pris l'itinéraire le plus long jusqu'à Loggerhead. Tant pis pour la perte de temps. Mieux vaut ne pas prendre le risque de s'échouer sur les bancs de sable.

Shelton était assis à l'avant, cherchant à apercevoir des dauphins. J'étais à l'arrière avec Hi.

Je me suis corrigée : *à la proue* et *à la poupe*. Les garçons passaient des heures à apprendre les termes nautiques. Des futurs pirates ? Il paraît qu'ils reprennent du service.

De temps en temps, la proue s'élevait et retombait avec un bruit mat. On recevait l'écume fraîche et salée. J'adorais.

Je souriais sans même m'en rendre compte. Finalement, la journée s'annonçait bien.

Après vingt minutes en mer, une forme bleu vert est apparue à l'horizon et a grandi peu à peu. La terre ferme.

Nous avons ralenti et bientôt, nous longions une plage de sable blanc.

À quelques mètres derrière, de grands arbres et un épais sous-bois dissimulaient le reste de l'île. Des vaguelettes léchaient le rivage. Les grenouilles et les insectes donnaient un concert d'après-midi. De temps à autre, on entendait un froissement de feuilles et un aboiement lointain.

Aucune construction en vue. Aucune trace de présence humaine.

Ben a réduit les gaz. Le bateau oscillait doucement tandis que nous continuions notre route en contemplant le paysage en silence.

Il régnait ici une atmosphère mystérieuse. Quelque chose de primitif. De sauvage.

Loggerhead Island.

5

— Ouh là, ouh là ! Ça va trop vite ! Freine !

Shelton s'est recroquevillé au moment où le *Sewee* est arrivé sur l'appontement. J'ai perdu l'équilibre et je suis retombée sur les fesses. Sèchement. Le bateau a frôlé le quai avec un bruit de casserole. Rude journée pour la pauvre embarcation. En me penchant, j'ai réussi à attraper une amarre sur le quai et le bateau s'est stabilisé.

Arrivée un peu brutale, capitaine !

Ben a grimacé, tout dépité.

— Eh, il n'y a pas de freins sur un bateau ! C'est drôlement difficile d'accoster. Mais j'y travaille !

— Bosse un peu plus, mon vieux ! a protesté Hi en se frottant le genou. Tu fais suer !

— Je m'y suis mal prise, ai-je dit pour détendre l'atmosphère.

— Bon, j'aurais pu mieux faire, a concédé Ben, mais le bateau n'a rien. Allez, Hiram, ton genou s'en remettra !

Là-dessus, il a donné une solide tape dans le dos à Hi.

Hi a souri.

— Mon genou, peut-être, mais maintenant, c'est au dos que j'ai mal.

Shelton a bondi sur la terre ferme et attaché le bateau. Quelques tours de corde et c'était fait. Un boulot de pro.

Hi a enjambé le bord.

— Grouillez ! a-t-il lancé, le teint verdâtre, en s'avançant d'un pas mal assuré sur le ponton. J'ai quelque
chose à faire dans la nature.

Le mal de mer.

J'ai débarqué à mon tour et j'ai suivi avec les autres.

Comparé à Morris Island, Loggerhead est minuscule :
à peine plus d'un kilomètre carré. Zéro habitant. Zéro
route. Zéro café. Rien que quelques bâtiments serrés les
uns contre les autres, à la pointe sud. Mais attention, il
ne faut pas se tromper. C'est un endroit sérieux. High
tech. Des labos top niveau, des équipements à la pointe
du progrès, le tout surveillé vingt-quatre heures sur
vingt-quatre. Petit, mais cher.

C'est le Loggerhead Island Research Institute. LIRI
pour les intimes. Mais Loggerhead tout court convient
très bien aussi.

Loggerhead, c'est le nom anglais d'une tortue marine,
la caouanne, qui vient pondre sur le sable, dans la zone
est. Les premiers habitants européens de cette île aux
tortues ont été des pirates. Considérant que c'était un
endroit génial pour échapper aux autorités coloniales,
Barbe-Noire et ses potes s'y réfugiaient et y stockaient
leur butin entre deux attaques de navires marchands.
Ou de confrères. Ou bien ils faisaient la fête avec
d'autres pirates. Je ne sais pas trop.

De toute façon, cette époque n'a pas duré, parce que
les Anglais ont viré les pirates et un Lord Je-ne-sais-quoi
a installé là une plantation de coton. Bien sûr, le travail
était fait par des esclaves. Sale type. Mais un jour, ils
ont eu sa peau. Si tu es un abruti qui achète des êtres
humains, ne t'installe pas loin de tout. Pour peu que tes
esclaves ne soient pas d'accord avec toi, tu risques de
servir d'appât à poissons.

L'armée s'est installée ensuite sur Loggerhead. Base
militaire, fusils et tout le bazar. Puis l'île est restée
inhabitée pendant plusieurs dizaines d'années. Et dans
les années soixante-dix, elle est devenue la propriété de
l'université de Charleston, qui l'a remplie de primates.
Ce n'est pas une blague. Une grande partie de
Loggerhead est colonisée par les singes. Des singes rhé-
sus par centaines, qui vivent en liberté dans les arbres

et à terre. Ils ne risquent pas d'aller ailleurs. À la nage, c'est beaucoup trop loin.

Les bâtiments de la recherche sont entourés d'une clôture, mais c'est pour éviter que les singes n'y entrent, pas l'inverse. En fait, les petits malins passent pas mal à travers. Comme de minuscules ninjas.

C'est vraiment un endroit incroyable, cette île. Quand ils se chamaillent, les ninjas en question font un vacarme de tous les diables. Mais enfin, qui n'aimerait pas traîner de temps en temps dans une cage à singes géante ?

Que ce soit clair : dans cet institut, on ne fait *aucune* expérience sur les animaux, ni rien de ce genre. Juste de la médecine vétérinaire et de l'observation, des études de comportement, par exemple. Sinon, je n'y mettrais les pieds pour rien au monde. Et je ne laisserais pas Kit y travailler.

Impressionnant, non ? Il n'y a pas beaucoup d'endroits comme ça sur le continent nord-américain. Des scientifiques viennent de partout. Et pour y avoir accès, il faut montrer patte blanche.

Du moins, la plupart des gens doivent montrer patte blanche. Pas nous.

Après l'appontement, nous avons marché sur une étroite bande de sable bordée de hauts promontoires rocheux. Des mouettes, dérangées, s'éloignaient de notre chemin en poussant des cris. J'ai regardé autour de moi.

Loggerhead Island a la forme d'un pingouin au ventre rond, dont la tête ferait face au nord-ouest. Les quais sont situés à l'extrémité sud, au bout de son derrière imaginaire. De là où je me trouvais, j'avais la vue plus ou moins bouchée par les pieds du pingouin.

À droite, un pic conique, Tern Point, se dressait à l'angle sud-est de l'île. À gauche, un plateau envahi par la végétation s'élevait vers de hautes falaises surplombant la mer. La petite crique par laquelle nous étions arrivés se situait entre les deux, sa plage et son appontement à l'abri de la houle.

Pas étonnant que les pirates aient apprécié le site. Un coin idéal pour y planquer un navire. Ni vu ni connu.

L'extrémité nord de l'île est marécageuse et se termine en vasière. Impossible de parcourir à pied les derniers cent mètres. On s'enfonce trop.

Et puis, ça ne viendrait à l'idée de personne. À cause des alligators. Scronch. Scronch.

Si le haut et le bas de l'île sont inhospitaliers, ses flancs sont superbes. Que du sable blanc. À l'ouest, l'étroite plage est baptisée Chile Beach, à cause de sa forme qui rappelle celle du Chili, mais on l'appelle encore parfois Dead Cat. La cerise sur le gâteau, c'est à l'est qu'elle se trouve : Turtle Beach, la plage aux tortues. Elle est plus courte et plus large. Le paradis sur terre. La plus belle du monde.

L'intérieur de l'île est couvert d'une épaisse forêt entrecoupée de criques. Et bourrée de singes.

À partir de l'endroit où nous avions débarqué, un sentier monte vers le nord-est, puis escalade un monticule escarpé qui dissimule les bâtiments du LIRI aux regards. Hi était à mi-chemin.

— Sur un bateau, Hi n'est pas une affaire, a dit Ben.

Exact. Il avait même le mal de mer sur le ferry.

— Laissons-lui une minute ou deux pour... se détendre, ai-je proposé.

Shelton n'a pas eu la même délicatesse.

— Il cherche un endroit où gerber, a-t-il déclaré. Bon, tu as raison, dans ses moments de faiblesse, un homme a besoin qu'on le laisse tranquille.

Personne n'a discuté. On avait déjà tous vu le show « Hi, vomi and co ».

— Tu veux vraiment partir à la recherche des chiens ? a demandé Shelton en se tripotant le lobe de l'oreille.

Un tic nerveux, chez lui.

— Ça ne plaisante pas, Tory. La dernière fois, tu as eu de la chance. C'était de la folie.

À moitié vrai. Ce que j'ai fait était effectivement stupide. Les chiens sauvages peuvent être imprévisibles, voire représenter un danger mortel. Surtout les chiens-loups. Et j'avais certainement risqué ma vie. Mais je ne pense pas que la chance ait joué un rôle là-dedans.

En fait, je ne me suis jamais sentie menacée par un

chien ou par un loup. J'ignore pourquoi, mais les canidés et moi, nous communiquons. C'est comme si on parlait la même langue.

La meute ne me faisait pas peur. Au contraire, j'avais envie de la voir. Mais je savais que les autres redoutaient de l'approcher de trop près.

— Shelton a raison, a dit Ben. Même si tu es la fille qui parle à l'oreille des chiens, tu ne peux reprendre un risque pareil.

Il a fait un ricochet avec un galet.

— J'ai cru que tu allais y laisser la peau. Si je ne l'avais pas vu de mes propres yeux, je ne l'aurais pas cru.

— Toute la scène avait quelque chose d'irréel, a approuvé Shelton.

J'explique.

Il y a quelques années, en quittant un centre de recherches du Montana, un étudiant a trouvé une petite louve à moitié morte enfouie dans une congère. Comme il n'avait pas le choix, il a bravé les règles en vigueur et il l'a introduite en douce là où il allait poursuivre ses recherches : à Loggerhead. Et puis, il a perdu la trace de sa protégée. Ses travaux achevés, il l'a cherchée en vain et il est parti sans elle.

La petite louve a fini par devenir une mascotte officieuse pour les gens qui travaillaient à Loggerhead. Ils l'ont baptisée Whisper. Elle apparaissait sans bruit quand elle avait faim, puis elle s'évanouissait tout aussi discrètement dans la nature.

Whisper a grandi. Elle est devenue adulte. Comme elle était bien nourrie, elle a continué à se montrer joueuse avec les humains et sans agressivité envers les singes. Sans que ce soit officiel, on lui permettait de vivre en liberté sur l'île.

Environ un an après l'arrivée de la louve, un berger allemand est mystérieusement apparu sur l'île. Nul ne sait comment il a pu être introduit sur Loggerhead. Personne ne s'est vanté de l'avoir fait.

En tout cas, ce mâle a dû plaire à miss Whisper, car le premier petit est né quelques mois plus tard. Pendant un certain temps, la famille s'est composée de trois membres, puis elle s'est agrandie avec la naissance

41

d'un second chiot. J'ai été la première à repérer sa présence, deux mois après mon arrivée en novembre. Je lui ai même donné un nom.

Comment s'est-on rencontrés ?

La bande et moi, on était sur Turtle Beach quand on a entendu un bruit sec venant des bois, comme une branche qui se serait brisée. Intriguée, je me suis glissée parmi les arbres, m'attendant à tomber sur des singes en train de faire leur numéro. Et puis, j'ai vu les chiens. Ils encerclaient en gémissant un trou d'où montait un pitoyable petit cri.

Je ne sais s'ils m'ont entendue ou s'ils ont flairé ma présence. Toujours est-il que trois paires d'yeux se sont posées sur moi.

Je me suis immobilisée.

Whisper regardait dans ma direction, humant l'air. C'est elle le chef. Une bête imposante. Une louve à cent pour cent. Que je dérangeais.

Mes glandes sudoripares se sont déchaînées.

Un grondement a pris naissance au fond de la gorge de Whisper. La louve s'est avancée vers moi, les oreilles dressées, le poil hérissé sur l'échine.

Quelqu'un de rationnel aurait battu en retraite. Mais quand il s'agit de chiens, je perds toute mesure. Ce qui était dans ce trou avait besoin de moi, j'en étais sûre.

Centimètre par centimètre, j'ai avancé, en espérant que Whisper allait comprendre mes intentions.

Aie confiance en moi. Je ne suis pas une menace.

La louve avait les yeux si écarquillés que j'en voyais le blanc. Ses lèvres se sont retroussées, découvrant des incisives étincelantes. Le grondement s'est changé en grognement hargneux.

Deuxième avertissement.

— Shhh, je suis une amie, ai-je roucoulé. Laisse-moi juste jeter un coup d'œil. Je ne lui ferai aucun mal, promis, juré.

Un pas de plus.

J'ai perçu un mouvement sur le côté. Tournant légèrement la tête, j'ai vu que les garçons se tenaient à une distance prudente, l'air incrédule.

Je les ai ignorés. J'ai avancé de quelques centimètres encore.

Whisper a bondi et s'est arrêtée à une cinquantaine de centimètres de moi.

Un troisième grondement. Puissant. Et cette fois, les deux autres chiens se sont joints à elle. Un bruit sauvage. Terrifiant.

Montée brutale d'adrénaline dans mon corps.

Peut-être que c'était une mauvaise idée.

J'ai baissé les yeux et, lentement, j'ai ouvert les mains. Puis je me suis immobilisée. Je savais que ma sécurité ne tenait qu'à un fil.

Aucun son. Rien n'a bougé.

Le sang battait à mes tempes, la sueur ruisselait dans mon dos.

Le menton toujours baissé, j'ai soulevé les paupières. J'ai reçu le regard de Whisper en plein visage. Elle semblait hésiter, se demander ce qu'elle devait faire, à sa façon de louve.

Puis, brusquement, elle est retournée auprès de son mâle et de son petit. Le trio a regardé le trou, puis moi.

J'avais la permission. Du moins, je l'espérais.

J'ai progressé d'un pas encore, prudemment. Ils n'ont pas bougé.

Vite, Tory. L'autorisation va expirer.

Je me suis avancée et j'ai jeté un coup d'œil dans le trou. C'était un ancien puits, autrefois obstrué avec des planches. Le bois friable venait de céder.

Trois mètres plus bas, une petite boule de fourrure jappait pitoyablement. Deux yeux bleus ont regardé en l'air. Un louveteau.

En me voyant, il s'est redressé et s'est mis à gratter la paroi de terre avec ses petites pattes, dans son besoin désespéré de retrouver sa maman.

Sans réfléchir, je me suis baissée et, attrapant la tige d'une plante grimpante, j'ai commencé à descendre en rappel dans le trou.

Un bond. Puis deux.

Une ombre m'a recouverte. J'ai levé les yeux. Trois têtes aux oreilles pointues m'observaient, attentives à chacun de mes mouvements.

Avec d'infinies précautions, j'ai continué à descendre. Trois. Quatre. Cinq.

À mi-chemin, j'ai senti sous mes pieds des rebords dans la paroi. Je les ai utilisés en guise d'escalier pour rejoindre le louveteau terrifié qui jappait toujours, impatient d'être sauvé.

Quand je suis arrivée à son niveau, je me suis assise pour reprendre mon souffle. Mon nouvel ami se tenait sur un tonneau cassé marqué « Cacahuètes bouillies de la Cooper River ». Il est venu s'installer sur mes genoux et m'a léché le visage. Un amour.

C'est à ce moment-là que je l'ai baptisé. Je l'ai appelé Cooper.

Un aboiement sec a retenti au-dessus de ma tête. Whisper s'impatientait.

Prenant mon précieux chargement dans mes bras, je me suis appuyée contre la paroi et j'ai considéré la situation. Les parois du puits, irrégulières, comportaient de nombreuses aspérités et des racines. Il ne serait pas très difficile de remonter.

Pas très difficile, à ceci près que des chiens furieux m'attendaient là-haut, prêts à me dévorer toute crue.

Tenant le chiot au creux d'un bras, j'ai commencé à me hisser avec l'autre main. Un pied à la fois. Attraper la plante grimpante. Tirer. Poser le pied. Recommencer.

Mon hôte s'est niché contre moi avec un étrange petit jappement.

— Je suis d'accord, Coop. Accroche-toi.

Les bras me brûlaient quand je suis arrivée en haut. Nez à museau avec une louve.

Whisper. Les mâchoires à quelques centimètres de ma gorge.

Avec mille précautions, j'ai déposé Coop sur le sol. Maman louve a planté ses dents dans la peau de son cou, l'a soulevé et a disparu en trois bonds dans la végétation. Les deux autres ont suivi.

Toute tremblante, je me suis hissée hors du puits et me suis époussetée.

Puis j'ai souri. Mission accomplie. J'étais toujours en vie.

J'ai regardé du côté de mes compagnons. Hi respirait

vite. Ben et Shelton hochaient la tête. Tous les trois étaient visiblement soulagés.

Ils m'ont fait promettre de ne plus jamais être aussi imprudente. J'ai promis, mais juste pour les calmer. Compte tenu des circonstances, je savais que je recommencerais.

En regagnant la plage, j'ai entendu, ou plutôt non, j'ai senti un froissement de feuilles sur ma droite. Je me suis tournée de ce côté. Dans l'ombre des buissons, deux yeux d'or brillaient. Whisper. Elle m'a observée un moment, avant de disparaître parmi les arbres.

Jamais, je crois, je n'ai été aussi fière qu'à ce moment-là.

Depuis cette rencontre, les mois avaient passé. Je n'avais guère revu Whisper et sa famille.

Si je les retrouvais, se souviendraient-ils de moi ? Coop, particulièrement ?

Oui, j'en étais certaine.

À cette heureuse perspective, j'étais prête à partir en exploration.

Après avoir laissé à Hi le temps de retrouver un estomac en état de marche, on a escaladé la butte et descendu le chemin vers le centre de recherches.

Et foncé tout droit vers les ennuis.

6

Hi avait été fait prisonnier par l'ennemi.

D'accord, j'exagère. Mais pas tant que ça.

Quand on est arrivés au sommet de la butte, on a aperçu en bas le complexe du LIRI. Une dizaine de bâtiments serrés les uns contre les autres à l'intérieur d'une clôture grillagée de deux mètres cinquante de haut. Les constructions de verre et d'acier abritaient les laboratoires de recherche, les hangars en aluminium, les stocks d'équipements, la nourriture des singes, les fournitures et les véhicules. Il n'y avait que deux ouvertures dans la clôture : le portail principal, qui conduisait à l'appontement situé derrière nous, et un autre, plus petit, qui donnait sur Turtle Beach.

Hi se tenait près de l'entrée principale. Il n'était pas seul.

Shelton a mis ses mains en visière sur ses yeux.

— C'est cuit, a-t-il lancé. On va se faire remonter les bretelles.

— Merde, c'est Karsten.

Le ton de Ben était inquiet.

Évidemment, ai-je pensé. *Qui d'autre ?*

— Il nous fait signe de descendre, a précisé Shelton.

Inutile de s'enfuir. Le Dr Karsten savait qui nous étions. Pire, il savait qui étaient nos parents.

— Allons-y, ai-je dit avec une assurance que j'étais loin d'éprouver. Karsten sait très bien qu'on a l'autorisation d'être là dans la mesure où on ne viole pas le règlement. Je n'arrive pas à comprendre pourquoi il est toujours après nous.

Les étrangers au complexe n'ont pas accès à Loggerhead. Mais comme nos parents y travaillent, la direction nous autorise à nous y rendre, à condition d'éviter les zones interdites et de ne pas poser de problèmes.

— Le Dr K n'a jamais aimé nous voir sur l'île, a déclaré Shelton. D'après mon père, il propose toujours de nous refuser l'accès, mais personne ne vote pour. Ce connard se comporte comme si on était des terroristes ou je ne sais quoi.

On a commencé à descendre la butte. Des deux côtés, on ne voyait que des arbres. Ce qui n'a rien d'étonnant, puisqu'il n'y a aucun bâtiment en dehors des principales installations. Quelques sentiers parcourent l'île, mais ils sont peu nombreux. En fait, depuis le début, le LIRI a été conçu pour que l'empreinte humaine soit aussi peu visible que possible. Et le résultat est là.

Tout en marchant, je pensais aux recherches formidables qu'ils font à Loggerhead. Les primates sont mes favoris, mais il y a aussi une station de biologie marine. C'est ici que Kit étudie ses tortues et ses dauphins chéris. La réserve naturelle attire les ornithologues et les botanistes. Les spécialistes des papillons, aussi. Et ceux des alligators, à cause des marécages. Sans compter les archéologues, qui ont fait des fouilles sur le plateau et à l'intérieur de l'île.

Une confédération élitiste de fous de sciences. Mes potes, quoi.

Quand on est arrivés au portail, Ben, Shelton et moi, Karsten avait déjà traîné Hi à l'intérieur de la clôture. En nous voyant, il nous a fait signe d'entrer, l'air furieux.

On a obéi. Pas le choix.

Dr Marcus E. Karsten : professeur, chef du département de médecine vétérinaire de l'université de Charleston et directeur du LIRI. Célèbre pour ses travaux sur le virus Ébola, Karsten avait très bonne réputation en matière d'épidémiologie animale. Il supervisait toutes les recherches entreprises à Loggerhead.

47

C'était aussi un abruti de première.

Et il n'avait rien d'un canon. Cinquante et quelques balais. Le modèle maigrichon à lunettes, qui plaque une longue mèche sur son crâne à moitié chauve. Sa blouse était repassée si soigneusement qu'on aurait pu couper du fromage avec les plis.

Je reconnais quand même qu'il ne nous traitait pas comme des gosses. Non, il nous traitait comme des criminels.

Karsten et Hi se tenaient devant le Bâtiment 1, le plus vaste du centre de recherches. Il abrite les labos qui ont l'équipement le plus sophistiqué et le plus cher. C'est ici que travaille le père de Hi. Et le mien. On y trouve aussi le bureau de la sécurité. Super.

— Approchez et expliquez-vous.

On a obéi à la première injonction. Pas à la seconde. Karsten s'est tourné vers Hi.

— Monsieur Stolowitski, que faisiez-vous dans les bois ?

— Mon avion s'est crashé. Je vis là depuis des mois.

La ferme, Hi ! Ce n'est pas malin.

— C'est un drame épouvantable, a répondu Karsten d'un ton glacial. Votre mère va être heureuse d'apprendre que vous êtes toujours en vie. On la prévient tout de suite ?

Hi a pris un air penaud.

— J'étais malade, a-t-il marmonné. Le mal de mer.

Il m'a fait pitié.

— Et vous autres ? Vous étiez malades, vous aussi ? Vous veniez chercher des médicaments vétérinaires ?

— Docteur Karsten, est-ce qu'on a fait quelque chose de mal ?

Le ton de Shelton était extrêmement poli.

— Je pensais qu'on pouvait venir ici, puisqu'on est sur la liste des personnes autorisées. Vérifiez, si vous voulez.

Karsten ne se laissait jamais amadouer.

— Astucieux. Vous avez le droit d'être ici à condition de ne pas poser de problèmes. Mais vous en posez toujours.

Je suis devenue rouge de colère.

C'est ridicule.

— Professeur Karsten, je suis ici pour voir mon père. Je viens directement de l'appontement. Et aux dernières nouvelles, mes vaccinations étaient à jour. Est-ce que je peux faire quelque chose de particulier pour vous ? Je dois m'en aller.

J'avais dit ça d'une voix grinçante. Les autres ont imperceptiblement reculé.

Karsten m'a dévisagée pendant quelques secondes. Une éternité. Puis il a eu une espèce de sourire.

— Mademoiselle Brennan, toujours aussi charmante, a-t-il dit enfin.

Il s'est tu un instant avant de poursuivre à voix basse :

— Ce n'est pas le genre de votre père. Mais c'est *exactement* celui de Tempe.

Je ne m'attendais pas à ça. En moi-même, j'étais fière comme tout. Karsten connaissait professionnellement ma tante Tempe. Mais j'ignorais si ce lien familial jouait en ma faveur.

Karsten a repris un ton business-business.

— Ne vous approchez pas de Turtle Beach, une enquête écologique est en cours. Je suppose que l'accès à Chile Beach est libre. Pas celui de Tern Point. Comme d'habitude.

Il a consulté sa montre et conclu :

— Surtout, ne restez pas dans les pattes de qui que ce soit.

Il s'est éloigné de quelques pas avant de s'arrêter net.

— Mademoiselle Brennan ?

— Oui, monsieur ?

— Le Dr Howard est occupé avec l'une de ses patientes. Une tortue a été blessée par une hélice de bateau en traversant le canal. Il ne faut pas déranger votre père.

Sur ces mots, il nous a plantés là.

Ouf.

Trois paires d'yeux étaient braquées sur moi.

— Eh bien, quoi ?

— Je n'arrive pas à croire que tu aies volé dans les plumes du Dr K ! a lancé Shelton, l'air secoué, effectivement.

Hi a émis un sifflement.

— T'es plus couillue que moi, dis donc.

— Merci, Hi. J'en prends note.

— En tout cas, ça a marché, a constaté Ben. Bon boulot, Tory. C'était futé de dire que tu venais voir ton père.

Il a jeté un coup d'œil vers l'arrière du centre avant de poursuivre :

— Malgré tout, on ferait peut-être mieux de laisser tomber les chiens.

— Les chiens-loups, ai-je corrigé. Deux d'entre eux sont des hybrides, du moins.

J'ai contemplé mon reflet dans les vitres du Bâtiment 1. J'aurais bien aimé rendre visite à mon père, mais ç'aurait été tenter le diable.

Désolée, Kit.

— Non, ai-je repris. On va essayer de trouver la meute.

— Et les singes. Je veux voir des singes.

Hi avait retrouvé sa bonne humeur. Il a esquissé un pas de danse en chantant :

— Et-ça-me-fait-penser-aux-trois-siiiinnngees !

— Par pitié, Hi !

— Oui, épargne-nous ça, a approuvé Shelton.

— D'accord, a dit Hi. Ce n'est pas ce que je fais de mieux.

Shelton a fait tourner un lasso imaginaire au-dessus de sa tête.

— Allez, en selle !

À la queue leu leu, tels les nains de Blanche-Neige, on est sortis par le portail de derrière.

Heigh-ho, heigh-ho !

7

L'homme se tenait à la fenêtre du bureau de Karsten. Ses yeux rapprochés encadraient un nez bulbeux parcouru de petites veines. Tout en regardant les quatre ados franchir le portail côté Turtle Beach, il fit craquer ses jointures. Nerveux et furieux à la fois.

Des petits punks à Loggerhead ? Qu'est-ce qu'ils viennent faire ici ?

Il s'approcha de la table de travail et posa son corps massif sur le fauteuil de cuir. S'appuya au dossier. Alluma un cigare.

Il était temps de rappeler à Karsten qui était le boss ici.

Quelques instants plus tard, le Dr Karsten entrait dans la pièce. Il s'arrêta net, surpris de sentir une odeur de tabac, et se raidit à la vue de l'homme installé à son bureau.

— On peut savoir pourquoi une bande de gamins se balade par ici ? lui demanda ce dernier d'un ton glacial.

Karsten déglutit.

— Je ne peux les empêcher de débarquer. Les enfants des employés du LIRI sont autorisés à se rendre sur nos plages.

— Vous êtes le directeur, tout de même. Vous devez pouvoir contrôler ce qui se passe dans vos locaux.

Karsten se hérissa, mais ne répliqua pas.

— Je ne veux personne de l'extérieur sur cette île, poursuivit l'homme. Chassez-les. Tout de suite. Qu'ils n'aient pas accès aux bois.

— Pourquoi êtes-vous venu ici ? répliqua Karsten. C'est de la folie. Imaginez qu'on nous voie ensemble !

— Personne n'est au courant. J'ai pris mes précautions. Et parlez-moi sur un autre ton. Si je suis ici, c'est parce que vous n'avancez pas. Vous avez peut-être oublié notre accord ?

— Je travaille dessus.

— Vous avez promis. Vous avez des obligations.

— Ce que vous cherchez à obtenir est extrêmement compliqué. On ne peut aller trop vite avec ce genre de choses.

Son interlocuteur le dévisagea en silence.

— Laissez-moi un peu de temps, gémit Karsten. Je vais bientôt y arriver.

— Vous avez intérêt. Je tiens à ce que mes partenaires respectent leur parole.

L'homme se leva et tira une bouffée de son cigare, qu'il jeta encore allumé dans la corbeille à papier.

— Impressionnez-moi, docteur, conclut-il. Il ne vous reste plus beaucoup de temps.

Sur ces mots, il sortit sans se retourner.

8

Flit ! Un éclat lumineux.

Aussitôt disparu.

Qu'est-ce que ça pouvait bien être ?

C'était la troisième ou la quatrième fois que je l'apercevais du coin de l'œil. Il me semblait que cela provenait de la forêt, mais je n'en étais pas certaine. J'ai scruté la végétation du regard, cherchant un indice.

À ce moment-là, j'ai reçu une boule de gomme – c'est ainsi qu'on appelle les fruits d'un arbre, le liquidambar – en plein sur le front.

— Oh ! Un singe m'a prise pour cible !

J'étais assise dans une clairière, le dos appuyé contre un arbre, dans une zone peu fréquentée de la forêt, loin du LIRI. Allongé près de moi, Hi profitait de l'ombre. Quant à Ben et Shelton, ils étaient partis en quête de la piste. Une fois de plus.

Nous étions hors limite, et alors ? Nous avions l'habitude de suivre le chemin qui menait à la plage de Dead Cat. Lorsque Ben avait repéré un ancien sentier conduisant vers le nord, nous avions décidé de quitter la route.

Va te faire voir, Karsten.

On n'avait pas repéré la meute. Rien d'étonnant. L'île tout entière était leur domaine et les canidés sont très doués pour se dissimuler. Ils pouvaient être n'importe où.

L'an passé, un technicien de laboratoire avait pris l'initiative d'installer un distributeur automatique de nourriture dans une caverne en dessous de Tern Point.

Whisper et sa petite famille s'en étaient servis tout de suite et on ne les voyait plus beaucoup sur le domaine.

C'est-à-dire, jusqu'à ce que les hurlements retentissent.

Depuis peu, la meute tournait toutes les nuits autour de la clôture du LIRI en hurlant. Personne ne savait pourquoi. Les vigiles étaient affolés.

Ce changement de comportement m'inquiétait. Si les bêtes continuaient à faire ce vacarme, elles attireraient l'attention sur elles. Et elles n'étaient pas exactement censées se trouver ici.

Mais ce qui me souciait encore plus, c'était que seuls trois membres de la famille se montraient chaque fois. Coop manquait à l'appel.

Même si notre mission avait échoué, la randonnée me plaisait bien. À un moment, nous avions dérangé un groupe de singes réunis autour d'un distributeur de nourriture. Habitués aux humains, ils s'étaient dispersés sous le couvert des arbres pour pouvoir nous observer de loin.

Les jeunes mâles faisaient tout un cirque, sautillant et criant dans les branches. Les petits, installés sur le dos ou contre la poitrine de leur mère, nous jetaient des regards curieux. Ils étaient adorables, avec leurs grandes oreilles et leurs yeux immenses. Quant aux femelles, elles s'épouillaient mutuellement comme si elles se préparaient à aller en soirée.

Jusque-là, pas de problème.

Mais après cette rencontre avec les singes, le sentier s'était rétréci de plus en plus, jusqu'à disparaître complètement. Il avait fallu se rendre à l'évidence : on était perdus. Apercevant une clairière, on l'avait rejointe, espérant découvrir la piste de l'autre côté.

Rien.

Et maintenant, je servais de cible aux projectiles d'un singe.

J'ai fini par repérer mon agresseur. Une grande femelle au pelage gris brun, avec une oreille entaillée. Sur sa poitrine, la formule *Y-7* était tatouée.

Y-7 n'était pas contente. Elle passait de branche en branche, s'arrêtant de temps à autre pour faire mine de se ruer sur nous, les dents découvertes dans un rictus qui exprimait la peur et la colère.

Y-7 m'a visée de nouveau.

Touchée ! Je me suis frotté l'épaule, avant de me réfugier derrière le tronc.

— On dirait que tu as une nouvelle admiratrice, m'a lancé Hi.

— La ferme ! Je n'ai jamais vu une femelle avoir ce genre d'attitude.

Un autre missile m'a frôlé l'oreille.

— Qu'est-ce qui se passe ? Son petit est par ici, ou quoi ?

— Je ne crois pas.

J'ai risqué un autre coup d'œil. Un nouveau projectile a fusé.

— Méfie-toi, elle est assez agitée, ai-je dit à Hi.

C'était franchement en deçà de la vérité.

— Évident, Captain Obvious !

Hi n'avait pas bougé. Erreur fatale.

Pong ! Direct sur lui. Tiré d'en haut.

Avec un juron, Hi a roulé hors d'atteinte.

— Agitée ? Tu veux dire une enragée, une assoiffée de sang. Elle a visé ma blessure au genou. C'est une déclaration de guerre.

Il a ramassé un fruit épineux tombé de l'arbre, s'est mis debout et l'a lancé à son tour.

— Tiens ! Il faut toujours finir ce qu'on a commencé !

Son tir était trop faible. Y-7 a esquivé la boule de gomme sans difficulté. Avant de la retourner à l'envoyeur.

Hi a battu en retraite, haletant, et s'est accroupi à mes côtés.

— Je suis dépassé. Besoin de renfort.

Flit !

Ça recommençait. Un éclat lumineux.

— T'as vu ça ? ai-je demandé.

— Ouais. Je crois que Donkey Kong a quelque chose dans la main.

Y-7 s'est élancée dans les airs, les bras étendus, puis a

atterri en secouant les branchages d'une manière mena-
çante. J'ai entendu un cliquetis.

— C'est du métal. Ou du verre.

Nous étions assis derrière le tronc d'un chêne vert.
Pas assez large pour nous dissimuler tous les deux.
Même serrés comme des sardines.

Soudain, notre adversaire a bondi dans les branches,
juste au-dessus de nos têtes. Elle s'est suspendue et s'est
mise à pousser des cris aigus, les dents découvertes.

Inquiète, je me suis roulée en boule. Les morsures de
singe, ce n'est pas joli-joli.

Y-7 a jeté ce qu'elle tenait.

Un bruit de branches. Puis plus rien.

Je me suis redressée. Ma chemise était couverte de
terre. Des brindilles ornaient mes cheveux. Ravissant.

— Hi, la prochaine fois que tu as envie de jeter
quelque chose sur un singe, tu évites !

— Ce n'était qu'une boule de gomme.

Hi avait roulé au bas d'une petite pente. Il s'est relevé
et a contemplé son coude, où apparaissait une écor-
chure.

— Décidément, ce n'était pas mon jour ! a-t-il
conclu.

Curieuse, j'ai ramassé le projectile lancé par Y-7.

— Hé, qu'est-ce qui se passe ?

La voix de Shelton.

Les explorateurs étaient de retour, ignorant tout de
la bataille qui venait d'avoir lieu.

Hi remontait la pente.

— Une attaque de singes. L'ennemi avait la maîtrise
des airs, mais nous avons survécu.

— Hé, regardez ça !

J'ai frotté le missile envoyé par Y-7 avec mon doigt
pour tenter d'ôter la saleté qui le ternissait. L'objet, fin
et plat, était percé d'un trou à une extrémité. Il devait
peser une trentaine de grammes.

Shelton m'a rejointe. Hi, lui, était en train de décrire
à Ben le nombre de coups qu'il avait reçus avant de
mettre le chef du gang des primates en déroute par une
prise de catch. Son auditoire semblait dubitatif.

L'arme de choix de Y-7 mesurait environ cinq

centimètres de long sur deux à trois de large. Une croûte recouvrait une grande partie de la surface, mais un bord brillait au soleil de l'après-midi.

— Du métal, pas de doute, ai-je annoncé.

Shelton a hoché affirmativement la tête.

— C'est pratiquement fossilisé. Ce devait être à moitié enterré.

J'ai mis le nez sur l'objet pour l'examiner. Il sentait la rouille et la terre.

— Il est en piteux état, mais on devine des inscriptions. Des lettres, peut-être ?

Shelton a souri.

— Réfléchis, louloute. Un rectangle de métal avec des symboles gravés.

Le cochon. Il savait ce que c'était.

J'ai horreur des devinettes.

— Je ne sais pas. Un fer de golf ? Un bout d'agrafeuse ?

Le sourire de Shelton s'est encore élargi.

— Sers-toi de tes neurones ! Qui imprime des trucs sur des petits bouts d'acier ?

Troués. Mais oui, bien sûr !

J'ai souri à mon tour.

— Ah, tu as trouvé !

Hi s'est tourné vers les autres.

— Devinez ce qu'on a découvert ?

Je lui ai volé son effet.

— Une plaque d'identité militaire !

— Mais qu'est-ce que ça fait ici ? a demandé Ben. Ce serait encore un machin de la guerre de Sécession ?

— Mais non, voyons, ignorant ! s'est exclamé Shelton. Les plaques métalliques datent de la Première Guerre mondiale. Du moins les classiques.

Je lui ai tendu la plaque. À lui de faire son show.

— Si on savait ce qui est inscrit dessus, on pourrait la dater, a-t-il déclaré. Le genre d'infos qu'on y gravait a évolué au fil du temps. Le matériau utilisé aussi.

J'ai froncé les sourcils.

— Loggerhead est resté inhabité pendant des décennies avant que l'université ne l'achète.

— Officiellement. Mais ça ne veut pas dire que personne n'y soit venu.

Un bon point.

— On perd notre temps, a conclu Ben en consultant sa montre. On n'arrivera jamais à déchiffrer les inscriptions. Elles doivent être presque complètement effacées. On devrait y aller, maintenant. J'ai trouvé le chemin pour rentrer.

— *Nous* l'avons trouvé, a corrigé Shelton en jetant la plaque.

Les garçons se sont mis en marche.

Je suis restée en arrière, les yeux fixés sur le trophée de Y-7 gisant parmi les feuilles.

Pourquoi ne pas essayer de la nettoyer ? Il n'y a pas beaucoup de différence avec un coquillage.

Cette plaque portait le nom de quelqu'un. C'était idiot de ne pas tenter le coup. Je l'ai donc ramassée, avant de rattraper les autres.

Ah, là, là !

Si je n'avais pas fait ça, tout aurait été différent.

Tout.

Ce caprice a changé ma vie.

Il a été le point de départ de toute une série d'événements.

Qui m'ont ouvert la voie vers la monstruosité.

9

À la maison, catastrophe.

Terreur. Horreur.

Elle.

Toujours le même discours. Un, grandiloquence. Deux, reproches. Trois, insouciance. Le tout sur un ton sirupeux comme un pot de miel.

Et elle se précipitait vers moi.

— Tory, ma chérie, tu deviens ravissante ! Regardez-moi ces yeux d'ange !

Mamma mia !

— Mais pourquoi ne mets-tu pas une robe bain de soleil ? Une aussi jolie fille ne devrait pas traîner en short et en T-shirt !

Assez !

— Et il te faut une bonne coupe de cheveux. Ma coiffeuse, Da'Nae, saura mettre de l'ordre dans cette crinière.

Je meurs.

Le dîner s'annonçait mal, « l'amie » de Kit ayant été invitée. Mon père ne m'avait pas demandé mon avis, peut-être parce que mon opinion sur Whitney était fermement établie.

Je me suis tournée vers lui. Il gardait les yeux fixés sur son assiette.

Mesdames et messieurs, je vous présente Whitney Rose Dubois.

— Tu as pensé à ce que je t'ai dit la dernière fois, mon chou ?

Whitney avait pris un ton faussement nonchalant.

— Oui, Whitney. Ce n'est pas mon genre, je pense.

J'essayais pour ma part de me montrer diplomate.

— Pas ton genre ?

Battements de cils chargés de mascara. Cheveux décolorés énergiquement secoués.

— Pas ton genre ! Bien sûr que si !

Main manucurée posée sur des nichons surgonflés. Regard d'incompréhension, yeux écarquillés.

Complètement à côté de la plaque. Comment dire ça avec délicatesse ?

— C'est une idée absurde. Stupide, même.

Kit est intervenu.

— Tory ! Ça suffit.

J'ai résisté à l'envie de pousser un soupir théâtral.

— Merci de la proposition, mais ces histoires de « débs » ne sont pas pour moi.

Depuis un mois, Whitney me travaillait au corps pour me convaincre de faire mes débuts dans le monde. Robes blanches, gants de satin, jeunes filles exhibées comme des bêtes de foire. Non, merci.

— Trésor, tes seize ans arriveront vite. Tu *dois* rencontrer la bonne société, a-t-elle dit en lançant un regard myosotis à Kit.

Visiblement, cela allait de soi.

— Je la rencontrerai plus tard.

— C'est absurde, voyons. Sans compter que je peux donner un coup de main, ma chérie. Il ne reste plus que six mois pour cette saison, mais il se trouve que j'ai une influence *considérable* sur le comité. Tu as toutes les chances d'être sélectionnée.

Radieuse, Whitney a posé la main sur le genou de Kit. Pas très subtil.

Kit a tenté de calmer le jeu.

— Tory, Whitney t'offre une occasion intéressante. Ce serait bien que tu te fasses des relations. Ces familles sont parmi les meilleures de Charleston.

J'ai éprouvé une bouffée de sympathie pour mon père. Ce n'était pas son idée, mais il s'inquiétait de ma vie sociale.

Pas question de céder, malgré tout. La présence de

Whitney me rappelait que maman ne serait plus jamais là. Elle n'avait pas le droit de jouer à être ma mère. C'était trop.

— Kit, je vais en classe avec ces filles-là. Elles ne sont pas si bien que ça.

Whitney semblait si désireuse d'apporter son aide que c'en était pathétique.

— Je peux être utile, tu sais. Je connais le protocole et je peux t'apprendre à danser. Et bien sûr, on te trouvera une jolie robe.

Elle s'est penchée vers moi :

— Je serai ton coach pour tout.

Il était temps de changer de sujet.

— Kit, euh… comment va la tortue ?

Mon père a eu l'air ahuri.

— La quoi ? Oh, la tortue qui s'est prise dans une hélice ? Elle va bien. Juste une égratignure. Ces coquilles sont d'une solidité à toute épreuve.

Il a englouti une bouchée des lasagnes de Whitney. Excellentes, il fallait l'avouer.

— Les tortues marines sont des créatures extraordinaires.

Le sujet intéressait mon père, évidemment. Il est tombé dans le piège.

— Oui, et les pilotes de bateau devraient faire un peu plus attention. Remarque, celui-ci n'était pas parmi les pires, puisqu'il nous a apporté la victime. Il a quand même fallu une opération d'une heure, mais…

Il s'est interrompu, a pointé sa fourchette.

— Attends ! Qui t'a parlé de la tortue ?

Bien vu.

— Qui… qui me l'a dit ?

— Oui. Comment sais-tu qu'une tortue a été blessée ?

Kit parlait lentement, comme s'il s'adressait à un petit enfant.

— Eh bien, on est allés à Loggerhead en bateau, cet après-midi. Coop a disparu et j'avais envie de comprendre ce qui perturbe la meute, alors…

— Stop. Qui est « on » ?

— Moi et mes potes. Hi, Ben et Shelton.

Un *tss*, *tss*, de la part de Whitney. Elle n'aimait pas me savoir seule avec des garçons. Voyoons !

— Je ne vous ai pas vus, a lancé Kit.

— On a filé droit sur Dead Cat.

Et maintenant, le passage délicat.

— On a parlé quelques minutes avec le Dr Karsten.

— Et… ?

Sur ses gardes.

— Et quoi ? Tu sais comment il est. On n'a rien fait, mais avec lui, c'est toujours « Vous, les jeunes, vous n'en manquez pas une et vous allez mettre le feu à l'île avec vos âneries ». On a juste poussé jusqu'à Dead Cat. C'est tout.

À quelque chose près.

— Est-ce que Karsten va me rebattre les oreilles avec ça ?

J'ai pris un ton moqueur.

— Non, Kit.

Du moins, c'était à souhaiter.

— Pourquoi aller sur cette île pourrie ?

Whitney fronçait son petit nez parfait, l'air dégoûté. Un silence, puis elle a ajouté, en posant ses yeux bleus sur Kit :

— À moins que tu n'aies un travail à faire, comme ton père. Un travail important.

— Comme je l'ai dit, je voulais voir ce qui se passe avec les chiens-loups. Coop ne se montre plus depuis quelque temps, et les trois autres sont agités.

Whitney a pris son air de parent confronté à l'entêtement de sa progéniture.

— Je croyais que nous en avions fini avec la question des chiens. Ton père a donné son opinion.

O.K. Je vais finir par l'étrangler. Ce qui me vaudrait probablement une médaille.

— Je ne parlais pas d'avoir un chien, Whitney.

À chaque fois que je le lui avais demandé, Kit avait dit non. Je soupçonnais Whitney d'être derrière ce refus. Elle déteste les animaux de compagnie.

J'ai marqué un temps avant de reprendre :

— Je parlais des chiens-loups qui sont sur Loggerhead. Le petit a disparu.

— Je suis sûr qu'il va revenir, a dit Kit doucement.

Mon père savait que je désirais un chien plus que tout au monde.

— L'île est grande. Il est sans doute en train de la découvrir par lui-même.

— Mais c'est absurde. Les loups tissent entre eux des relations étroites et maintiennent toute la vie des liens sociaux. Ils ont une profonde affection pour leurs proches et vont jusqu'à se sacrifier pour la meute. Les autres ne laisseraient jamais Coop s'en aller seul. Il n'est pas encore adulte.

Rien que d'en parler, j'avais la gorge serrée.

Whitney ouvrait des yeux comme des soucoupes.

— Des loups ? Tu folâtres avec des loups ?

Elle s'est tournée vers Kit :

— Mais c'est de la folie ! Elle va se faire déchiqueter ! Ou dévorer !

Pris entre deux feux, Kit semblait paniqué. Pas très confortable, comme situation.

Il s'est adressé à Whitney.

— En fait, un seul est un loup, ou plutôt une louve. Elle est inoffensive.

— Une louve inoffensive ?

— Elle vit sur l'île depuis des années. Son mâle est un berger allemand.

— Les petits sont des chiens-loups, ai-je expliqué. Mi-chien, mi-loup. Coop est le plus jeune. C'est un chiot de quelques mois seulement.

J'espérais toucher l'âme sensible de Whitney.

— Tu veux dire un bâtard malade à l'état sauvage ! Il faudrait prévenir les autorités. Ces bêtes sont illégales.

Et voilà, je suis coincée.

Je me suis levée d'un bond.

— Merci pour le dîner. J'ai du travail à faire.

Un petit salut de la main.

Avant qu'ils aient pu réagir, j'étais déjà en train de monter l'escalier.

Quatre à quatre.

10

À l'abri dans ma chambre, porte fermée à double tour, je bouillais.

En bas, Kit et Whitney devaient évoquer *Le Problème de Tory*. Comme chaque fois. Je n'ai pas cherché à écouter.

Ma tête allait éclater, c'était certain.

Des bâtards malades ? Qu'est-ce qu'elle en savait ?

Les loups sont des animaux nobles et affectueux. D'ailleurs, sans en parler à personne, j'avais envisagé de gagner ma vie en étudiant ces « bâtards malades ». Ils étaient bien au-dessus de Whitney Dubois dans ma liste perso.

— Je ne suis pas son caniche bien toiletté, ai-je lancé aux figurines canines posées sur ma bibliothèque.

Pas de risque que ça arrive. *Niet.*

Un coup de poing dans mon oreiller.

Du calme. Ne t'énerve pas à propos de Whitney.

D'accord, il y aurait *pire* que de m'habiller un peu de temps en temps. J'aime porter du blanc. Et les perles, c'est joli, effectivement. En classe, j'avais vu des filles regarder des modèles de robes. J'arriverais sans trop de mal à avoir le bon look. Et même à ce qu'on se retourne sur moi.

— Qui sait si lors de cette soirée spéciale un jeune et bel aristocrate ne va pas me choisir, moi, parmi le cheptel de jeunes pucelles ? ai-je lancé aux murs de ma chambre.

Bon, tu recommences à râler. C'est vraiment moche, un bal des débutantes ? Et franchement, côté copines, ça pourrait être mieux. Le fait est que tu n'en as pas.

Je savais que Kit se sentait coupable de mon manque d'amies, mais ce n'était pas de sa faute. Je n'avais accroché avec aucune des pestes du coin.

En quelque sorte, j'étais un peu responsable de mon isolement.

Oui, les filles de l'école Bolton étaient d'épouvantables, d'horribles, de répugnantes Barbies. Oui, elles étaient toujours après moi. Mais je les trouvais dans l'ensemble mièvres et frivoles, et leur univers superficiel ne m'intéressait absolument pas. Du coup, le dédain avait été réciproque. En plus, j'ai des neurones, j'aime bosser en classe et j'ai de bons résultats. Ça ne m'a pas aidée à pulvériser des records de popularité.

Sans compter qu'à quatorze ans tout juste, j'étais la plus jeune de la classe. Quand j'étais plus petite, je trouvais formidable de faire la course en tête. Maintenant, je découvrais les inconvénients. Comme de devoir attendre la fin de la première pour passer le permis de conduire. Je connaissais le système : pour me faire des copines, je devrais avoir l'air de m'intéresser aux trucs idiots auxquels ces écervelées attachaient de l'importance. Les garçons. Les fringues. La télé-réalité, qui nous montrait des débiles riches et sans talent.

À bien y réfléchir, l'absence de copines me laissait du temps pour lire.

Alors, quelle importance si je ne me hissais pas dans les sommets de l'échelle sociale ?

N'empêche qu'avant le bal des débutantes, qui avait lieu en novembre, il y avait une soirée chaque mois. Et si je les fréquentais, j'aurais peut-être une chance de rencontrer des personnes sympas dotées de chromosomes XX.

Ce qui voudrait dire que Whitney aurait gagné. Pas question !

La tête sur l'oreiller, je sentais les soucis se battre pour avoir la première place dans ma tête. Coop. Whisper. Kit. Whitney.

Penser à Whitney a toujours été douloureux. Car cela me pousse à penser à maman.

Ma mère, Colleen Brennan, a grandi à Westborough, une petite ville de la Nouvelle-Angleterre. Elle a rencontré Kit lors d'un séjour de voile à Cape Cod. Ils avaient tous les deux seize ans. Peut-être que mon père a remarqué maman parce qu'elle portait le même nom de famille que sa propre mère. Mais ce n'est pas sûr, car Brennan est un nom de famille assez courant. Non, c'est sans doute parce que maman était superbe. Ça marche pour la plupart des garçons, ça.

Kit et Colleen ont dû vérifier qu'ils n'avaient aucun lien de famille, parce qu'ils ont couché ensemble. Et bingo, je suis venue au monde neuf mois après.

J'ignore pourquoi maman a caché mon existence à Kit. Elle ne l'a jamais revu. Sans doute qu'elle ne l'imaginait pas en père de famille. Elle avait peut-être raison.

Pendant quelque temps, maman et moi avons vécu chez ses parents. Malheureusement, ils sont morts quand j'étais encore toute petite. Je n'ai aucun souvenir d'eux, à part des cheveux gris et des biscuits. Et l'odeur des cigarettes. L'un et l'autre avaient des poumons troués comme du gruyère, mais ils continuaient à fumer. Qu'on ne me parle pas de ce truc !

Ça n'a pas dû être facile pour maman d'être une mère solo. Elle n'a pas fini le lycée, à cause de moi, je suppose. Elle a fait des petits boulots : serveuse dans un resto, caissière dans un supermarché, puis ouvreuse dans un cinéma qui a fermé. Pendant ce temps, mes profs me considéraient comme une surdouée. Apparemment, cela ne l'a jamais souciée.

Perdue dans mes souvenirs, j'ai sursauté en entendant la sonnerie de mon portable. Le temps de farfouiller sous les draps pour le retrouver, il avait basculé sur le répondeur.

J'ai regardé l'écran. *Appel manqué – Jason Taylor.*

Mon cœur a battu plus vite.

Outre mes copains de l'île, Jason était ce qui se rapprochait le plus d'un ami à l'école Bolton. On avait deux cours en commun, ce qui pouvait expliquer l'appel. Jason avait l'habitude de filer dès que la sonnerie de fin retentissait, et du coup il oubliait les détails sur les devoirs à faire.

Ça m'étonnait que Jason pense aux cours à huit heures et demie un samedi soir. Il faisait partie de l'élite. Pourquoi n'était-il pas à l'une de ces soirées bien trop chic pour moi ?

Avec ses yeux bleus et ses cheveux blonds, Jason aurait pu incarner un dieu scandinave. Le puissant Thor. C'était aussi une star au lacrosse, un mélange de basket, de foot et de hockey, où il jouait attaquant. Pas mal pour un garçon de seconde.

En d'autres termes, il était trop bien pour moi. Aucun problème. Il n'était pas vraiment mon type. Je ne sais pas pourquoi, d'ailleurs. Ça n'accrochait pas, c'est tout.

C'était un type très sympa, n'empêche. En classe, il écoutait quand je prenais la parole. Il me prêtait attention, mais pas avec le mépris qu'affichaient les autres. Non, il avait vraiment l'air d'attacher de l'importance à mes propos.

Mon téléphone m'a signalé que j'avais un nouveau message.

« Tory. Soirée@Marina Charleston Harbor. Bateau Chance. T'intéresse ? J »

Jason encore. Wouah !

J'ai relu le texto. Il était bien réel.

J'étais invitée à une soirée. Pour le moins inattendu. Renversant.

Je me suis précipitée vers mon Mac pour repérer l'endroit. Patriot's Point, Mount Pleasant. Purée ! Je n'avais aucun moyen de m'y rendre.

Kit m'y accompagnerait en voiture si je le lui demandais, mais l'idée de me faire déposer là-bas par mon père n'était pas acceptable. Sans compter que cela prendrait quarante-cinq minutes. Exit cette option.

Est-ce que Ben m'y conduirait en bateau ?

D'accord, et après, je le lâche sur le quai. Sympa !

Donc, pas question.

J'étais tellement préoccupée par la question du transport qu'il m'a fallu une minute pour que le reste du message s'imprime dans mon cerveau.

Bateau Chance ? C'était quoi, ce truc ? Un de ces

casinos flottants qui vont dans les eaux internationales pour permettre aux yuppies de jouer au craps ?

Et soudain, j'ai percuté. Bien sûr !

Le bateau de Chance Claybourne. La soirée devait avoir lieu sur le yacht de son père, amarré dans la marina.

Ce n'était donc pas une soirée, mais LA soirée.

Et je ne savais comment y aller. Moche.

Honnêtement, c'était aussi un soulagement.

J'ai mis une demi-heure à rédiger ma réponse. J'ai lu la version définitive à haute voix.

« Désolée. Impossible ce soir. T'amuse pas trop. ☺ ! »

Je l'ai enfin envoyé. Dix secondes plus tard, je regrettais déjà vraiment le smiley. Encore dix secondes et je détestais le message entier.

J'étais en train de chercher si j'avais une touche pour le rattraper quand un nouveau texto a bipé. Secouée, j'ai laissé échapper l'appareil. Puis je me suis ruée dessus, craignant le pire.

« Sniff ! Alors la prochaine fois ? ;-) »

Smiley clin d'œil ?

Je me suis sentie mieux. Puis j'ai froncé les sourcils. Attends. Jason était-il en train de me draguer ?

Du calme. Arrête de te faire tout un cinéma avec un texto d'une ligne !

Un peu de distraction ne me ferait pas de mal. Je me suis mise en quête de la télécommande. Comme mon téléphone, elle devait être quelque part sous mes draps. Au moment où je roulais sur moi-même pour aller voir si elle n'était pas tombée entre le mur et le lit, j'ai senti quelque chose de dur me heurter la fesse.

J'ai fouillé dans ma poche et j'en ai extrait la plaque d'identité militaire toute terreuse.

— Tiens, te revoilà, toi !

Dans ma salle de bains, j'ai déposé la plaque dans le lavabo, que j'ai rempli d'eau chaude et d'un demi-flacon de gel douche à la papaye. Classieux.

De retour dans ma chambre, j'ai mis la télé sur Discovery Channel. La *Shark Week*. Charmant !

Une heure de carnage marin plus tard, je me suis

souvenue de la plaque. Le lavabo était maintenant rempli d'une flaque marronnasse.

J'ai ôté la bonde et l'espèce de boue s'est écoulée, laissant la plaque sur la porcelaine, toujours recouverte d'une couche de terre brune. Indéchiffrable.

J'ai fait couler l'eau chaude et gratté doucement la plaque sous le jet. Inutile. Impossible de distinguer les lettres, même sous ma lampe de bureau.

J'aurais pu me servir de mon outil rotatif, mais je ne voulais pas entamer le métal. Et la micro-sableuse risquait d'endommager les inscriptions. Cette tâche nécessitait l'emploi d'un instrument plus délicat.

J'aurais pu abandonner à ce moment-là. Jeter ce machin à la poubelle. Mais non. Je tenais à savoir ce qui était écrit dessus. J'y tenais à tout prix.

Je suis comme ça.

Je suis passée en mode recherche et quelques minutes plus tard, j'avais la confirmation de mon intuition. Il y avait tout ce dont j'avais besoin dans un labo du LIRI. L'opération me prendrait vingt minutes, top chrono.

J'ai envoyé un twit sur la page privée de la bande. Peu de temps après, je recevais trois réponses, toutes positives. Nous partions le lendemain matin de bonne heure.

En mission furtive.

Deuxième partie

INFECTION

11

Mon mince poncho Gap résistait mal aux coups de vent et un crachin tenace battait un rythme techno sur ma tête encapuchonnée. Une fois de plus, j'ai regretté de ne pas avoir mis ma veste North Face. Trop tard. J'étais déjà trempée.

Sous l'effet de la pluie, de l'humidité et de la chaleur étouffante, mes cheveux mouillés pendaient lamentablement sur mon visage et mes épaules. Mes glandes sudoripares faisaient des heures sup.

Négligeant cet inconfort, j'essayais de me concentrer sur ma tâche. La surveillance.

Accroupie derrière un gros rocher sur Turtle Beach, les jumelles de Kit à la main, j'observais l'entrée arrière de l'enceinte de Loggerhead. Au-delà de la clôture, à une quarantaine de mètres de moi, le site semblait abandonné.

— La voie est libre, ai-je lancé.

Un par un, les garçons sont sortis de derrière les rochers.

Le ciel matinal et l'Atlantique agité étaient tous deux couleur d'étain et le soleil avait bien du mal à percer le brouillard bas.

Sale temps, mais excellente couverture. Parfait pour l'espionnage.

La mission avait failli être annulée à cause des vagues, mais la météo ne prévoyait que des bourrasques passagères et avait exclu l'éventualité d'une vraie tempête. Et si l'on avait renoncé, il aurait fallu attendre la prochaine occasion une semaine.

Pas question. Ma curiosité était piquée.

Shelton avait dit oui, ce qui avait entraîné Ben. Hi n'avait pas eu le choix. Le sac pour vomir qu'il avait apporté avait servi. Deux fois. La traversée avait été rude.

Nous avons dépassé le quai principal pour gagner une plate-forme d'équipement rarement utilisée à l'aplomb de Tern Point. De temps à autre, les chercheurs y venaient observer les tortues sur la plage au moment de la nidification. Après les naissances, la zone était déserte. La plate-forme n'était pas visible depuis les bâtiments et personne ne risquait de s'y aventurer un jour comme aujourd'hui. Avec un peu de chance, on passerait inaperçus.

Le portail sur l'arrière du complexe du LIRI était verrouillé, comme on s'y attendait. Le dimanche était jour de repos et la navette ne fonctionnait qu'à midi et au crépuscule. Parmi le personnel, seuls ceux dont les patients nécessitaient des soins travaillaient. Nous étions arrivés un peu après neuf heures, dans l'espoir de trouver l'endroit désert.

Malgré l'aspect fantomatique du site, il y aurait au moins quelqu'un. Deux vigiles spécialement affectés au week-end travaillaient en alternance : Sam et Carl. L'un ou l'autre serait au poste de sécurité, avec peut-être un œil sur les écrans. Ou peut-être les deux yeux fermés.

De toute façon, on savait comment s'y prendre pour ne pas se faire repérer. Du moins, on pensait le savoir. C'était la première fois qu'on passait de la théorie à la pratique.

Ce *devait* être facile de s'introduire à l'intérieur.

Notre cible était le labo n° 6, le tout dernier de l'ensemble. Hi avait entendu son père rouspéter parce que Karsten l'avait fermé quelques semaines auparavant sans explication. Les portes étaient maintenant verrouillées en permanence.

Bizarre, ça. Généralement, les labos de Loggerhead fonctionnaient au maximum de leurs capacités, avec des listes d'attente. La fermeture ralentirait les opérations, causerait des embouteillages au niveau de l'équipement et embêterait le personnel.

Quelles qu'aient été les raisons de Karsten, je ne me posais pas de questions. Je voulais connaître le nom inscrit sur cette plaque d'identité et j'avais bien l'intention d'y arriver.

On entre, on sort. Pas vu, pas pris.

Hi a lu dans mes pensées.

— On peut encore renoncer. Mes parents vont flipper si on se fait piquer. Ma mère risque même de tomber raide morte.

— Si l'on reçoit un autre savon de la part de Karsten, il va nous virer définitivement, a renchéri Shelton.

— On ne se fera pas prendre. Notre plan tient la route.

Je m'étais efforcée de parler d'une voix ferme.

L'appréhension de Shelton et de Hi était palpable, mais aucun des deux n'aurait reculé en présence de l'autre.

Ben, lui, semblait stoïque. Comme d'hab.

Laissant retomber mes jumelles sur ma poitrine, je me suis retournée vers mes troupes pour les remotiver. Capitaine. Chef de groupe.

D'abord, mon champion de l'ouverture de porte.

— Shelton, aucune serrure ne te résiste.

J'ai accompagné cet encouragement d'une bonne tape sur l'épaule.

— Tu sais que tu vas y arriver. Je t'ai vu à l'œuvre.

Un timide signe de tête affirmatif en guise de réponse.

— Ben, l'enregistreur vidéo de surveillance est hors service, n'est-ce pas ? Tu as dit que ton père apportait la semaine prochaine celui qui va le remplacer. Un pas de claquettes. Ça veut dire pas de bande d'enregistrement.

C'était là l'essentiel. Karsten n'aurait pas d'enregistrement à se mettre sous l'œil. Il faudrait simplement éviter la détection *live*.

Ben a répondu par un sourire crispé à mon imitation de « cerveau du crime ». J'ai approuvé d'un signe de tête, puis j'ai repris les jumelles pour revérifier que tout allait bien sur le site. Rien ne bougeait.

— Le ferry n'arrive que dans deux heures et demie. Mis à part la sécurité, il n'y a personne sur l'île et ces abrutis ne voient jamais rien. On sera à découvert quelques secondes au max.

J'ai bombé le torse.

— Ça va marcher.

La pluie tombait sur les rochers, sur les feuilles et sur les branches au-dessus de notre tête. Sentant mes troupes toujours incertaines, j'ai essayé le truc mental des Jedi : le pouvoir de la volonté. Qu'ils acceptent, je le veux.

— Je pourrais peut-être surveiller le bateau ? a proposé Hi, plein d'espoir.

— On a besoin de toi.

Shelton avait repris du poil de la bête.

— Tu es déjà allé dans le labo 6. Pas nous.

— Juste une fois. Mon père a récupéré quelque chose en vitesse et on s'est tirés. Je sais ce que tu vas me dire, Terry. Je suis le seul à pouvoir faire marcher le sonicateur. Quelle chance !

Un long soupir.

— Bon, je vais soniquer.

— Alors, on y va ! ai-je lancé sans leur laisser le temps de rechigner.

Hi s'est accroupi, a resserré le laçage de ses sneakers, puis a pris la pose du sprinter dans les starting-blocks.

— OK. On attend le signal.

— Ne vous collez pas à moi près de la clôture, j'ai besoin d'espace pour bosser.

Shelton serrait si fort ses outils que j'ai craint qu'il ne les brise.

Je me suis tournée vers Ben.

— Prêt ?

Il m'a répondu par un signe de tête affirmatif. Je n'étais pas sûre qu'il ait prononcé un seul mot depuis qu'on avait posé le pied sur l'île, mais je savais qu'il était prêt.

J'ai de nouveau examiné le chemin. La voie était toujours libre.

— Partez !

On a bondi en avant, nos chaussures faisant jaillir l'eau sous nos pas.

Vingt secondes jusqu'à la clôture.

Le grillage était recouvert d'un filet de Nylon vert et surmonté de fil de fer barbelé. Pas question de l'escalader. Le portail était constitué par deux sections de grillage montées sur des gonds et posées sur des roulettes. Un énorme cadenas confortait la fermeture. Basique, mais efficace.

Shelton a posé un genou à terre pour s'occuper de sa cible.

Étant la plus petite, j'étais désignée pour faire le guet. J'ai collé un œil sur la clôture pour surveiller l'intérieur du site. Ben et Hi se sont mis à l'abri derrière des buissons.

Shelton a déballé son kit, acheté plusieurs mois plus tôt sur eBay. Il utilisait ses outils tous les jours et se vantait de pouvoir ouvrir n'importe quelle serrure en moins de trente secondes. Mais une fois au pied du mur, il avait l'air un poil moins sûr de lui.

En me rongeant l'ongle du pouce, je l'ai regardé insérer et manipuler une petite clé dynamométrique jusqu'à ce qu'elle s'ajuste, puis introduire un crochet dans la serrure et exercer une légère pression avec la clé.

La pluie avait cédé la place à une bruine, mais la température, elle, était toujours impitoyable. Trempée de sueur sous l'effet de la chaleur et de l'anxiété, je me promettais une bonne douzaine de douches.

Mentalement, j'entendais le tic-tac d'un chronomètre. À tout moment, Shelton et moi pouvions être repérés. Et Sam ou Carl, dans un sursaut inattendu de conscience professionnelle, pouvait jeter un coup d'œil aux écrans de surveillance. Là, on était cuits.

— Accélère ! ai-je chuchoté. Tu as déjà mis plus d'une minute.

Les yeux mi-clos, Shelton se concentrait sur sa tâche. Je l'ai regardé remuer la clé en tirant la langue, puis pousser sur la serrure. Et recommencer.

Clic !

Shelton a souri.

— Je l'ai !

Il a donné une poussée vers le bas et le cadenas a cédé.

J'ai poussé le portail, tandis que Ben et Hi sortaient

de derrière les buissons et me suivaient. J'ai accroché le cadenas au grillage, pour qu'on puisse le refermer à la sortie.

Maintenant, c'était la partie la plus dangereuse.

Respire un bon coup.

J'ai levé la main et compté silencieusement. *Un. Deux. Trois.*

On s'est engouffrés dans la brèche et on a foncé sur la gauche, le long de la clôture.

Pendant cinq terrifiantes secondes, on s'est retrouvés sur un gazon, exposés aux regards et aux caméras de sécurité. Impossible de faire autrement. Telles des souris effrayées, on a filé vers l'angle du bâtiment où se trouvait le labo 6, le cœur battant à tout rompre.

Après avoir tourné le coin, on s'est arrêtés et on a tendu l'oreille.

Silence. On n'était pas repérés.

On a compté jusqu'à soixante et on s'est mutuellement tapé dans les mains, ravis d'avoir passé le premier obstacle. Nous étions hors du champ des caméras.

Prenant la tête, j'ai rasé le mur de l'arrière du bâtiment jusqu'à un renfoncement. La porte de service.

Phase deux.

Shelton est entré en action. Pas de résistance de la part de la serrure, mais le verrou était plus délicat. Clé. Crochet. Jusqu'à ce que les goupilles soient enfin alignées.

— Bingo !

Shelton a ouvert le verrou.

La porte s'est ouverte vers l'intérieur. Sur l'obscurité.

12

La pénombre a apporté de la fraîcheur, et avec elle une odeur de désinfectant et d'air conditionné.

Nous nous sommes glissés à l'intérieur, en refermant la porte sur nous.

— Allumez, merde !

Shelton a *horreur* du noir.

— Chut, un moment ! ai-je chuchoté.

En tâtonnant sur le mur, j'ai fini par découvrir un tableau avec des interrupteurs. Je les ai actionnés et des halogènes se sont allumés au-dessus de notre tête.

Nous étions dans une pièce de béton sans fenêtre. Vide, mis à part un petit escalier conduisant à une porte massive en bois.

J'ai monté les trois marches et appuyé sur la poignée. Elle a tourné.

— On y va !

J'ai fait signe à Hi de prendre la tête. Les autres ont suivi.

— Pas un mot jusqu'au labo.

L'avertissement était inutile. Personne n'avait vraiment envie de parler. Après tout, nous venions de commettre une infraction majeure.

On s'est retrouvés dans un petit vestibule au sol carrelé, face à l'entrée principale du bâtiment. Au fond à gauche, un escalier étroit conduisait au premier. Les volets poussiéreux laissaient filtrer des rais obliques de lumière grisâtre, qui éclairaient les murs vert pâle, des plantes en plastique et une rangée de chaises métalliques reliées entre elles. L'ensemble dégageait une atmosphère aussi accueillante qu'un service des objets perdus.

Hi a tendu le doigt vers une double porte ouverte sur notre droite. Nous l'avons franchie à la queue leu leu, puis, après avoir enfilé un petit couloir et passé une autre porte, nous nous sommes retrouvés dans le labo 6.

Le labo n'avait pas non plus de fenêtres. On a donc pris le risque d'allumer. Les tubes de néon du plafond ont révélé une pièce de la taille d'une vaste salle de classe. Au centre, six postes de travail étaient installés sur deux rangées, chacun avec un important équipement.

Un comptoir en Inox courait le long de trois des murs, surmonté d'armoires aux portes transparentes remplies d'appareils scientifiques : récipients en verre, microscopes, lentilles et d'autres objets dont la fonction m'échappait.

Des parois de Plexiglas fermaient le quart droit de la pièce, qui abritait la technologie la plus avancée. Cette section était verrouillée et sous alarme. Par chance, nous n'avions besoin de rien à cet endroit.

— Bon, à toi.

Shelton a donné un petit coup de coude dans les côtes de Hi.

— Trouve le sonicateur.

Hi s'est dirigé vers le troisième poste de travail de la seconde rangée et a ôté le plastique qui recouvrait une machine.

— Mon trésor ! s'est-il exclamé en imitant Gollum dans *Le Seigneur des anneaux*.

De la taille d'un four à micro-ondes, l'appareil consistait en une cuvette blanche équipée d'un écran LCD. Il ressemblait un peu à une mini-machine à laver à chargement par le dessus, dont le couvercle aurait été ôté.

— Mignon, non ?

Le père de Hi, Linus Stolowitski, était l'ingénieur mécanicien chargé de l'ensemble de l'équipement scientifique du LIRI. Technophile, il avait transmis à son fils sa passion pour les instruments.

— Un sonicateur, c'est un nettoyeur à ultrasons, a

expliqué Hi à mi-voix, tout en versant un liquide dans la cuvette. On va immerger le spécimen sous deux ou trois centimètres.

Shelton a plissé le nez.

— Ce truc empeste le produit à vitres !

— C'est une solution nettoyante. J'ai réglé la fréquence en fonction du type d'objet à nettoyer et du type de substance à ôter. Dans ce cas, métal et terre.

Shelton paraissait déjà largué. Ben bâillait.

— Ça ressemble à une machine à laver à sonar, a poursuivi Hi. Les ultrasons augmentent l'effet de la solution. Vous savez ce que sont des bulles de cavitation, les copains ?

Niet.

— Un sonicateur possède un transducteur qui produit des ondes ultrasoniques dans le liquide. Cela forme des vagues de pression qui laissent derrière elles des milliards de « bulles de vide ».

Très bien.

— En ce qui nous concerne, les bulles de cavitation vont pénétrer les trous, les fissures et les cavités microscopiques de la plaque d'identité. Puis elles éclateront, créant des poches d'énergie. Même les particules les plus incrustées seront expulsées dans le processus.

— Bref, quand les mini-bulles explosent, elles évacuent les cochonneries, ai-je résumé.

— Exactement. Comme de la dynamite en miniature.

Hi prenait visiblement plaisir à faire son exposé.

— Pourquoi ce truc est-il ici ? a demandé Shelton.

— On utilise les sonicateurs pour nettoyer les verres, les bijoux et les objets métalliques, genre des pièces de monnaie ou des montres, et même certaines parties de téléphones portables. Les dentistes, les médecins, le personnel hospitalier s'en servent pour leurs instruments.

— Les scientifiques aussi.

Shelton avait la réponse à sa question.

Satisfait, Hi a tendu la main vers moi, paume ouverte.

— L'anneau, Frodo.

Toujours dans le trip *Seigneur des anneaux*.

J'ai pris un sac en plastique dans ma poche. Quand

j'en ai extrait la plaque et que j'ai vu la croûte dure qui la recouvrait, j'ai un peu perdu confiance.

— Cet engin a intérêt à fonctionner, a déclaré Shelton. On risque nos fesses.

— Ça va prendre combien de temps ?

Ben commençait déjà à s'impatienter.

— Un quart d'heure. Ôtez-vous de mon chemin et j'irai plus vite.

Ben a consulté sa montre, puis il est reparti par le chemin que nous avions pris à l'aller.

Shelton s'est installé sur une chaise.

Sachant que nous aurions besoin d'un instrument pour examiner la plaque quand elle serait propre, j'ai regardé autour de moi, à la recherche d'un appareil d'optique.

Sur l'un des plans de travail était fixée une lampe Luxo. La loupe montée sur le bras mobile était entourée par une ampoule fluorescente circulaire. Impeccable. Dans un tiroir, j'ai déniché plusieurs loupes manuelles et une torche stylo que j'ai disposées à côté de la lampe. Et voilà, une station d'observation au grand complet.

— Encore cinq minutes, a lancé Hi d'un ton enjoué.

Son goût pour les expériences avait pris le pas sur sa peur de se faire prendre.

— Je vais chercher Ben, ai-je proposé.

Je suis allée voir dans le couloir et dans l'entrée. Personne.

— Ben ?

Pas de réponse.

Un instant, j'ai envisagé d'aller l'appeler en haut de l'escalier, puis j'ai renoncé. Pas question d'avancer à tâtons dans le noir. Retour au labo.

Une série de bips a annoncé la fin du cycle de nettoyage.

— Allons-y !

Hi a pêché la plaque dans la cuvette et l'a passée sous l'eau froide.

Par-dessus son épaule, j'ai pu constater que la croûte avait en grande partie disparu. Pour la première fois, je voyais des indentations sur la surface.

Hi l'a essuyée avec une serviette en papier et me l'a

tendue. Tout excitée, je l'ai posée sur le plan de travail. J'ai appuyé sur l'interrupteur de la lampe Luxo, que j'ai disposée juste au-dessus.

— Je lis quelque chose !

J'avais presque crié.

— Quoi ?

Shelton s'était approché de si près que je pouvais sentir son déodorant.

— L'inscription tout en bas est la plus nette. Attendez !

J'ai ajusté la loupe. Les caractères, d'abord flous, se sont précisés.

— C-A-T-H. Ensuite… je crois que c'est un O. Je ne vois pas le reste.

— Catholique, a deviné Shelton. La religion du soldat était marquée sur la dernière ligne. Quoi d'autre ?

Je me suis à nouveau penchée sur la loupe.

— Au-dessus, il y a d'autres lettres : O-P-O-S. Sans doute son groupe sanguin, O positif.

— Oui, a approuvé Shelton. Tu distingues des nombres ?

— Il me semble. Sur les deux prochaines lignes. Mais ce n'est pas très net. On dirait que la première comporte neuf chiffres. Et sur la ligne au-dessus, ce serait plutôt des lettres et des chiffres. Voyons… Dix caractères. Pourquoi ?

Un sourire fendu jusqu'aux oreilles, Shelton a levé les mains vers le ciel.

— *Good Morning Vietnam !* a-t-il sifflé entre ses dents.

— Comment le sais-tu ? a interrogé Hi. Tu n'as même pas jeté un œil !

— Maintenant c'est à mon tour de donner une conférence, tête de nœud !

Toujours souriant, Shelton a entouré les épaules de Hi de son bras. Il a commencé à faire de même avec moi, puis il s'est arrêté, subitement embarrassé. J'étais une fille, quoi. Son geste spontané s'est achevé en grattage de tête.

Ah, les garçons !

— On a un numéro de sécurité sociale à neuf chiffres *et* un numéro militaire à dix chiffres. C'est rare.

Lâchant Hi, Shelton a pointé le doigt vers la plaque.

— À la fin des années soixante, l'armée a troqué les numéros de carte d'identité militaire contre les numéros de sécurité sociale. Mais pendant plusieurs années, ils ont imprimé les deux, par précaution.

Une pause théâtrale, puis :

— Ça s'est passé *uniquement* pendant la guerre du Vietnam.

— Incroyable ! me suis-je exclamée. On a drôlement avancé !

— Effectivement, a approuvé Hi. Je vais peut-être poser une question idiote, mais est-ce qu'on ne pourrait pas résoudre l'énigme plus facilement, par exemple en déchiffrant le nom du type ?

Un bon point. Retour à la loupe.

Pourtant, j'ai eu beau lever et baisser le bras, impossible de lire les lettres.

— C'est trop abîmé. L'inscription est effacée.

J'ai retourné la plaque, côté indenté. De vagues symboles sont apparus sous la loupe.

— On lit un peu mieux de ce côté-là, mais c'est à l'envers. Je distingue à peine un F sur la ligne au-dessus.

— Concentre-toi sur la ligne du haut, m'a conseillé Shelton. C'est le nom de famille du soldat. Si on l'a, on pourra faire des recherches sur Internet.

Braquant la torche stylo sur la plaque, j'ai réussi à distinguer des lettres semblables à des ombres sur le métal.

— Ça marche ! Je vois un N. Un C. Non, un O.

J'ai incliné l'angle du rayon de la lampe.

— T-A-E. Et H.

Mentalement, j'ai remis les lettres à l'endroit.

— Heaton.

— C'est déjà un début !

Hi a fait le salut militaire.

— Ravi de faire ta connaissance, F. Heaton.

J'ai résumé les infos à haute voix.

— F. Heaton. Catholique. Groupe sanguin O positif. A servi pendant la guerre du Vietnam.

— Eh, pas mal ! a commenté Shelton.

Pas mal ? J'étais excitée comme une puce. Nous avions accompli notre mission. Mais notre découverte ne faisait que poser d'autres questions.

Qui était F. Heaton ? Pourquoi cette plaque d'identité militaire était-elle enterrée sur une île déserte ? Et lui, où était-il maintenant ?

Je l'ignorais. Mais j'étais bien déterminée à le savoir.

Bon, il était temps de lever le camp. La chance pouvait tourner.

Nous étions en train de remballer le sonicateur lorsque Ben a fait irruption par les doubles portes.

— Ben, le nom, c'est...

Il m'a interrompue d'un geste de la main.

— J'ai découvert un autre labo à l'étage. Fermé, mais je pense qu'ils s'en servent. Tory, je pense que ça t'intéressera.

— On a trouvé ce qu'on cherchait. On devrait filer avant de se faire piquer.

— Il y a quelque chose, là-haut. Quelque chose de vivant.

— Qu'est-ce qui te fait dire ça ?

— J'ai entendu des aboiements.

13

Une porte en acier nous barrait la route. Contrariait nos projets. Si la force de la volonté avait suffi, elle aurait été instantanément réduite en cendres. Je tenais à tout prix à la franchir.

Cette porte d'apparence flambant neuve était dotée d'une serrure électronique à dix chiffres. Des milliards de combinaisons. Infranchissable.

Elle n'était visiblement pas faite pour accueillir, mais pour repousser. Je la sentais ricaner. Agressive. Contente de nous jouer ce bon tour. Et bien décidée à rester fermée. En haut des marches, un couloir sinistre traversait le bâtiment et conduisait à cette monstruosité, me stoppant net dans mon élan.

— Ben, tu es vraiment sûr d'avoir entendu un chien ?

J'avais les nerfs à cran.

— Je sais ce que j'ai entendu, tout de même !

— Bon. Shelton, à toi de jouer.

Shelton s'est frotté l'oreille.

— Désolé, Tory, ce n'est pas dans mes cordes. Je ne sais pas forcer un système sans clé.

Réfléchis, bon sang ! Trouve un moyen !

— Il nous faut le code.

Mes neurones commençaient à chauffer.

— Qui a installé ce truc, à propos ? Je n'ai pas vu ce genre de porte dans les autres bâtiments.

Hi a pointé l'index vers le clavier.

— Ce monstre est beaucoup plus avancé que les

systèmes sans clé du bâtiment principal. Les autres ne sont même pas électroniques, juste des vieux trucs où l'on appuie sur un bouton. Avec ceux-là, je pourrais me débrouiller, ils ont tous le même...

Il s'est gratté la tête, a refermé la bouche, l'a rouverte, est passé d'un pied sur l'autre, a recommencé en sens inverse.

— Bon, arrête de danser le tango, a supplié Ben. Si tu as une idée, crache-la.

— Ce n'est certainement pas ça, mais essaie 3-3-3-3.

J'ai composé le code et appuyé sur la touche Entrée.

Bip. Feu vert. Dans le mille.

— Hi, tu es un génie !

Pour la deuxième fois, j'avais manqué crier.

— Comment as-tu fait ?

Shelton avait l'air perplexe.

— C'est le code par défaut.

Hi souriait.

— Le code d'origine quand quelqu'un s'installe dans un nouveau bureau. Normalement, il faut alors le changer, mais la plupart du temps, les gens ne s'embêtent pas avec ça.

Il a caressé la porte avant de reprendre :

— Comme elle est neuve, je me suis dit que c'était peut-être les mêmes installateurs qui mettaient en place *toutes* les nouvelles portes avec le même code par défaut. Et puis j'ai pensé que celui qui avait commandé celle-ci pouvait avoir oublié de le changer. J'avais raison !

— Bravo, a dit Shelton. Tu as droit à une médaille.

— J'y vais, ai-je lancé. Vous me suivez toujours ?

Ben a reniflé.

— Évidemment, au point où on en est. Une effraction de plus ou de moins...

Un petit frisson m'a parcourue. Avec la paume de la main, j'ai poussé la porte.

Dans l'obscurité, des lumières de couleur clignotaient. Des économiseurs d'écran dansaient. Des machines bourdonnaient. L'énergie que dégageait cette pièce était le signe d'un usage récent.

Ben a appuyé sur l'interrupteur.

Aussitôt, un vacarme s'est déchaîné et tout le monde a sursauté. Le bruit se décomposait en sons aisément reconnaissables. Des aboiements. Des gémissements. Des grattements.

Un chien ! Je me suis précipitée.

Au fond du labo, dans un angle, il y avait une unité de verre fermée, semblable à une cabine téléphonique, avec, à l'intérieur, une cage de taille moyenne.

Accroupie, j'ai examiné cette prison miniature pour essayer d'apercevoir son occupant.

— Attention, n'ouvre pas ! m'a avertie Shelton. On dirait une mise en quarantaine.

La cage était maintenant silencieuse. Mes yeux ont plongé dans un regard bleu. Un regard que je connaissais. Tout a vacillé autour de moi. Comme frappée par la foudre, je suis restée là, incapable de saisir le sens de ce terrible spectacle.

— Coop, ai-je murmuré.

Puis ma voix a enflé, est devenue un cri.

— Coop ! C'est Cooper qui est dans cette cage !

Les autres se sont approchés, incrédules. Mais il n'y avait aucun doute. Incapables de prononcer un mot, nous regardions l'inconcevable. Coop était le sujet d'on ne savait quelle expérience médicale tordue.

À travers les barreaux, je distinguais des tuyaux qui sortaient de sa patte droite. Il portait une collerette de protection pour l'empêcher d'ôter les aiguilles. On lui avait rasé et bandé le flanc.

J'étais aux prises avec toutes sortes d'émotions. La colère. La peur. L'horreur.

Me forçant à garder mon calme, j'ai examiné le contenu de la cellule de verre. À côté de la cage, il y avait un pied à perfusion avec ses sacs remplis de liquide, dont les tubes pénétraient à l'intérieur. La cage elle-même, constituée de barreaux de métal rapprochés, n'était pas fermée à clé, mais avec un loquet. Elle contenait un tapis de sol souillé et une écuelle à eau ébréchée.

Et Coop. Captif.

La fureur l'a emporté. Retenant des larmes de rage, j'ai déchiffré l'étiquette orange vif attachée à la cage. En

caractères d'imprimerie noirs, on avait inscrit dessus :
SUJET A-PARVOVIRUS XPB-19.

Oh, non !

Le parvovirus. Extrêmement dangereux, surtout pour un chiot.

Coop était maintenant tranquille, allongé sur le sol de la cage. Le cœur serré, j'ai posé la main sur la paroi de verre.

En me voyant, Coop a tenté de relever la tête, mais l'agitation qu'il avait manifestée à notre arrivée l'avait épuisé. Il a gémi doucement. Mon cœur s'est serré un peu plus.

Comment es-tu arrivé ici ? Qui t'a fait ça ?

D'un seul coup, j'ai compris pourquoi la meute parcourait le complexe chaque nuit. Un monstre avait volé leur bébé.

Un bloc de feuilles attachées par une pince était suspendu à un crochet près de la paroi de verre. Je l'ai arraché. Cela ressemblait à un dossier médical, en majorité incompréhensible. Mon regard est tombé sur une mention inscrite à la main : « Sujet A ne répond pas au schéma thérapeutique pour parvovirus XPB-19. Programmé pour élimination immédiate. »

Signé « Dr Marcus E. Karsten ».

Animée par la fureur, je me suis sentie devenir comme l'Incroyable Hulk.

Ce salaud de Karsten projetait de tuer Coop !

Je ne le laisserai pas faire ! Pas question !

— Je vais sortir Coop de là, ai-je dit sur un ton qui ne supportait pas la contradiction. Mais je comprendrai si vous ne voulez pas m'aider.

Shelton a tapoté le bloc-notes.

— Il est question d'infection. C'est risqué.

— Il y a bien une raison pour qu'on l'ait mis ici, a renchéri Ben.

J'ai secoué violemment la tête.

— Coop a le parvo. J'en ai entendu parler. C'est un méchant virus, mais il est contagieux pour les autres chiens, pas pour les humains. On ne peut pas l'attraper.

Hi s'est joint au concert.

— Écoute, en temps normal, je serais de ton côté.

Cette saloperie me dégoûte, moi aussi. Mais si Karsten ne retrouve pas ce chien à son retour, ça sera un souk pas possible. On va se faire prendre.

J'ai respiré un bon coup. Le moins qu'on puisse dire, c'est qu'ils n'avaient pas l'air convaincu.

— On ne va pas se faire prendre.

Oui, mais il ne suffisait pas de le dire. J'ai fait le tour de la pièce du regard.

Et soudain, un éclair d'illumination.

Bien sûr !

Mais comment les convaincre ?

— Karsten viole le règlement.

J'ai parlé posément, calmement.

— Tout le monde croit que ce bâtiment est fermé. Mais à l'intérieur, on tombe sur un système de sécurité et sur un labo secret. C'est glauque, non ?

Au fur et à mesure que je parlais, je commençais à croire à ma théorie. C'était forcément ça.

— Et cette expérimentation secrète ? Karsten fait des expériences sur des *chiens*, merde ! Des chiens qui vont être *euthanasiés*. Vous avez entendu parler de protocoles de ce genre sur Loggerhead ?

Hi se mordait la lèvre inférieure, Ben et Shelton semblaient sinon persuadés, du moins ébranlés.

— Karsten fait des trucs en secret, ai-je poursuivi. Ça m'étonnerait qu'il signale la disparition de Coop. Et d'abord, Coop n'est pas censé être ici.

— Où est-ce qu'on l'emmènerait ? a demandé Shelton. Il est malade. On ne peut le relâcher sur l'île, sinon il va contaminer toute la meute.

J'y avais déjà réfléchi.

— Le bunker. Personne ne connaît son existence. On pourrait le soigner là-bas.

Aucune réaction.

— Donnons-lui au moins une chance. Le parvo n'est pas toujours mortel.

Exact, mais sans remèdes vétérinaires, le virus tuait la plupart du temps. Je me suis bien gardée de le dire. Ce ne serait pas facile de s'occuper de Coop, et il n'était pas du tout certain qu'il s'en sortirait. Il n'y avait pas de traitement connu pour le parvo. Ça aussi, je l'ai gardé pour moi.

Silence dans les rangs.

— Je vais tenter le coup. Vous m'aiderez ?

Les bras croisés, je me suis préparée à faire face.

Cinq secondes se sont écoulées. Dix. Vingt.

— D'accord.

Ben, le premier. Plutôt inattendu.

Shelton a suivi.

— Adjugé. Mais j'espère que tu as raison, Tory. Je ne suis pas taillé pour faire de la prison.

Hi marmonnait entre ses dents.

— C'est débile. Complètement idiot !

Puis :

— Ok, mais je vous préviens, si on se fait piquer, je vous charge tous les trois. En fabriquant des preuves, s'il le faut !

J'avais les yeux humides, mais heureusement, j'ai pu garder le contrôle.

— Vous êtes les meilleurs potes qu'on puisse imaginer.

— Je ne te le fais pas dire ! s'est exclamé Shelton. Mais il est temps de s'arracher.

J'ai fait le tour des étagères et raflé du matériel médical, que j'ai fourré dans un sac en plastique vide. Puis je me suis emparée de poches à perfusion et de trois flacons d'antibiotiques stockés dans un petit frigo.

Pour finir, j'ai attrapé une caisse de transport, dont j'ai doublé le fond avec une blouse de labo pour la rendre un peu plus confortable.

Satisfaite, je me suis approchée de la cellule de verre. Elle n'était pas fermée à clé. La porte s'est ouverte avec un petit sifflement quand j'ai appuyé sur la poignée.

J'ai ôté les poches à perfusion du support, en prenant garde à ne pas déranger les tubulures. Coop aurait besoin de ses solutions ; mieux valait ne pas ôter les tuyaux de sa patte.

Pour finir, j'ai ouvert la cage. Une odeur désagréable en émanait. Je me suis mise à respirer par la bouche, en me disant que Coop ne pouvait pas me contaminer.

Tandis que Ben soulevait Coop, j'ai arrangé la

collerette et les tuyaux du chiot et nous l'avons placé ensemble dans la cage de transport. C'est Ben qui allait l'emporter en dehors de l'île.

Les yeux clos, Coop s'est allongé sur le fond de la cage, trop las pour résister.

— Prêts ? ai-je demandé.

— Prêts.

Tous les trois en même temps.

C'est à ce moment que l'alarme s'est déclenchée.

14

Un bruit strident a résonné dans le bâtiment. J'ai refermé d'un coup sec la porte de la cage et me suis immobilisée. La sirène d'alarme.

Les hurlements reprenaient toutes les trois secondes.

— On est fichus !

Hi semblait au bord de la panique.

— Pas d'affolement, ai-je lancé d'un ton sec. Personne ne nous a encore repérés. Il faut simplement sortir d'ici.

— On se bouge ! a dit Ben entre ses dents. On repart en vitesse par où on est venus.

Shelton a filé comme une fusée dans le couloir. Ben a suivi, la cage de transport de Coop serrée contre sa poitrine. Je l'aurais embrassé. Je les ai suivis avec le sac de fournitures médicales.

Hi était le dernier. Il a refermé la porte métallique derrière nous.

La sirène s'est enfin arrêtée.

J'ai tourné la tête.

— La serrure électronique a déclenché l'alarme, a dit Hi, contrarié. On aurait dû refermer la porte.

Trop tard.

Tout en me hâtant vers l'escalier, j'ai jeté un coup d'œil par la fenêtre du premier. La pluie tombait toujours et des flaques s'étaient formées dans la cour.

Mon cœur s'est arrêté de battre.

— Carl arrive ! ai-je crié.

L'alarme avait été enregistrée au poste de sécurité,

et les cent cinquante kilos du vigile se dirigeaient vers les marches du bâtiment, son uniforme bleu ciel déjà trempé.

Ben a pris les choses en main.

— Il va commencer par vérifier le labo principal, au rez-de-chaussée. Il faut se cacher dans l'escalier, attendre qu'il soit passé, puis filer par l'arrière. Pas un bruit, pigé ?

C'est ce qu'on a fait. Et ça a marché. Carl est passé juste devant nous, en dégoulinant comme un canard.

Une fois dehors, on a rasé le mur derrière le bâtiment jusqu'à l'angle. J'ai risqué un œil. La cour était vide.

Ben a protégé la cage de Coop avec sa veste. On s'est tous regardés, prêts à se lancer dans un sprint suicidaire.

J'ai donné le signal.

— Maintenant !

On s'est élancés.

Dans les flaques, l'eau me montait jusqu'aux chevilles et j'ai failli perdre l'équilibre plus d'une fois. Des éclairs zébraient le ciel et m'éblouissaient. J'ai entendu quelqu'un tomber en éclaboussant partout.

Au portail de Turtle Beach, je me suis retournée pour laisser passer les autres. Hi. Ben et sa charge. Shelton, couvert de boue. Tous trois se sont faufilés dans les bois.

Les mains tremblantes, j'ai refermé le portail et le cadenas.

Malgré le bruit de la pluie, on a entendu un « bang » sonore. Une porte ?

Affolée, je me suis précipitée vers l'abri le plus proche, un buisson de houx avant la ligne des arbres. À plat ventre, j'ai regardé à travers le grillage.

Carl sortait du bâtiment. Il a scruté les environs et son regard est tombé sur le portail. Debout sous l'averse, il avait l'air misérable, mais déterminé.

Mon camouflage ne résisterait pas à une inspection de près. Le moindre mouvement me trahirait. Jusqu'à maintenant, seule la pluie battante m'avait protégée.

Au moment où Carl s'est avancé vers le portail, les nuages ont lâché tout leur contenu et un véritable déluge s'est abattu sur nous.

Carl a levé les yeux, hésitant. Puis il a hoché la tête et a battu en retraite vers l'abri du bâtiment.

Miracle. Remerciant toutes les divinités du ciel, je me suis accroupie et j'ai gagné en crabe l'intérieur de la forêt.

*
* *

Jamais le vieux bunker ne m'avait paru aussi accueillant.

Prenant possession de la pièce du fond, je me suis déshabillée. Mes vêtements étaient à tordre. Mais impossible de les essorer. Ils sont restés trempés.

J'ai rejoint les autres dans la grande salle et ensemble nous avons bricolé un abri pour Coop avec des serviettes de plage placées sous le banc. Le chiot y était maintenant installé et il somnolait. De temps à autre, il léchait sa fourrure mouillée.

Le retour avait été un cauchemar. Le *Sewee* devait lutter contre une forte houle, tandis que nous étions trempés par la pluie et l'eau salée. Et Hi n'avait pas été le seul à souffrir du mal de mer.

Roulée en boule à la poupe, j'avais fait de mon mieux pour maintenir Coop au sec. Nous étions tous très nerveux. Et quand on était enfin parvenus à la crique du bunker, j'avais poussé un soupir de soulagement.

— Et maintenant, qu'est-ce qu'on fait ?

Hi caressait les oreilles de Coop.

— Je sais que dalle sur les soins à donner à un chiot malade.

J'ai donné mes instructions :

— Raccroche les perfs. Il faudra les changer quand elles seront vides.

Nous avions aligné les fournitures chapardées sur la table.

— D'ici là, on tient Coop au chaud, on l'hydrate et on essaie de le faire manger.

Et on espère.

On ne pouvait rien faire de mieux.

Coop était allongé sur le côté, l'air malheureux. Cela

me fendait le cœur de lui laisser sa collerette, mais je n'avais pas le choix. Si je la lui ôtais, il arracherait les tubules de la perfusion.

J'ai proposé un plan.

— On va prendre des tours de garde. Moi, je m'occupe de lui aujourd'hui. Retrouvons-nous ici demain matin avant l'école et organisons une rotation. Et essayez d'apporter ce que vous pouvez trouver chez vous qui lui sera utile.

— Et motus et bouche cousue, a ordonné Hi. Si on ébruite ce fiasco, on est foutus.

Shelton a levé la main.

— Qu'est-ce qui se passera quand Coop ira mieux ?

— S'il guérit du virus, il sera immunisé, ai-je répondu. On pourra lui trouver un foyer normal.

Je ne pouvais pas le garder. Kit ne voulait pas de chien. En plus, il le connaissait. Mais on pouvait lui trouver une bonne famille d'accueil.

Hi revenait à la charge.

— Je parle sérieusement. Secret absolu. Rien ne doit filtrer. Faisons un serment de sang ou quelque chose comme ça.

— Entendu, a gloussé Shelton en mettant un genou à terre. Je jure sur ma tête de ne jamais dire un mot sur le chien.

— Moi idem, a dit Ben d'un ton désinvolte.

Puis, devant le regard furibond de Hi, il a repris :

— D'accord, d'accord ! Je le jure. Satisfait ?

— Ouais. Tory ?

— Je te le promets, Hi. Pas un mot.

J'ai regardé Coop qui dormait maintenant dans sa tanière improvisée.

— Je veille sur toi, ai-je chuchoté. Occupe-toi simplement d'aller mieux.

Au-dehors, le tonnerre grondait.

15

Le Dr Marcus Karsten se figea.

Planté sur le seuil de son laboratoire secret, dont il pensait – à tort – avoir si bien protégé l'entrée, il découvrait que ses pires craintes s'étaient réalisées.

Le sujet A avait disparu.

Impossible !

Une heure plus tôt, il était chez lui en train d'établir des comptes rendus de synthèse, quand le téléphone avait sonné. Cela le dérangeait, mais il avait répondu.

C'était Carl, qui appelait de l'institut. Quelqu'un s'était introduit dans le labo 6.

L'estimé professeur avait lâché l'appareil et s'était précipité vers sa voiture, en pleine panique.

Puis il avait foncé vers la marina en brûlant les feux rouges. Là, il avait proposé le double du prix normal pour être conduit en bateau à Loggerhead par le plus court chemin. Toutes les minutes comptaient.

Pendant la traversée sous une pluie battante, il avait réussi à se calmer en se disant que nul n'était au courant de l'existence du labo du premier étage. Son secret ne serait pas découvert.

Il était le seul à connaître le code de la serrure électronique qu'il avait fait installer spécialement. Les vigiles ne l'avaient même pas. Une fois qu'il aurait déterminé ce qui avait déclenché l'alarme, il irait discrètement vérifier la pièce secrète.

Sa peur se changeait en colère. Un technicien flemmard avait sans doute eu besoin de fournitures et décidé de se servir directement, au lieu de remplir la paperasserie. Classique. Celui qui avait déclenché cette alarme allait l'entendre !

À peine débarqué, Karsten se précipita directement vers le labo 6 sous la pluie battante, ce qui n'améliora pas son humeur.

Carl l'attendait dehors, en haut des marches. Il avait enfilé un imper noir et ressemblait à une énorme boule de bowling montée sur pattes. Et nerveuse.

En l'apercevant, Karsten fit la grimace. *Ce bouffon est vraiment ce qu'on peut trouver de mieux pour assurer notre sécurité ?*

— Accouchez ! exigea-t-il. Il y a eu effraction ? On a volé quelque chose ?

Malgré sa silhouette massive, Carl était de petite taille et Karsten le dominait de toute sa hauteur.

— Euh… nous… eh bien, je n'en sais rien, monsieur, euh… docteur.

— Vérifiez. La. Bande. Vidéo.

Karsten détacha bien les mots. Il n'avait pas de temps à perdre avec les imbéciles et celui-ci lui semblait à peine au-dessus de la catégorie.

— C'est bien le problème, monsieur.

Carl aurait donné n'importe quoi pour être ailleurs.

— On ne peut pas. L'enregistreur vidéo nous a lâchés la semaine dernière et on attend toujours la livraison du nouveau.

Karsten ferma les yeux, dans un effort pour garder son calme. Il se souvenait effectivement d'avoir vu passer un mémo à ce sujet.

— Vous avez examiné les fermetures ?

— Oui, monsieur.

Le terrain était déjà plus sûr.

— Les grilles étaient fermées et verrouillées. Et il n'y avait rien à signaler du côté des deux portes extérieures du bâtiment.

Carl se gratta la tête.

— Je suis même entré. Il n'y avait personne et rien ne manquait.

Une pause, puis :

— Évidemment, je n'ai pas pu vérifier la partie du fond, à l'étage.

— Ce ne sont pas vos affaires !

Karsten avait parlé plus sèchement qu'il n'en avait l'intention.

— Cette zone est sûre. Personne ne peut y pénétrer.

Carl pâlit.

— Mais monsieur, c'est le secteur où il y a eu intrusion.

— Quoi ?

— L'alarme qui… qui a fonctionné… balbutia Carl, conscient que Karsten prenait mal la nouvelle. Le signal, euh, provenait de la nouvelle serrure électronique, à l'étage.

Karsten passa en revue toutes les terribles implications de ce qu'il venait d'entendre. Jusque-là, il avait pensé qu'on avait pénétré seulement au rez-de-chaussée. L'entrée du bâtiment n'était pas sous alarme, mais deux portes l'étaient à l'intérieur.

Réfléchis, se dit-il. *Grilles, fermées. Portes, fermées. Aucun signe d'effraction. Pourtant, quelque chose avait déclenché l'alarme la plus sûre de tout le complexe.*

— Qui y a-t-il d'autre, à part vous ?

— Personne. J'ai tout vérifié. Il n'y a pas un chat. La première navette de M. Blue n'arrive que dans une heure.

— La porte en acier était bien close quand vous êtes arrivé ?

— Oui, monsieur. Docteur.

C'est un dysfonctionnement de l'alarme, se dit Karsten. Il ne voyait pas ce que cela pouvait être d'autre.

— Sans doute l'orage aura-t-il détraqué le capteur. Allez terminer votre rapport. Je vais vérifier à l'étage.

Carl hésita.

— Je suis censé aller voir moi-même, pour le rapport, ou bien…

— Je ne veux plus vous voir. Je vous ferai savoir si j'ai encore besoin de vous.

Karsten regarda le vigile s'éloigner d'un pas lourd avant de pénétrer dans le bâtiment.

Le sujet, pensa-t-il en montant l'escalier à toute vitesse. *Le sujet doit être en sécurité !*

Un seul coup d'œil suffit pour que ses espoirs s'envolent.

Le chien-loup avait disparu.

Karsten s'obligea à constater l'ampleur des dégâts.

Des professionnels, se dit-il. *Des spécialistes du cambriolage.* Personne d'autre n'aurait pu se jouer de la fermeture des grilles, des portes, et du clavier électronique. Personne d'autre n'aurait pu disparaître si facilement, sans laisser de traces.

Karsten avait toujours pensé que des factions voulaient lui voler ses travaux. Ses découvertes pouvaient valoir un jour des millions, voire des milliards de dollars. Mais comment avaient-ils découvert ce labo-ci ?

Une idée lui vint et il vacilla sous le choc. Les intrus savaient que les caméras ne fonctionnaient pas !

Seigneur ! C'étaient des gens de l'intérieur !

Ils n'ont aucune idée de ce qu'ils ont fait.

Karsten était horrifié. Le sujet A était infecté par la souche *expérimentale* de parvovirus. Bien qu'il n'en ait rien dit à personne, il avait un terrible soupçon à propos de l'XPB-19.

Il prit le téléphone et composa un numéro d'un doigt tremblant.

— Ici le docteur Karsten. C'est urgent.

Il attendit que l'appel soit transféré. Un clic. Deux longues sonneries. Puis une voix répondit.

— Oui ?

Karsten s'obligea à adopter un ton calme.

— Nous avons un problème.

*
* *

Quelques minutes plus tard, le professeur se retrouvait avec l'estomac affreusement noué. *Il faut que je boive quelque chose*, se dit-il, le téléphone encore à la main.

Ses instructions étaient claires.

Retrouver le chien.

100

Ou bien...

Et il n'avait pas dit le pire, même à lui. *Surtout* à lui. Cette nouvelle était beaucoup trop dangereuse pour qu'il la partage. Et son sponsor était un homme beaucoup trop dangereux.

Karsten tira un trousseau de clés de sa poche et ouvrit un tiroir du bureau. Il farfouilla parmi des papiers et des dossiers et finit par mettre la main sur un document en dessous de la pile.

Il reconnut son écriture au bas du rapport et le relut. Il aurait aimé qu'il dise autre chose.

Mais ses mots étaient là. Des mots accusateurs.

« Il convient d'employer un maximum de précautions. À cause de la structure de son radical, la souche de parvovirus XPB-19 peut contaminer les humains. »

16

J'étais dans la bibliothèque de l'école Bolton, où je profitais de mon heure de déjeuner pour faire des recherches. Après avoir consulté une douzaine de sites via Google, je connaissais maintenant mon adversaire. Un sale truc. Impitoyable. Un serial killer. Mais j'avais aussi la confirmation que l'ennemi pouvait être vaincu.

Le parvo. Le fléau des chiots.

Les chiens qui ne sont pas vaccinés sont virtuellement sans défense contre lui. Il tue souvent son hôte en quelques jours.

Je ne le laisserai pas faire.

Je me suis juré de priver ce microscopique assassin d'une victime supplémentaire.

Lundi matin. Une nouvelle journée de classe. J'avais retrouvé mon uniforme. Cravate écossaise tristounette et jupe plissée assortie. Chemisier blanc boutonné jusqu'en haut. Chaussettes noires.

Beurk !

Je ne devrais pas me plaindre. Sans le dress code de la Bolton Prep, les couloirs ne seraient qu'un défilé de mode durant toute l'année scolaire et je ne serais pas à la hauteur, évidemment. Au contraire de certaines élèves, je joue le jeu et ne cherche pas à le rendre sexy à la première occasion.

Les infos que j'avais récoltées n'étaient pas joyeuses. Ma mémoire ne me trompait pas : il n'existait pas de traitement pour le parvovirus canin. Mais les

statistiques concernant les chances de survie me donnaient une lueur d'espoir. Je m'y accrochais.

Une voix a retenti derrière ma chaise.

— Eh, Tory, tu cherches des robes pour le bal ?

Je me suis retournée, hérissée. Toute l'année, j'avais
été en proie aux moqueries. Je connaissais le truc.

Mais ce n'était que Hi, en route vers la station d'ordinateur voisine, sa veste de l'école retournée pour exposer la doublure en soie bleue. Il prétendait que du
moment qu'il portait le vêtement voulu, il respectait le
code vestimentaire. Point barre. L'administration
n'était évidemment pas d'accord, mais après une année
d'affrontement, il avait gagné. Les professeurs ne cher-
chaient plus qu'en de rares occasions à le faire rentrer
dans le droit chemin.

Je me demandais pourquoi Hi s'opposait de manière
aussi frontale aux autorités. La désobéissance civile
n'était pas dans son caractère. Étant donné la personna-
lité de Ruth Stolowitski, sa rébellion était proprement
stupéfiante.

Brandissant un sandwich aux boulettes de viande à
moitié entamé, il a feuilleté de l'autre main les documents que j'avais imprimés.

— Bonne idée de chercher une robe digne de ce
nom.

Le genre de vanne typique de Hi.

— La reine du bal doit porter quelque chose de
pointu. Du Vera Wang, peut-être ?

— Merci, ai-je répondu sèchement. Tu es toujours
mon cavalier, hein ? Ou est-ce que tu auras un match
de play-off ce soir-là ? Je comprendrais qu'on aie besoin
de notre quarterback vedette sur le terrain.

— Je te le ferai savoir. Je dînerai peut-être avec
Kristen Stewart. Ou Bill Compton. Un vampire, mais je
ne sais pas encore lequel.

Malgré tout, j'étais contente de voir Hi. Nous avions
le même emploi du temps et nous déjeunions généralement ensemble. C'était plus drôle de me faire charrier
que d'être toute seule dans mon coin. Plus sûr aussi.

— Ça n'a pas l'air terrible, a-t-il commenté d'un ton
redevenu sérieux en examinant certaines des feuilles.

Hi avait raison. Coop allait devoir livrer un rude combat.

Il a poursuivi sa lecture, puis reposé les papiers.

— Tu as trouvé quelque chose de positif ?

— Pratiquement rien. Le parvovirus est la maladie infectieuse la plus répandue chez le chien. La plus grave, aussi. Les chiots sont les plus menacés. Il existe des vaccins, mais comme la meute vit à l'état sauvage sur Loggerhead, aucun d'entre eux n'a été vacciné.

Hi s'est laissé tomber sur la chaise.

— Évidemment.

Il a mordu dans son sandwich et m'a fait signe de continuer.

— La forme la plus répandue de parvovirus est intestinale. On appelle ça *entérite*.

Tout en parlant, je parcourais mes notes.

— D'après ses symptômes, c'est ce que semble avoir Coop. Perte d'appétit, léthargie, vomissements, diarrhée et fièvre.

— Comment agit cette saloperie ? a demandé Hi entre deux bouchées de pain-fromage-boulettes-sauce marinara.

— Le virus envahit la muqueuse de l'intestin grêle, ce qui empêche le passage des nutriments dans le sang, ai-je ajouté en montrant les documents d'un site vétérinaire. L'entérite abaisse le nombre de globules. Au fur et à mesure que le chien s'affaiblit, le virus se répand dans son système digestif, ouvrant la voie à des infections secondaires.

J'ai fait une pause avant de donner l'information qui me déprimait le plus.

— Certains sites parlent d'un taux de mortalité de quatre-vingts pour cent en l'absence de traitement.

Nous sommes restés quelques instants silencieux. Il n'y avait pas grand-chose à dire, de toute façon.

— Et d'abord, comment est-ce que Coop a attrapé le parvo ?

La voix de Hi exprimait une colère identique à la mienne.

— C'est bien ce que je me demande.

Je n'avais pas arrêté de me poser la question. Je refusais d'écouter mon intuition. *Karsten n'aurait tout de même pas infecté Coop intentionnellement ?*

Repoussant cette idée, j'ai poursuivi mes explications.

— On va devoir faire très attention. Le pire, avec le parvo, c'est qu'il se répand à toute vitesse. Le virus peut survivre sur une couverture ou dans une cage pendant six mois. Il va falloir *tout* passer à l'eau de Javel. Nos vêtements, nos chaussures, tout ce qui peut être en contact avec Coop.

— Est-ce que le virus peut se répandre dans l'atmosphère ?

Hi semblait maintenant inquiet.

— Non, il se transmet par contact direct avec les excréments de l'animal.

— Il ne nous manquait plus que ça. Une bestiole dans la crotte de chien.

Le reste du sandwich de Hi a valdingué dans la poubelle. Pour ma part, je n'avais déjà plus faim.

Hi s'est levé.

— Sur cette note charmante, je file. Je n'ai pas révisé pour l'interro d'espagnol.

Il s'est éloigné en sifflant l'air de *South Park*.

— Hi, rappelle à Shelton qu'on se retrouve après les cours !

À Bolton, il y avait deux breaks successifs pour le déjeuner, et Shelton et Ben mangeaient après nous.

— On doit toujours faire des recherches sur notre soldat.

F. Heaton ne m'était pas sorti de la tête. J'espérais dénicher la solution en allant à la bibliothèque publique après la classe avec Hi et Shelton pendant que Ben veillerait sur Coop.

Sans se retourner, Hi a levé le pouce. Il transmettrait le message.

Mentalement, j'ai fait un rapide check-up de nos tâches concernant Coop. Il faudrait javelliser toutes ses affaires et les endroits où il aurait vomi et fait ses besoins. Et pratiquement tout ce qui serait en contact avec lui, y compris nos mains, nos habits et nos chaussures.

Et quand il serait guéri – car il allait guérir –, nous récurerions le bunker du sol au plafond.

Il n'allait pas être facile de soigner le chiot. Les spécialistes étaient unanimes à affirmer que les chiens suspectés d'avoir attrapé la maladie devaient être conduits dans une clinique vétérinaire pour y suivre immédiatement un traitement. Malheureusement, il n'en était pas question. Sauf si nous voulions nous retrouver en prison.

Je suis donc partie à la pêche aux conseils des particuliers pour les soins maison. Apparemment, il fallait d'abord hydrater le chien et prévenir toute infection secondaire. Je me réjouissais d'avoir pu chaparder quelques fournitures médicales. Avec les poches à perfusion et les antibiotiques, on pourrait presque faire aussi bien qu'un vétérinaire.

Sur tous les sites, on recommandait d'encourager le chien à manger, mais plutôt des aliments liquides au début. Certains suggéraient de lui donner ensuite une pâtée riz-viande hachée cuite une fois qu'il serait capable de la garder. J'ai décidé d'essayer la recette ce soir.

Notre plan devait à tout prix marcher. Nous n'avions aucune solution de rechange.

En pensant aux faibles chances que Coop avait de s'en sortir, j'ai eu les larmes aux yeux.

Arrête. Tu ne vas pas te mettre à pleurer dans la bibliothèque.

J'ai ramassé les feuillets que j'avais imprimés et les ai fourrés dans mon sac à dos.

Au moment où je refermais le navigateur web, j'ai pensé brusquement que Coop était moitié chien, moitié loup. Comment le parvo allait-il affecter un chien-loup ? Est-ce que la partie sauvage pouvait modifier le diagnostic ?

Mes doigts ont couru sur le clavier. Après cinq minutes de recherches fiévreuses, j'ai vu tous mes espoirs s'effondrer. Le parvo était également mortel pour les loups et les chiens-loups. Le caractère hybride de Coop ne changeait rien.

Découragée, je me suis mise à regarder des photos de petits chiens-loups et le spectacle de ces adorables boules de poil m'a fait retrouver le sourire.

C'est comme ça que j'ai été prise par surprise.

17

— Tiens, une exposition canine ! a lancé une voix à quelques centimètres de mon oreille. C'est *ça* qui t'a empêchée de venir à la soirée ?

Et de deux ! Ne t'assois jamais le dos tourné à la porte !

J'ai gardé les yeux rivés sur l'écran jusqu'à ce que mon logiciel perso de reconnaissance vocale identifie celui qui parlait. Et là, le sol s'est dérobé sous mes pieds.

Je me suis retournée.

Jason Taylor était penché sur moi et regardait par-dessus mon épaule la page web que je consultais. Il portait l'uniforme des garçons de l'école Bolton : blazer bleu marine à écusson, cravate rayée, chemise bleue à col boutonné, pantalons de toile beige et mocassins. Le tout parfaitement repassé, noué, ciré. Et pas mis à l'envers.

Rapide comme une synapse, j'ai fermé Firefox. Trop tard.

— Sérieusement, Tory, tu devrais passer moins de temps à lorgner des clebs et larguer plus souvent les amarres. Au sens propre.

Je suis restée bouche bée. De quoi parlait-il ?

— La soirée sur le yacht, Victoria.

Jason a plissé les yeux.

— Samedi ? Le texto ? Ça te dit quelque chose ?

Bien sûr.

Il faudra quand même que je sois moins bouchée, un jour.

— Excuse-moi, je suis un peu dans les nuages, ces temps-ci. Merci pour l'invitation.

J'ai tenté une plaisanterie.

— Tu as réussi à surnager ?

— Oui. En fait, tu n'as rien perdu.

Il a pris un air faussement réprobateur en me menaçant du doigt.

— Mais tu aurais tout de même dû venir.

— Pour moi, c'est une trotte jusqu'à la marina.

— Je sais. Comment ça se passe sur l'Île aux Naufragés, en ce moment ?

Jason s'est laissé tombé sur le siège laissé vacant par Hi. Son style avait quelque chose de désinvolte, mais il faisait partie des chic types.

— On s'éclate en permanence, ai-je répondu. Comment ça se passe à Mount Pleasant ?

— Toujours pareil.

Le clan Taylor vivait à Old Village, l'un des quartiers résidentiels les plus classe et les plus chers, dans une demeure qui possédait un appontement privé sur Charleston Harbor. Il y avait plus misérable.

Désignant l'écran, Jason a changé de sujet.

— Pourquoi cet album de photos sur les chiens-loups ? Et d'abord, qu'est-ce qu'un chien-loup ?

Bravo, petit génie. On ne peut pas dire que tu te sois comportée en « cerveau du crime ».

Est-ce que la nouvelle de l'enlèvement d'un chien-loup serait déjà parue dans la presse ? Je n'en avais aucune idée. Et j'étais en train de faire défiler des photos de chiens-loups sur un ordinateur public.

J'étais débile. Au contraire de Jason, qui savait tirer des conclusions.

— Oh, ce n'est rien !

J'avais pris un ton léger. Trop.

Reprends-toi !

— Franchement, je ne savais pas de quoi il s'agissait, ai-je menti. Je cherche des infos sur les loups. Pour un devoir d'anglais.

Du bla-bla. Mon impro craignait.

Jason s'est désintéressé de l'affaire.

— Dommage que ce ne soit pas pour le cours de bio. On aurait pu bosser ensemble.

Un sourire coquin.

Tiens, tiens !

Jason était en seconde et moi en troisième, mais j'étais dans le même groupe de travail en biologie. Le système me permettait de suivre un cours de la classe supérieure. Ce n'était pas une partie de plaisir, mais heureusement, Hi et Ben étaient aussi dans ce cours.

En un sens, Jason était mon allié le plus important à la Bolton Prep School. Il avait l'air de m'apprécier et du coup, certains des autres débiles me fichaient la paix. Du moins en sa présence.

Mais depuis quelque temps, il s'intéressait à moi d'une autre manière. Cela me rendait nerveuse sans que je sache pourquoi. Jason était top, mais il ne me branchait pas.

Alors que son pote Chance...

Jason a interrompu le cours de mes pensées.

— Qu'est-ce que tu vas écrire sur tes amis à quatre pattes ? Un poème en vers et en aboiements ?

Je n'ai pas eu le temps de répondre.

— Tu viens, Jason ?

Courtney Holt s'était approchée de nous et l'interpellait.

Tout le monde aux abris !

Courtney Holt était blonde, maigre, et incroyablement nunuche. Je me demandais même comment elle avait pu trouver la bibliothèque. Elle était en tenue de pom pom girl, bien qu'aucun match n'ait été programmé ce jour-là. Le coup classique.

En plus, elle n'était pas seule.

— On va jeter un œil sur la nouvelle BMW de Madison.

Un sac Prada accroché à son bras bronzé, Ahsley Bodford passait une main dans ses cheveux noirs impeccablement coiffés.

— Son père a enfin cessé de faire des histoires avec ses notes.

À côté d'Ashley se tenait Madison Dunkel, dont la blondeur devait tout au talent de son coiffeur. Ses

110

boucles d'oreilles valaient sans doute plus que ma maison.

Ces trois filles étaient l'image même de la perfection obtenue à grand renfort d'artifices. Je les avais baptisées le Trio des Bimbos.

Le trio souriait de toutes ses dents à Jason et visiblement leur petit capital de cellules grises n'avait pas enregistré ma présence.

— Très bien, a répondu Jason. Il y a au moins… quoi, six mois que Madison n'avait pas eu de nouvelle voiture. Tory, tu veux venir voir le nouveau joujou de MD ?

Le trio s'est figé avec une expression de stupéfaction, mêlée de dégoût et de contrariété. Jason aurait aussi bien pu lâcher un pet.

Luttant contre l'envie de me cacher sous le bureau, je me suis juré à nouveau de surveiller en permanence mes arrières.

Réfléchis vite.

— Merci, mais… non. Je… je dois finir cette histoire de loups. Il faut que je trouve où ils dorment. Et ce qu'ils mangent.

Silence.

— Comme nourriture, ai-je précisé.

Je me suis tue. J'avais rarement été aussi lamentable.

Le trio ouvrait de grands yeux.

— Des loups ? a raillé Courtney. Tu fais partie de ces hippies qui vivent dans les bois et ne s'épilent jamais ?

Ahsley a pouffé.

— Mais non, voyons, elle vit sur une île.

Puis, à mon intention :

— Ton père est capitaine d'un bateau de pêche à la crevette, c'est bien ça ?

— Biologiste marin, ai-je corrigé, les joues écarlates. Il travaille pour l'université.

Ignorant leurs regards méprisants, je me suis adressée directement à Jason.

— Merci, mais je dois vraiment terminer ce que j'ai commencé.

— Très bien.

Jason s'est penché vers moi, la main devant sa bouche.

— Je n'ai aucune envie d'y aller moi non plus, m'a-t-il confié.

— Viens, Jason.

Madison arborait un sourire faussement aimable.

— La petite troisième a du travail. Laissons-la respirer.

— Merci, ai-je bêtement répondu. J'aime bien tes chaussures.

— Évidemment. Ce sont des Ferragamo.

Prends ça.

Une autre voix s'est mêlée à la conversation.

— On dirait qu'on se retrouve tous dans la bibliothèque !

L'accent sudiste de Chance Claybourne était reconnaissable entre tous.

— Quelqu'un peut m'expliquer de quoi il s'agit ? J'ai cru comprendre que Maddy avait une nouvelle voiture à montrer à nos regards éblouis ?

Mon cœur a fait un bond dans ma poitrine. Avec la présence de Chance, j'étais en plein dans l'œil du cyclone social de l'école.

Chance portait le même uniforme que les autres. Mais alors que la plupart semblaient avoir emprunté la veste et la cravate de papa, ce n'était pas le cas pour lui. Vraiment pas.

Aussi brun que Jason était blond, Chance Claybourne avait une allure folle. Des cheveux noirs coiffés avec art. De grands yeux sombres sous l'arc des sourcils. Capitaine de l'équipe de lacrosse, il était bâti comme un pur-sang.

En un mot, Chance était hot.

Fils de Hollis Claybourne, sénateur de l'État et magnat de la pharmacie, Chance était l'élève de Bolton le mieux introduit dans la société. Sa famille faisait partie de la vieille aristocratie de l'argent de Charleston, où elle possédait une demeure dans Meeting Street depuis plus de deux siècles. Parmi ses ancêtres, on comptait des maires et des gouverneurs de la région et même un candidat à la vice-présidence.

L'histoire de Chance lui-même était une légende. Sa mère, Sally, était morte à sa naissance, laissant son époux élever seul l'enfant. Dire que Hollis Claybourne était sévère était un euphémisme. On racontait qu'il était impitoyable avec son fils.

À Bolton, ce que beaucoup de filles voyaient inscrit sur son front, c'était la formule « unique héritier ». Lors de son prochain anniversaire, il hériterait de la fortune familiale. À bientôt dix-huit ans, Chance était une fusée prête à être mise en orbite.

— Jason discutait avec ce petit génie des sciences qui vit sur son île, a lancé Courtney, visiblement désireuse de plaire à tout prix. Quelque chose à propos des loups-garous.

Doux Jésus !

J'ai été ravie de voir arriver Hannah Wythe, la petite amie de Chance. Hannah, longs cheveux auburn et grands yeux verts, était un canon. Curieusement, elle ne semblait pas avoir conscience de sa beauté.

Chance a passé un bras autour de sa taille, l'a attirée à lui et a déposé un baiser sur sa joue, tout en gardant les yeux fixés sur moi.

Hannah était la fille la plus populaire de l'école. Et pour une fois, c'était une distinction méritée. Elle était charmante et ne disait jamais de mal de personne. En classe, elle avait tendance à se concentrer sur sa tâche, ce qui fait que nous ne parlions pas souvent ensemble, mais elle se montrait toujours amicale.

Hannah et Chance étaient ensemble depuis trois ans maintenant. Ils constituaient le couple royal de Bolton. Leur avenir était le sujet de nombreuses conversations et les gens prenaient des paris sur la date des fiançailles.

— C'est ma faute, Chance.

Jason, toujours diplomate.

— J'étais juste venu dire bonjour. Tory a cours de bio avec Hannah et moi. On est dans le même groupe de travail.

— Aucun problème. Si ma mémoire est bonne, tu avais invité mademoiselle le week-end dernier, n'est-ce pas ?

Jason a hoché affirmativement la tête.

Chance s'est incliné devant moi, dans un simulacre de courbette.

— Tout le plaisir était pour moi, Tory. Désolé que tu n'aies pu venir. Te joindras-tu à nous cet après-midi ?

Le trio se taisait, raide comme la justice. Personne ne discutait avec Chance Claybourne. Mais j'avais droit aux regards laser.

— Merci, ai-je répondu. Malheureusement, je n'ai pas un moment de libre aujourd'hui. La prochaine fois, peut-être ?

— La prochaine fois ? a jappé Ashley. Les péniches fonctionnent jusqu'à quelle heure ?

Madison et Courtney ont ricané méchamment.

— Ça suffit, a ordonné Jason. Vous êtes des mal-polies.

Les sourires venimeux se sont effacés. J'ai su plus tard qu'elles avaient dit pis que pendre de moi dans mon dos. Les garces.

Chance s'est contenté de froncer les sourcils. Il a consulté sa montre, visiblement prêt à partir. Hannah semblait compatir, mais elle n'a rien dit.

— Excuse-nous, Tory.

Jason semblait sincère. Je pense qu'il se sentait un peu responsable.

— On se voit en cours demain.

— Bien sûr.

J'ai fait un petit signe d'au-revoir. Piteux.

— Bye ! Amusez-vous bien !

Madison et ses acolytes ont tourné les talons sans prendre la peine de répondre à l'inférieure que j'étais. Chance et Hannah m'ont souri avant de les suivre.

Quelques secondes plus tard, je me retrouvais seule.

J'ai posé la tête sur le bureau.

Vivement la sonnerie.

18

À quinze heures, j'étais assise sur les marches devant l'école, attendant impatiemment Shelton et Hi. Ils étaient en retard, comme d'hab. Les deux lions de granit menaçants qui gardaient le bâtiment de style gothique me tenaient compagnie.

Je me suis mise à fredonner pour passer le temps. Malheureusement, je chante faux. Je n'ai pas l'oreille musicale.

Le ciel était clair et la température agréable, pas plus de vingt-huit degrés. La cour bruissait de chants et de pépiements d'oiseaux, cardinaux et moineaux.

Tout au long de l'année, les paysagistes se donnent un mal fou pour faire du terrain de la Bolton Prep School une vraie carte postale. Ils sèment, élaguent, sculptent. Des sentiers longent un petit étang, serpentent entre les espaces verts plantés d'arbres et les jardins de rocaille où sont installés des bancs de pierre. C'est ravissant. Les parents qui paient cher les études de leurs enfants n'en exigent pas moins.

Le campus, avec sa magnifique pelouse, borde le front de mer au sud-ouest de Charleston, près de l'extrémité de la péninsule. Un mur de briques de trois mètres de haut, fermé par des grilles de fer forgé ornées de blasons de cuivre, entoure l'école.

Broad Street passe derrière le campus et traverse vers l'est le cœur du vieux Charleston. À pied, on arrive vite à Battery Park, où des canons désaffectés servent de murs d'escalade aux élèves. Les plus belles demeures sont tout près.

Les marinas se trouvent un peu plus au nord. Moultrie Park et Colonial Lake ne sont pas loin. Avec sa vue sur James Island et le Charleston Country Club de l'autre côté de la baie, la Bolton Prep School se situe à un emplacement de première catégorie.

Les garçons ont fini par arriver. Pour excuser leur retard, Hi m'a expliqué qu'il avait mis du temps à retrouver son iPhone. Qu'importe. Pour être franche, j'avais apprécié ce moment passé auprès des félins de marbre.

Compte tenu du beau temps, nous avons décidé de prendre l'itinéraire touristique. Broad Street.

Au printemps, Charleston est un immense jardin, où chaque pâté de maisons rivalise de beauté avec l'autre. Les chênes et les lauriers roses bordent les rues, mêlant leur parfum à celui des azalées, des bégonias et du jasmin. Les cornouillers et les arbres de Judée ombragent les pelouses et les parkings. De tous côtés, on est assailli par les couleurs et les parfums.

— Je n'arrive pas à me faire à ces maisons biscornues, ai-je lancé.

— Trésor, ne critique pas l'esthétique de ma ville ! a répondu Hi en prenant l'accent traînant du Sud. Elle a son charme.

— Son charme ? Avec des maisons perpendiculaires à la rue ?

Les maisons du vieux Charleston sont étroites et construites en longueur. Les portes sur l'avant sont placées sur le côté de longs porches appelés *piazzas*. Généralement, elles ont un ou deux étages, avec des balcons qui donnent sur une cour ou un jardin.

Les habitants prétendent que ce style d'architecture est né du besoin d'économiser, dans la mesure où les taxes foncières étaient calculées sur la longueur de la façade sur rue. Plus vraisemblablement, c'est une question de climat. Comme il fait très chaud, les maisons orientées au sud-ouest reçoivent la brise du port et les piazzas protègent les fenêtres du soleil écrasant.

Personnellement, je préfère l'histoire des impôts.

À Meeting Street, j'ai regardé sur ma droite. Au sud,

116

près de Battery, s'élevait la demeure des Claybourne. Chance habitait l'une des adresses les plus huppées de la ville. Le quartier de l'argent.

Nous avons pris sur la gauche, dépassé l'hôtel de ville et la flèche blanche de l'église épiscopale St. Michael, puis traversé le centre commerçant. Dans des vitrines élégantes, des vêtements haut de gamme étaient exposés. Avec une certaine agressivité, des restaurateurs nous interpellaient pour nous vanter les charmes de leur cuisine.

Un peu plus loin, on a longé le vieux marché, souvent appelé le marché aux esclaves, même si l'on n'y a jamais vendu le moindre esclave. C'est maintenant un célèbre bazar à ciel ouvert.

Des femmes Gullah, descendantes d'esclaves africains, tressaient des paniers sur le trottoir, dans l'espoir de gagner un peu d'argent. Des touristes en sneakers et visières examinaient les produits de l'artisanat disposés sur des tables. Un peu plus haut, des gens sortaient du restaurant *Hyman's Seafood*.

Plusieurs centaines de mètres plus loin, on est arrivés à Calhoun Street, où se trouve le bâtiment principal de la bibliothèque publique, un immeuble de briques et de stuc construit en 1998.

À l'intérieur, dans le hall brillamment éclairé, un petit bonhomme au visage chafouin se tenait derrière le bureau de l'accueil. Trente-cinq ans environ, maigrichon, il avait des cheveux noirs brillantinés coiffés avec une raie au milieu. Il portait une chemise beige et une cravate jaune sous un gilet sans manches marron. Un pantalon de velours chocolat complétait une tenue aussi ennuyeuse que possible.

— Je peux vous aider, les enfants ? a demandé sans enthousiasme Face de Rat.

Il tenait contre sa poitrine un exemplaire du roman de Ron Hubbard, *Terre, champ de bataille*.

Allons-y. Passons-lui un peu de pommade.

— Certainement, monsieur, ai-je répondu d'une voix flûtée. Nous faisons des recherches pour notre travail et le prof a dit que seuls les employés de la bibliothèque municipale étaient assez cultivés pour nous venir en aide.

Face de Rat s'est rengorgé sous le compliment et j'ai continué dans la même veine.

— Je sais que votre temps est précieux, mais pourriez-vous nous consacrer quelques instants ?

Son visage s'est éclairé. Il a posé son livre.

— Bien sûr ! Je m'appelle Brian Limestone. Et vous ?

— Je suis Tory Brennan. Et voici mes amis, Shelton et Hiram.

— Enchanté. Maintenant, que puis-je pour nos jeunes élèves ?

— On a trouvé une vieille plaque d'identité militaire et on aimerait la rendre à son propriétaire. Ça semble être la démarche normale, n'est-ce pas ?

— Vous êtes extraordinaires, les enfants !

Limestone a bondi de son tabouret.

— J'ai une petite idée. Suivez-moi !

On a trottiné derrière lui tandis qu'il fonçait vers un escalier. Au premier étage, une plaque indiquait « Salle Caroline du Sud ».

— Je vous suggère de commencer par ici, a-t-il conseillé en nous introduisant dans la pièce. Vous pourrez vérifier si votre soldat était du comté de Charleston. Nous avons des registres qui remontent à 1782, et des annuaires téléphoniques à partir de 1931.

Il a pointé l'index vers un coin de la salle.

— Si cela ne suffit pas, la plupart des journaux de la ville sont sur microfilm. Les quotidiens les plus anciens sont parus en 1731.

J'ai fait le tour de la vaste salle du regard. La tâche s'annonçait difficile. Mais en cherchant sur Internet, on était tombés sur un nombre incalculable de « F. Heaton ». Il semblait raisonnable de commencer au niveau local.

— Merci infiniment, monsieur Limestone.

J'en ai rajouté une couche :

— Vous êtes formidable. Je me demande ce que nous aurions fait sans vous. Vous nous avez mâché le travail !

Un grand sourire en prime.

— Appelez-moi si vous avez besoin de quoi que ce soit. Des jeunes si gentils…

Là-dessus, il est sorti de la salle sur la pointe des pieds.

La porte s'était à peine refermée que Hi s'est mis à m'imiter.

— Oh, M. Limestone, merci d'exister ! J'aurais fait dans ma culotte, sans vous !

Shelton et lui ont éclaté de rire, ce qui nous a attiré des regards furieux des autres usagers.

J'ai souri.

— Tu peux rigoler, ai-je répondu à voix basse. N'empêche que ça a marché.

J'ai à nouveau examiné la salle. Par où commencer ? L'après-midi allait être long.

19

Deux heures plus tard, nous étions en pleine frustration.

Les annuaires téléphoniques et les registres n'avaient rien donné. Idem pour les actes de naissance et les certificats de mariage. Je commençais à croire que F. Heaton n'était pas de la région.

Hi s'était lancé dans des recherches sur le Net, sans résultat. Shelton parcourait les nécrologies des journaux, mais autant chercher une aiguille dans une botte de foin. Notre enthousiasme diminuait. Le nom de famille « Heaton » était extrêmement courant.

Il ne nous restait plus qu'une possibilité. Une infime possibilité. Mais c'était mieux que rien. J'ai donc commencé à feuilleter les dossiers de l'orphelinat de Charleston.

L'orphelinat, le plus ancien des États-Unis, avait été détruit par l'État de Caroline du Sud en 1951. Comme la loi protégeait les registres pendant soixante-quinze ans, ceux qui étaient consultables à la bibliothèque s'arrêtaient en 1935. Pas terrible.

C'est pourquoi j'ai eu un choc en découvrant un dossier étiqueté Francis P. Heaton. La chemise jaunie sous le bras, je me suis précipitée à ma table.

— Eh, j'ai trouvé quelque chose !

Cette fois, je n'avais pas eu besoin de parler à voix basse. Nous étions maintenant seuls dans la salle.

Shelton et Hi m'ont entourée tandis que j'ouvrais notre première découverte de la journée.

120

Il y avait juste deux documents à l'intérieur. Le premier était une fiche d'entrée. J'ai lu ce qui était inscrit dessus :

Nom : Francis P. Heaton
Né en 1934
Parents/famille : inconnus
Admis comme pupille de l'État le 15 juillet 1935
Conditions de l'admission : abandon sur le seuil de l'orphelinat de Charleston

— On l'a abandonné sur le seuil ! C'est raide ! s'est exclamé Shelton.

— C'était pendant la Grande Dépression, a commenté Hi. Déprimant.

— Chut, taisez-vous. Il y a autre chose.

À la suite des éléments tapés à la machine, quelqu'un avait ajouté à la main, d'une écriture d'autrefois :

« Le bébé a été abandonné devant le portail de l'orphelinat durant la nuit du 15 juillet 1935. Une note épinglée aux langes de l'enfant ne donnait qu'un nom. L'enquête n'a pu fournir aucun élément permettant d'établir l'identité des parents naturels. En conséquence, l'administration de l'orphelinat a admis Francis P. Heaton comme pupille de l'État de Caroline du Sud. »

— Vous croyez que c'est notre soldat ? a demandé Shelton. Francis P. aurait eu la trentaine pendant la guerre du Vietnam.

— Peut-être, a dit Hi. Qu'est-ce qu'il y a sur l'autre feuille ?

Le second document consistait en une feuille de papier ordinaire. Je l'ai retournée et quelques lignes manuscrites sont apparues, sous la forme d'une entrée de journal intime.

La date inscrite en haut de la page était le 24 novembre 1968. L'écriture, bien que tremblotante, était identique à celle du premier document. La même personne avait donc rédigé ce message et rempli la fiche d'entrée trente ans plus tôt.

« Terrible nouvelle pour Thanksgiving. Frankie Heaton est mort au combat le mois dernier dans le delta du Mékong. J'étais sans nouvelles de lui depuis des années.

D'après un article paru dans *The Gazette*, il s'est battu vaillamment alors que toute son escouade était vaincue. »

Je me suis forcée à poursuivre en me mordant les lèvres.

« Quelle sale guerre ! J'ai le cœur serré en pensant à Katherine, la fille de Frankie. Elle n'a que seize ans, et avec sa mère qui n'est plus là non plus, elle est maintenant orpheline, elle aussi. Que le Seigneur accueille l'âme de Frankie et qu'il veille sur son enfant. »

La signature était illisible.

On s'est regardés tous les trois sans rien dire.

Puis Shelton a rompu le silence.

— C'est quoi, cette *Gazette* ?

— Un journal de Charleston qui a cessé de paraître au début des années soixante-dix, a répondu Hi.

— Je pense que Frankie est notre homme.

Shelton semblait aussi abattu que moi.

— Mais s'il est mort dans le delta du Mékong, comment sa plaque a-t-elle pu atterrir sur Loggerhead Island ?

Hi s'est livré à un rapide calcul.

— Sa fille avait quinze ans en 1968. Elle en a cinquante-sept aujourd'hui.

— Dans ce cas, la plaque lui appartient, ai-je déclaré d'une voix véhémente. Il faut retrouver Katherine et la lui rendre.

Hi a approuvé de la tête.

— Essayons par Google. On a un nom et un prénom. Cette fois, ça va peut-être marcher.

Lui et Shelton se sont dirigés vers les ordinateurs, pressés d'échapper à mes états d'âme. Je n'ai pas suivi. Une profonde tristesse s'était emparée de moi, avec une force que je n'aurais pas imaginée.

Par-delà les années, je me sentais en empathie avec la fille de Francis Heaton. Comme Katherine, je savais ce que c'était que de perdre sa mère. Et elle avait perdu aussi son père. La vie pouvait être très cruelle.

Et Francis lui-même ? L'enfant abandonné sur le seuil d'un orphelinat était devenu un homme qui s'était battu pour son pays. Et l'avait payé de sa vie. C'était effroyablement triste.

— Tory ! Regarde ça !

La voix excitée de Shelton m'a fait sursauter.

Quand je me suis penchée sur l'écran de son ordinateur, j'ai reçu un autre choc.

De pire en pire.

En faisant des recherches par mot-clé, Shelton était tombé sur un site qui explorait des cas de personnes disparues. Et d'après les informations qu'il fournissait, Katherine Heaton, âgée de seize ans, avait disparu en 1969 à Charleston, Caroline du Sud, sans laisser de traces.

Évanouie. Envolée.

J'ai scruté l'écran.

— C'est quoi, ce blog ridicule ? D'où il tient ses infos ?

— Ce n'est pas exactement CNN, je te l'accorde. Allons voir ses sources.

Un certain nombre de références étaient fournies, mais aucun des liens n'était activé. Néanmoins, le texte citait des extraits de *The Gazette*.

On s'est précipités vers le lecteur de microfilms. Shelton a repéré la bobine contenant les numéros de *The Gazette* depuis 1969. Et pendant une heure, serrés les uns contre les autres, nous avons pris connaissance de la saga de Katherine Anne Heaton.

La disparition de Katherine avait passionné Charleston. Le 24 août 1969, la jeune fille avait quitté son domicile en direction des quais, à Ripley Point. On ne l'avait jamais revue. Pendant des semaines, la police avait passé la région au peigne fin, sans résultat. Les recherches avaient été abandonnées à la mi-septembre.

Au cours de l'enquête, *The Gazette* avait publié plusieurs articles sur la jeune fille. Katherine avait grandi à West Ashley, un quartier modeste à l'est de la péninsule. Elle avait fréquenté le lycée St. Andrew's et s'était révélée excellente élève, notamment en sciences, matière dans laquelle elle avait obtenu un prix. D'après ses amis, elle avait l'intention de poursuivre ses études à l'université de Charleston après son diplôme d'études secondaires.

J'ai examiné de nombreux numéros du journal, dans l'espoir de découvrir la nouvelle d'une fin heureuse. Rien. L'histoire de Katherine n'avait pas de fin.

Et puis soudain, la bombe.

En octobre 1969, paraissait en première page de *The Gazette* un article concernant les citoyens du comté de Charleston tués au Vietnam. Parmi eux, Francis « Frankie » Heaton. Le journaliste notait que Frankie Heaton était le père de Katherine Heaton, toujours introuvable, et pour la disparition de laquelle la police n'avait toujours pas le moindre indice.

— Écoutez ça ! D'après sa tante, Katherine Heaton portait la plaque militaire de son père pour honorer sa mémoire.

Shelton a sifflé entre ses dents.

— C'est ça ! On a le bon Heaton. Je parie qu'elle a laissé tomber la plaque sur Loggerhead.

— Mais qu'est-ce qu'elle aurait fait là-bas ? D'après sa bio, ce n'était pas le genre à aller faire la fête sur une île.

— Est-ce qu'on a fini par la retrouver ? a interrogé Hi.

— Pas en 1969, en tout cas.

Shelton a remis la bobine dans sa boîte.

— Est-ce qu'on continue en 1970 ?

Une voix nous a interrompus.

— Ma parole, vous avez bien travaillé ! Vous avez trouvé ce que vous vouliez ?

On s'est retournés comme un seul homme.

Limestone.

— Oui, monsieur. Mais pas tout. On a encore des questions.

— La bibliothèque ne va pas tarder à fermer, mais je peux peut-être vous être utile.

Shelton a pris les choses en main.

— Vous connaissez une certaine Katherine Heaton ?

Une lueur fugace est passée dans le regard de Limestone.

— Pardon ?

Sa voix geignarde était montée d'une octave.

— Katherine Heaton. Une jeune fille de Charleston qui a disparu dans les années soixante. Son père faisait la guerre au Vietnam. Vous avez entendu parler d'elle ?

— Désolé, je ne peux pas vous aider.

Nous avions maintenant devant nous un autre Brian Limestone. Les encouragements étaient terminés. L'homme semblait inquiet.

— Excusez-moi, mais je dois fermer la salle.

— Désolée de vous ennuyer, ai-je dit sur un ton aimable. On aimerait juste savoir ce qui est arrivé à Katherine. Les vieux articles de journaux nous ont passionnés. Vous pourriez nous montrer où l'on peut avoir d'autres informations sur elle ?

— Non. Je suis très occupé. Je pensais que vous faisiez un devoir.

Il a tendu un index osseux vers la sortie.

— S'il vous plaît, partez. Vous reviendrez plus tard.

On s'est regardés. Limestone nous larguait. Stupéfaits, on a rassemblé nos affaires et on s'est hâtés de quitter la bibliothèque.

Une fois dehors, je me suis retournée pour jeter un coup d'œil au bâtiment. Limestone se tenait dans l'encadrement de la porte, le regard fixé sur nous.

— C'est quoi, ce type, un jumeau démoniaque ? ai-je demandé. Il n'aurait pas pu nous laisser un peu plus de temps ?

— Au moment où je lui ai demandé un truc, il s'est changé en tête de nœud de première, a approuvé Shelton.

— C'est le genre haineux, a remarqué Hi. Encore heureux que je n'aie pas ouvert ma gueule de juif.

— Si ça se trouve, a gloussé Shelton, il est en train de saluer un drapeau nazi habillé avec un drap blanc et une cagoule. Raciste !

J'ai souri.

— Je crois que ce n'est pas non plus un fan du genre féminin.

On plaisantait, bien sûr. Ce qui avait justifié l'attitude de Brian Limestone n'avait rien à voir avec le sectarisme.

Quand on est redevenus sérieux, on a commencé à se sentir inquiets. Le brusque changement d'attitude du bibliothécaire était angoissant.

J'ai revu le visage de Limestone juste avant qu'il ne se change en connard.

Son expression.

Est-ce que ce n'était pas… de la peur ?

20

Au retour, mon corps a somnolé pendant toute la traversée.

Mon corps, mais pas mon cerveau. Installée sur un banc entre Hi et Shelton, je gardais un œil sur ce qui se passait autour de moi.

On avait attrapé le dernier ferry de justesse. Par chance, le père de Ben avait attendu dix minutes avant de quitter le port pour l'ultime traversée de la journée.

Au fur et à mesure que le bateau avançait, la nuit succédait au crépuscule, obscurcissant le rivage, le port et Fort Sumter.

Dans mon demi-sommeil, les visions et les souvenirs se mêlaient. Je rêvais, mais j'étais en alerte.

Dans mon rêve, j'errais la nuit dans une forêt. Seule et glacée jusqu'aux os par la fraîcheur nocturne.

Je n'avais pas peur, mais j'étais poussée par un besoin irrésistible de chercher. Quelque chose d'essentiel avait disparu et il fallait à tout prix que je le retrouve, même si je ne savais pas de quoi il s'agissait.

Un épais brouillard montait de la terre. La lune pâle n'arrivait pas à le dissiper et j'avançais à tâtons, en quête d'indices. Rien.

La pulsion s'accentuait – besoin de repérer, de déterminer, de poser une question. Mais laquelle ?

Encore quelques mètres ainsi et je m'arrêtais. Reconnaissais les lieux. J'étais dans la clairière d'Y-7. À l'endroit exact où nous avions trouvé la plaque.

Mon esprit vagabondait au cœur de Loggerhead Island.

Du fond de mon subconscient, quelque chose m'interpellait. Que disait-il ? Je ne parvenais pas à saisir le message.

Instinctivement, j'examinais le sol. L'épais brouillard recouvrait le sol. Il fallait que je voie ce qu'il y avait en dessous, que j'inspecte la terre.

Je ne peux rien trouver dans cette soupe.

Comme s'il m'avait entendu, le brouillard s'est soudain retiré de la clairière. Je me suis immobilisée, l'esprit obscurci. Et puis j'ai commencé à comprendre.

Je rêve. Je peux faire ce que je veux.

J'ai envisagé de quitter le rêve. Je savais que c'était possible. Mais mon instinct me disait de rester, car mon inconscient essayait de me dire quelque chose.

Mon esprit examinait le paysage du rêve. Le champ était comme dans mon souvenir. Je l'ai parcouru du regard, à la recherche d'un indice susceptible d'éveiller mon intérêt. Nada.

La clairière elle-même ?

Je me suis élancée vers le ciel. À cinquante mètres de hauteur, j'ai pivoté pour faire face au sol. Je flottais en l'air et je regardais en bas.

Trop obscur.

J'ai demandé qu'il fasse jour et le soleil a chassé les ombres. Le sol était maintenant baigné de lumière, comme lorsque nous étions venus là, le week-end.

Amusant.

Tel un oiseau de proie, j'ai scruté le terrain, espérant que l'illumination allait me venir. Mais qu'était-ce donc que je cherchais ?

J'ai fait un effort de concentration. J'enregistrais des détails. La forme du sol. Les nuances de vert de la végétation. L'agitation d'Y-7.

Mon esprit travaillait. Que signifiait tout cela ?

Brusquement, la gravité a agi de nouveau et j'ai plongé. J'ai battu des bras. En vain. Je tombais comme une pierre. Le sol est arrivé à ma rencontre.

Un cri a résonné à mes oreilles. Le mien ?

Hi retirait sa main de mon épaule.

— Tory ! On est arrivés.

J'ai redressé brusquement la tête. Désorientée, j'ai regardé autour de moi.

Le quai de Morris Island. Hi. Shelton. M. Blue, l'air étonné.

— Désolé, Hi. Je crois que j'ai piqué du nez.

— Aucun problème.

Puis, baissant la voix pour que le père de Ben n'entende pas, il a poursuivi :

— Je vais prendre la relève de Ben. Je te donnerai des nouvelles de Coop.

Il a descendu la planche.

— À plus !

Je me suis secouée et j'ai dit au revoir à Shelton et à M. Blue, qui a poursuivi sa route pour aller chercher les derniers passagers de Loggerhead. Kit compris, sans doute.

Je suis rentrée chez moi, l'esprit encore embrumé.

*
* *

Le soir, j'ai eu du mal à trouver le sommeil. Des lambeaux de rêves tournaient en boucle dans ma tête.

La clairière. Pourquoi est-ce que je revoyais sans cesse la clairière ?

Remontée comme une pendule, je me suis levée et j'ai allumé mon Mac. Je suis allée sur Google Earth et j'ai consulté des photos satellite de Loggerhead Island. Ça a pris du temps, mais j'ai réussi à identifier un endroit qui ressemblait à cette clairière.

J'ai zoomé dessus et j'ai reconnu l'arbre qui nous avait servi d'abri, à Hi et à moi, contre les jets de projectile de Y-7. Tout excitée, j'ai compris que je tenais l'endroit exact.

En grossissant l'image au maximum, j'ai obtenu une extraordinaire netteté de l'image. Plus stupéfiant encore, l'image était le reflet du décor de mon rêve.

Qu'est-ce qui me travaille ?

J'ai fait l'inventaire des lieux. Une clairière circulaire d'environ vingt-cinq mètres de diamètre. Mon solide chêne, tout seul sur la gauche. Un sol herbeux, avec une petite dépression au milieu.

Alors pourquoi ce *Psst* mental ?

La dépression ?

Je l'ai examinée de près. Elle faisait environ un mètre quatre-vingts de diamètre et semblait recouverte par une végétation plus sombre que l'herbe environnante.

Ou n'était-ce qu'une ombre ?

D'accord. Dans le creux, une petite mare d'eau s'était formée. Et cette humidité supplémentaire avait fait s'installer des plantes différentes.

Je me suis frotté les yeux, prête à penser à autre chose.

Un instant !

Un message subliminal a flashé dans mon cerveau.

Creux dans le sol. Modification de la végétation. Rayon d'un mètre quatre-vingts.

Seigneur !

J'ai failli oublier de respirer. Puis j'ai avalé plusieurs goulées d'air, coup sur coup.

Était-ce possible ? Et que faire ?

Évident. Aller vérifier.

J'ai ouvert Twitter et buzzé ma bande : CHAT ROOM TOUT DE SUITE !

Puis je me suis connecté à notre page web et j'ai attendu, les yeux fixés sur l'écran.

Allez ! Allez !

Mes doigts tambourinaient sur mon bureau. Cinq minutes. Dix. Finalement, on a été tous réunis.

J'ai envoyé le message : RETOUR À LOGGERHEAD DEMAIN APRÈS-MIDI. IMPORTANTISSIME ! EXPLIQUERAI À L'ÉCOLE.

Les garçons ont réagi vite, succinctement, et uniformément. Ben a écrit qu'il serait hyper-risqué de retourner sur la scène de notre crime. Téméraire. Shelton et Hi ont approuvé, Hi en capitales pour bien mettre les points sur les « i ».

Je ne voulais pas faire part de mes craintes en ligne, mais devant leur opposition, je n'ai pas eu le choix. J'ai balancé mes soupçons dans l'éther.

Ceci fait, je suis restée scotchée à l'écran dans l'attente

de leur réaction. J'avais besoin de leur soutien. C'était trop lourd à gérer toute seule.

Pendant quelques instants, grand silence blanc. Puis Ben et Shelton ont répondu qu'ils allaient réfléchir. Et après une impressionnante rafale de jurons, Hi a consenti à en faire autant.

En me déconnectant, j'étais persuadée que ma bande allait marcher avec moi. Du moins je l'espérais. Ce que je soupçonnais était beaucoup trop épouvantable pour qu'on le passe sous silence. Je devrais certainement fournir d'autres détails et les cajoler un peu, mais ils finiraient par faire confiance à mon jugement. Après tout, j'étais la nièce de Temperance Brennan. Je savais des choses.

Dans le noir, sous mes draps, j'ai été horrifiée en prenant conscience des implications de ma théorie.

Pourvu que je me trompe !

Avais-je jamais souhaité une chose pareille ?

Mais il fallait retourner là-bas.

Il fallait creuser.

Chercher une tombe.

21

Brian Limestone était inquiet.

Quoique surprenantes, les instructions qu'il avait reçues de nombreuses années auparavant étaient claires. Si éloignées dans le temps qu'il avait presque oublié. Presque.

Depuis ce jour-là, son premier à la bibliothèque, il était monté dans la hiérarchie. Aujourd'hui, Limestone pensait pouvoir légitimement tenter sa chance au poste de bibliothécaire en chef quand Mme Wilkerson raccrocherait.

La vieille bique doit avoir deux cents ans, maintenant, pensa-t-il ironiquement. *Elle ne va pas tarder à dégager, quand même. Ensuite, ce sera mon tour. Ma chance.*

La bibliothèque était fermée et verrouillée. Limestone avait fini de remettre à leur place les documents déplacés par les usagers.

Il était temps d'obéir aux ordres.

Descendant quelques marches, il s'introduisit dans un petit bureau en sous-sol au moyen d'une vieille clé de cuivre. La pièce, inoccupée, était pleine de poussière et meublée d'un simple classeur. Il ouvrit cette relique rouillée et prit une chemise dans le tiroir du bas.

Quinze ans plus tôt, Brian Limestone se trouvait dans cette pièce avec l'employé dont il devait prendre la suite. Fenton Dawkins était un vieil excentrique, méfiant et possessif. Limestone avait senti qu'il répugnait à révéler son secret.

L'affaire était simple. Un bienfaiteur inconnu versait

un traitement annuel de mille dollars au bibliothécaire de recherche de la bibliothèque publique. Et si ce bonus venait à être révélé à qui que ce soit, il cesserait purement et simplement d'exister.

En échange, il y avait une seule obligation : être vigilant à propos d'un nom particulier.

Katherine Heaton.

Si quelqu'un cherchait à avoir des renseignements sur cette personne, Limestone devrait faire obstruction par tous les moyens. De plus, il devrait retourner à son bureau et ouvrir une enveloppe cachetée qui contenait la suite des instructions.

C'était tout.

Limestone avait accepté sans l'ombre d'une hésitation. De l'argent facile ne se refusait pas.

Maintenant, il avait l'enveloppe dans la main. Sans trembler, il l'ouvrit et en sortit une feuille de papier.

Neuf chiffres. Ni écrits à la main, ni imprimés depuis un ordinateur. Tapés à la machine. Un numéro de téléphone.

Limestone regagna son bureau et le composa.

Une voix mâle répondit à la troisième sonnerie.

— Oui ?

— Je suis Brian Limestone. Bibliothécaire de recherche à la bibliothèque publique de Charleston.

Limestone attendit.

Silence de mort.

— Il y a de nombreuses années, j'ai été chargé d'appeler ce numéro si un certain événement se produisait. C'est arrivé aujourd'hui.

Toujours pas de réaction.

Limestone regarda le combiné, pour s'assurer que la communication n'avait pas été coupée.

Jette-toi à l'eau, se dit-il. *Qu'est-ce que tu en as à faire ?*

— Trois élèves sont venus à la bibliothèque, dont une jeune fille nommée Tory Brennan. Je n'ai pas retenu le nom des deux autres. Ils voulaient des renseignements sur Katherine Heaton.

Limestone eut un petit rire nerveux.

— Cela vous dit quelque chose ?

Silence, puis un clic. On avait raccroché.

— Allô ?

Limestone attendit quelques instants avant de reposer brutalement l'appareil.

— Abruti !

Ayant rempli ses obligations, Brian Limestone se débarrassa du numéro de téléphone et rentra chez lui s'occuper de ses chats.

22

Le lendemain, les cours m'ont semblé interminables. Je ne pouvais m'ôter de la tête l'idée que quelque chose était enterré sur Loggerhead. J'essayais de me concentrer, mais mes pensées revenaient de temps à autre à cette terrible possibilité.

Avant de prendre le ferry du matin, j'étais allée voir Coop. Il allait encore très mal et semblait, comme on dit, « malade comme un chien ». Je me suis dit que je devais rester positive. Mais je devais aussi reconnaître que la perspective n'était pas réjouissante.

Nous entamions notre dernière poche à perfusion et n'avions aucun espoir de nous en procurer une autre. Bientôt, nous serions également à court d'antibiotiques. Malgré tous nos efforts, le chiot continuait à vomir le peu qu'il mangeait. Il fallait que l'état de Coop s'améliore, et vite, avant qu'il soit trop faible pour pouvoir se remettre.

Rongée par l'inquiétude, j'étais complètement déconcentrée en groupe de travail de biologie. Jason et Hannah ne disaient rien, mais je sentais que leur patience était à bout. J'ai essayé de dissiper leurs vibrations négatives. Nous avions du travail à faire.

— Désolée, ai-je dit. Je suis ailleurs, aujourd'hui. Qu'est-ce que vous disiez ?

— Ailleurs ? a raillé Jason. Effectivement, ça fait une demi-heure que tu regardes dans le vague. Si tu ne faisais pas d'habitude quatre-vingt-dix pour cent du boulot, je me sentirais outragé.

— Ce n'est pas grave.

Comme d'habitude, Hannah se montrait conciliante.

— Mais il faut qu'on termine. On doit présenter nos résultats la semaine prochaine.

— Je sais. *Scusi*. On en était où ?

Nos travaux pratiques consistaient à comparer l'ADN humain à celui de différentes espèces d'animaux pour déterminer lesquels étaient nos plus proches cousins.

— Pas bien loin, a soupiré Jason. Voyons les choses en face. Il va falloir qu'on travaille…

Il a fermé les yeux et pris l'air d'un martyr.

— *Ce week-end*.

Hannah a eu un petit rire.

— J'en ai bien l'impression. Échangeons nos numéros de téléphone.

Cela m'a fait bizarre de rentrer dans mon portable le numéro d'Hannah Wythe, une fille populaire, cool, que tout le monde admirait. L'impression de franchir une barrière.

La confiance en soi est au plus haut, hein, Tory ?

— Je vais prendre le gène de la mucoviscidose, a déclaré Jason. Cette section compare les humains aux chimpanzés, gorilles et orangs-outans. Je mise sur les chimpanzés.

— Moi, je peux m'occuper des séquences des protéines de la croissance osseuse, ai-je dit. Ma ménagerie serait composée de cochons, de lapins et de moutons.

Hannah a approuvé de la tête.

— Ce qui me laisse avec le taux de leptine chez les vaches, les chiens et les chevaux.

La sonnerie a retenti, donnant le signal de notre libération.

— Chez moi dimanche ?

Jason se dirigeait déjà vers la porte.

— On pourra examiner les résultats et plancher sur la présentation.

— D'accord.

Hannah et moi avions répondu d'une seule voix.

La journée a continué à se traîner. À l'heure du déjeuner, j'ai retrouvé Hi à notre endroit habituel, sur un banc de la pelouse, devant la porte de service de la

136

cafétéria. J'ai mangé un sandwich fromage blanc-concombre, tandis que Hi avalait un panini végétarien.

J'étais en train de ranger l'emballage dans mon sac lorsque j'ai vu Jason se diriger vers nous.

— Qu'est-ce qui se passe ? a murmuré Hi entre ses dents. Sportif populaire à l'approche. Ce ne doit pas être à moi qu'il en veut.

— Relax, Max.

— Tory, je viens juste de penser à quelque chose, s'est écrié Jason.

— Il y a un début à tout, a marmonné Hi.

— Chut ! Jason est sympa.

— *Sympa*. D'accord. Tu vas voir, il va faire comme si je n'existais pas.

Jason s'est laissé tomber sur le gazon devant notre banc et a levé la tête vers Hi.

— Salut, mec, quoi de neuf ?

Hi l'a jouée cool.

— Pas grand-chose, vieux frère. Je fais relâche.

Il s'est allongé, les bras repliés derrière la tête.

Jason s'est retourné vers moi.

— Tu as bien un iPhone ?

J'ai hoché affirmativement la tête, intriguée.

— Génial. Télécharge iFollow.

Il m'a montré l'icône sur son propre téléphone.

— C'est une application de communications par GPS. Gratuite.

— D'accord.

Ça paraissait facile.

— Il faut que je me joigne à quelque chose ?

— Oui. Le groupe Bolton Lacrosse. Mot de passe : *Champions-État*.

J'ai installé l'application et rejoint le groupe. Avec moi, il comptait maintenant sept membres.

— Maintenant, saisis *Locator*.

Je l'ai fait et un plan de ville est apparu. À l'adresse de l'école, il y avait plusieurs cercles lumineux rapprochés.

— Tu vois ces points ? m'a demandé Jason. C'est nous. Quand on est connectés, notre orbe apparaît sur la carte, où qu'on aille. Malin, hein ?

— Drôlement !

Je le pensais vraiment. J'avais l'intention de créer un cercle à part pour ma bande. Mais pourquoi Jason voulait-il que je rejoigne son groupe de joueurs de lacrosse ?

Jason est revenu à la page d'accueil.

— Maintenant, on va pouvoir s'envoyer des textos, chatter, partager des documents, ce genre de choses. Échanger des infos sur nos T.P. sera un jeu d'enfant. Hannah est déjà dans le truc.

Ah ! Le travail scolaire.

— Tory, ne me dis pas que toi aussi...

Chance Claybourne pouvait se déplacer tellement silencieusement que c'en était presque inquiétant. Je ne l'avais pas entendu approcher.

— Ce n'est pas encore un bidule d'info ?

Chance se tenait derrière Jason, une expression réprobatrice sur son visage aux traits parfaits.

— Je me demande pourquoi les gens continuent avec cette folie des nouvelles applications. C'est la mort de la vie privée.

— Tu as un téléphone portable, toi aussi, a rétorqué Jason.

— Exact.

Chance a sorti de sa poche un mobile qui était certainement ultra-branché pendant les années Clinton.

— Mon père veut pouvoir me joindre à tout moment, alors je dois me coltiner cet instrument vulgaire.

Il m'a adressé un clin d'œil.

— Trois appels manqués ce matin.

Le téléphone de Chance n'avait visiblement ni connexion Internet, ni fonction ordinateur, ni même MP3. Pire, il n'avait pas d'écran à cristaux liquides. Une vraie pièce de musée.

— Cette obsession du téléphone est une maladie, a-t-il poursuivi. Ils sont tous devenus fous, à pianoter là-dessus toute la journée comme des robots.

Je plaide coupable. Si je passe un quart d'heure sans savoir où j'ai mis mon téléphone, j'ai la tremblote. Tant pis si l'on me traite de droguée de la technologie, mais je me sens toute nue sans lui. Hi, lui, avait l'air offensé.

— J'ai déjà entendu cette rengaine, a répliqué Jason. Tu préfères peindre des messages sur les murs des cavernes.

La sonnerie a mis un terme à notre débat sur les avantages et les inconvénients des moyens de communication modernes.

— À plus !

Chance nous a fait un petit signe tandis qu'il s'éloignait avec Jason.

— Tu commences à attirer des secoués de première, m'a déclaré Hi quand tous deux ont été hors de portée de voix.

— Mmmm.

De lui-même, mon regard suivait Chance.

— Je dois quand même reconnaître qu'ils ne m'ont pas traité par le mépris.

— *Vieux frère ?* ai-je plaisanté.

— Il m'a pris par surprise.

Un poil sur la défensive.

En pénétrant dans l'école, j'ai pensé à autre chose. On avait du pain sur la planche. Peut-être une pénible découverte.

Concentre-toi. Oublie Chance Claybourne.

Encore quelques heures à tuer, c'est tout.

23

En descendant du ferry Charleston-Morris Island, on s'est précipités chacun chez soi pour se changer. La température et l'humidité augmentaient de nouveau et il me tardait de me glisser dans un T-shirt et un short. Sans compter que pour mettre une tombe au jour, le blazer-cravate n'était pas la tenue idéale.

Quand on s'est tous retrouvés sur la pelouse, le ferry de M. Blue disparaissait de l'autre côté du port. La voie était libre. On a sauté dans le *Sewee* et on s'est dirigés vers Loggerhead.

La mer était basse, ce qui nous empêchait de prendre le raccourci par les bancs de sable. Cela nous rallongeait d'un quart d'heure, mais Ben ne voulait pas courir le risque d'échouer le bateau. Pas après sa mésaventure de Shooner Creek.

On a débarqué sur la plage de Dead Cat. C'était l'idée de Shelton. En accostant à l'ouest, on se rapprochait de la clairière d'Y-7. Et, tout aussi important, on écartait le risque d'une rencontre avec Karsten à l'appontement principal.

J'ai pataugé jusqu'au rivage, mon sac polochon bien rempli sur l'épaule. Un autre cadeau de ma tante Tempe. D'accord, des outils d'excavation sont un cadeau particulier pour une nièce qu'on vient de retrouver. Mais ma tante est elle-même quelqu'un de particulier.

D'ailleurs, elle a visé juste en me les offrant. Tempe le fait d'instinct. Elle y réussit mieux que Kit, c'est certain.

Une fois sur la terre ferme, on a cherché la piste principale. Les garçons, serviables, portaient les seaux et les instruments encombrants. Je sentais tout de même chez eux une certaine impatience. Ils n'avaient aucune envie d'être sur Loggerhead, même s'ils me croyaient sur parole.

À l'école, je leur avais exposé ma théorie, en faisant référence aux photos satellite. Ils savaient que je n'étais pas folle, mais je les soupçonnais de me prendre à la légère. Enfin, ils étaient venus et c'était le principal.

— Par là, a déclaré laconiquement Ben avant de disparaître parmi les arbres.

On s'est dépêchés de le suivre sur le sentier.

Quelques minutes plus tard, on a aperçu la piste, plus petite, qui partait vers le nord. En silence, on a progressé dans l'épaisse forêt jusqu'au moment où la clairière est apparue. Y-7 et sa troupe n'étaient nulle part en vue.

Sur place, les signes qui avaient suscité ma suspicion ne se remarquaient pratiquement pas. Le creux dans le sol, largement inférieur à deux mètres de diamètre, formait une ombre discrète au centre de la clairière. Pas étonnant qu'on ne l'ait pas repéré lors de notre première visite.

En m'approchant de la dépression, j'ai remarqué d'autres indicateurs de décomposition. La végétation était plus épaisse et constituée de multiples espèces, alors que seule de l'herbe recouvrait le reste de la clairière. Quelques feuilles semblaient anormalement cireuses.

— J'aimerais qu'on ait un chien de cadavre, ai-je dit.

— Un quoi ? a demandé Shelton.

— Un chien entraîné à repérer les odeurs d'êtres humains en décomposition. Certains de ces chiens de recherche sont capables de localiser des squelettes, même très anciens.

— Fastoche, a dit Ben.

— Tant que tu y es, a renchéri Hi, souhaite aussi un radar à pénétration de sol, des sondes de surface et un détecteur de métaux. On a également un petit retard de commande là-dessus.

Shelton a montré un biceps gros comme une allumette.

— Dans ce cas, on va utiliser la vieille méthode. L'huile de coude !

J'ai examiné la dépression pour déterminer la taille de notre excavation. Finalement, j'ai ôté tous les débris en surface sur un carré de trois mètres sur trois.

Ensuite, j'ai délimité le périmètre extérieur en plantant quatre pieux dans le sol et en les reliant avec du fil de fer. J'ai déplié mon tamis portable, puis les pelles pliantes que j'avais dans mon sac et je les ai tendues à mes peu enthousiastes collaborateurs.

— Vous, les machos, vous pouvez mettre la terre qu'on va retirer dans les seaux. Moi, je vais tamiser. Aux premiers signes de maculage, on passe à la truelle.

— De maculage ? a demandé Ben.

— Tout changement dans la couleur, la texture, ou la composition du sol peut signaler la présence d'un corps. Si vous voyez une décoloration, signalez-le !

Hi a levé la main.

— Oui ?

— C'est merdique.

— Reçu cinq sur cinq. Creuse.

Il nous a fallu environ une heure pour déblayer les cinquante premiers centimètres. Les garçons maniaient la pelle et je la passais au tamis, en quête de fragments d'os, de bouts de tissus, de bijoux, bref d'éléments étrangers à la terre.

La conversation donnait à peu près ça :

Shelton : « C'est chiant. »

Hi : « Je l'ai déjà dit. »

Shelton : « Non, tu as dit : c'est merdique. »

Hi : « Même concept. Je peux tamiser ? »

Je n'ai même pas pris la peine de répondre.

Ils ont continué à creuser.

Et moi à tamiser.

Deux heures plus tard, on avait ôté encore une soixantaine de centimètres de terre. Toujours rien.

Je commençais à me dire que j'avais eu une mauvaise idée. Les garçons, eux, commençaient à s'énerver.

La chaleur et l'humidité n'arrangeaient rien. Ni les

142

insectes qui semblaient s'être donné le mot dans toute la région pour venir nous dévorer.

J'étais en train d'écraser un moustique sur ma peau lorsque j'ai entendu quelque chose d'étrange : le silence. J'ai levé les yeux et je me suis trouvée face à trois mines maussades. L'intérêt pour la tâche entreprise avait atteint le niveau zéro.

Hi a pris la parole le premier.

— Je ne veux pas avoir l'air de rouscailler, mais ça ne marche pas. On est à un bon mètre de profondeur et on a que dalle, comme résultat.

— Il n'y a rien ici, a renchéri Ben.

— C'était une bonne déduction, a reconnu Shelton tout en s'apprêtant à s'extirper du trou. Il n'y a pas de honte à avoir.

— Encore un quart d'heure, s'il vous plaît, ai-je imploré. Je sens qu'il y a quelque chose. On doit être tout près.

— Un quart d'heure, pas une minute de plus.

Ben a repris sa pelle.

Avec un haussement d'épaules, Shelton l'a imité.

Hi m'a lancé un coup d'œil qui signifiait :

— Tu rigoles, ou quoi ?

— On échange, Hi, ai-je proposé. Tu prends le tamis et je creuse.

Il a accepté d'un signe de tête.

On va aller jusqu'à un mètre vingt. Point.

Je me suis mise au travail, aux prises avec des émotions diverses. Soulagement ? Déception ? Embarras ?

Une partie de moi-même voulait avoir raison, pour montrer aux autres que je n'étais pas fêlée, mais une autre était relativement contente que j'aie tapé à côté. Tout en tenant à résoudre l'énigme de Katherine Heaton, je n'avais aucune envie d'exhumer une personne assassinée.

C'est alors que je l'ai vu. Un ovale sombre qui apparaissait dans la terre, à mes pieds.

M'emparant de la truelle, je suis tombée à genoux et j'ai commencé à retirer la terre par fines couches. L'ovale est devenu plus foncé. Plus important.

J'ai redoublé d'efforts.

Sentant mon excitation, Ben et Shelton se sont interrompus pour observer.

Une couche.

Une autre.

Ting !

Ma truelle a buté sur quelque chose de solide.

J'ai attrapé un pinceau et avec d'infinies précautions, j'ai entrepris d'ôter la terre du dessus de l'objet.

Une odeur musquée est montée du sol. Une odeur ancienne, organique.

Un frisson m'a parcourue.

Des formes sont apparues. De minces cylindres organisés selon un schéma familier.

Je suis restée là, le cœur battant à tout rompre.

— Bon, le quart d'heure est écoulé.

Hiram a laissé tomber le seau dont il filtrait le contenu.

— Je suis ratatiné.

Ni Ben, ni Shelton, ni moi n'avons levé les yeux.

— Tory ? a lancé Hi d'un ton inquiet. Ça ne va pas ? Personne ne t'en veut, tu sais. Si moi aussi j'avais lu plein de trucs sur des cadavres, j'aurais eu la même idée.

J'étais toujours incapable de dire un mot.

Hi a haussé le ton.

— Hé, Victoria Brennan ? Tu es toujours avec nous ?

Un nuage a caché le soleil et projeté son ombre sur l'endroit où je m'étais agenouillée. On entendait les criquets craqueter quelque part. Une rigole de sueur me coulait dans le dos.

Mais mon esprit n'enregistrait plus rien en dehors des fins objets bruns que j'avais sous les yeux.

J'ai dû me rendre à l'évidence.

Je venais d'exhumer les os délicats d'une main humaine.

24

Sortant de ma transe, j'ai relevé la tête.

— Il y a des ossements.

— Où ça ?

Ben a laissé tomber sa pelle et s'est penché par-dessus mon épaule.

— Purée ! Tu avais raison.

La réaction de Shelton a été moins virile. En apercevant la macabre découverte, il a hurlé : « Une tombe ! Une tombe ! » et a grimpé hors de la fosse.

Hiram a jeté un coup d'œil et a gerbé un bon coup.

Tous deux se sont laissés tomber sur l'herbe, haletants, le visage rouge.

Seul Ben a gardé son sang-froid.

— Ils sont humains, n'est-ce pas ?

— Absolument, ai-je confirmé. Je suis formelle.

Et je l'étais. J'avais vu assez de diagrammes du squelette humain pour reconnaître les carpes, métacarpes et phalanges appartenant à l'espèce.

— Bon, on appelle les flics. Tout de suite.

Le ton de Ben ne souffrait pas la contradiction.

Mon sens pratique a pris le pas sur mes émotions.

— Oui, mais il faut d'abord être sûrs.

— Comment ? a demandé Ben.

— Je veux voir autre chose que les os d'une main.

J'ai pris une profonde inspiration.

— Je veux savoir exactement ce qui est enterré ici.

— Enfin, merde, on trouve un *cadavre* et tu veux

continuer à creuser ! L'inquiétude de Shelton grandissait de seconde en seconde.

— C'est de la folie !

— Voyons, c'est à la police de s'occuper de ça, a gémi Hi. Ils vont être fous furieux si tu te mêles d'une scène de crime. Surtout s'il s'agit de Katherine Heaton.

— Tais-toi ! ai-je coupé. Nous n'avons aucune preuve qu'il s'agit d'elle.

Inexplicablement, j'avais envie de boxer Hi.

Hi a levé les deux bras.

— Suis-je bête ! Creusons encore un peu. Qui sait si ce n'est pas quelqu'un d'autre ?

Shelton et Ben, surpris, m'ont dévisagée. J'avais sauté sur ce pauvre Hi parce qu'il avait énoncé l'évidence.

Calme-toi. Qu'est-ce que tu croyais que tu allais découvrir ?

C'était parfaitement illogique, mais je refusais d'accepter que Hi ait raison. Pas tout de suite.

— Excuse-moi, Hi. J'ai été injuste. J'ai juste besoin d'être certaine.

— Pas de problème. Je parle trop vite.

Tout de même, il semblait encore sur ses gardes, comme un chat qui s'approche d'un chien endormi.

Ben et Shelton se taisaient, mais visiblement, eux aussi étaient persuadés que j'avais trouvé le corps de Katherine Heaton.

— Je sais ce que vous pensez tous, ai-je dit. Laissez-moi simplement examiner les ossements.

Regards sceptiques.

— Les flics ne nous croiront pas sur parole, ai-je déclaré. En tout cas pas les bouseux de Folly Beach. Il faut qu'on prenne des photos de la tombe, du squelette, de tout ce qu'on trouvera.

— On risque de faire des dégâts, a prévenu Shelton.

— Pas si l'on photographie au fur et à mesure. Comme ça, on préserve les preuves au cas où les singes dérangeraient le site après notre départ.

À contrecœur, les garçons ont accepté.

J'ai établi un plan. Ben et moi creuserions à l'intérieur de la fosse. Les deux trouillards resteraient en surface,

Shelton retirant la terre, Hi prenant les photos sur son iPhone.

Après deux heures de fouilles pénibles et assidues, un squelette entier est apparu. De la couleur d'un thé fort, les ossements ressemblaient à des reliques d'une autre époque.

Un coup d'œil a suffi à faire s'envoler tous les doutes.

Il s'agissait bien de restes humains, enfouis à plus d'un mètre vingt sous terre.

Je me suis accroupie pour voir le crâne de plus près.

— Seigneur !

Du doigt, j'ai désigné un petit trou circulaire au centre du front.

— Une balle ? a interrogé Ben.

— Je crois.

Ma voix tremblait un peu.

Ils ne m'ont pas quittée des yeux tandis que j'examinais le squelette de la tête aux pieds.

— Les autres os sont intacts. Je vais essayer de déterminer s'il s'agit d'un homme ou d'une femme.

— Comment ? a demandé Hi.

Allongée sur le côté dans la terre, j'ai observé la lame pelvienne droite.

— La forme générale est large.

Puis, tournant la tête de façon à voir la face interne de l'os, j'ai poursuivi :

— La portion pubienne est longue et l'angle inférieur, là où la droite et la gauche s'articulent, est en forme de U et non pas de V. Ce sont des caractéristiques féminines.

Me souvenant de ce que j'avais lu dans le livre de Tante Tempe, j'ai cherché l'échancrure sciatique et sans déplacer l'os, j'ai glissé mon pouce à l'intérieur. Il avait largement la place de bouger.

Avec un bel ensemble, les garçons ont émis un grognement d'empathie.

— Ne faites pas les bébés, ai-je lancé. Il est nécessaire de toucher les os, de temps en temps.

— Eh bien ? a demandé Ben.

— C'est une femme.

— Quel âge ?

Shelton semblait un poil plus calme.

J'ai rampé jusqu'au crâne et noté les sutures, de fines lignes qui zigzaguaient entre les os. Celles que je pouvais voir étaient ouvertes. Ensuite, j'ai jeté un coup d'œil à l'intérieur de la bouche.

— La dentition est saine et les dents de sagesse ne sont pas complètement sorties.

J'ai reporté mon attention sur le buste.

— À l'extrémité des os longs, il y a des capsules qui se solidifient quand la croissance est achevée. On appelle ça la fusion épiphysaire. La capsule fémorale n'a pas fusionné totalement. Pareil pour la clavicule.

J'ai marqué un temps avant de conclure :

— Pour autant que je puisse m'en rendre compte sans déplacer quoi que ce soit, il s'agit de quelqu'un de jeune.

— Jeune comment ? a demandé Hi.

— Moins de vingt ans.

J'étais assommée.

— Comme Katherine Heaton, a murmuré Shelton.

Le fait de pouvoir mettre un nom sur ces ossements rendait la tragédie concrète. Ce n'était pas une expérience, une aventure pour un groupe de lycéens férus de science. J'étais agenouillée dans la tombe isolée et non identifiée d'une jeune femme.

Une adolescente assassinée et enterrée longtemps auparavant. Et oubliée.

— Il est temps d'appeler les flics.

Il n'y avait aucune trace d'humour dans la voix de Hi.

J'ai approuvé de la tête.

— Le soleil se couche. Prends un max de photos avant qu'il ne fasse sombre.

J'ai aidé Ben et Shelton à ramasser nos affaires. Au moment où je récupérais une truelle à moitié enfouie, j'ai entendu un léger cliquetis.

J'ai su tout de suite ce que c'était.

Repoussant la terre avec mes doigts, j'ai dégagé l'objet.

— Regardez !

Les autres se sont tournés vers moi.

— La boucle est bouclée.

J'ai brandi ma trouvaille. Elle a brillé dans les derniers rayons du soleil.

Une seconde plaque d'identité militaire, identique à celle que j'avais dans ma poche.

Lisible, celle-ci.

Francis P. Heaton.

J'avais envie de pleurer, d'ouvrir les vannes et de laisser libre cours à un torrent de sanglots. Mais il n'en était pas question.

Mâchoire serrée, j'ai repoussé une larme furtive. J'ai mis l'objet dans mon Ziploc et j'ai entrepris de ranger les outils dans le sac. Les pieux, le fil de fer, une pelle, une truelle.

Comme tous les mâles confrontés à l'émotion du sexe opposé, les garçons étaient mal à l'aise. Ne sachant comment réagir, ni que dire, ils m'ignoraient.

Katherine Heaton était morte. J'avais exhumé ses ossements. Il n'y aurait pas de happy end. Inévitablement, le chagrin a laissé place à la fureur. Qui elle-même s'est changée en résolution.

Le crime était officiel : un odieux assassinat. Maintenant, il était temps de trouver son auteur.

En silence, j'ai promis à Katherine qu'elle serait vengée. Même à quarante ans de distance, la justice triompherait.

J'ai dû m'interrompre.

Des hommes armés arrivaient pour nous tuer.

25

— Vous entendez ? a demandé Shelton.

— Quoi donc ?

Hi s'était immobilisé, son iPhone tendu vers la fosse.

— Écoutez !

On s'est tous figés, tentant de faire le tri des bruits de la forêt. Criquets, grenouilles, moustiques.

Puis un vacarme familier a éclaté, celui des cris de singes.

La nuit était tombée et je ne voyais rien au-delà de ma main. Finalement, j'ai repéré des mouvements dans les branches au bord de la clairière.

— Quelque chose a effrayé les singes, a déclaré Ben à voix basse.

Paniqués, les primates se déplaçaient en tous sens parmi les arbres, ne sachant d'où venait le danger. Les jeunes mâles vocalisaient et s'élançaient vers nous, puis se tournaient et faisaient la même chose en direction de la forêt.

— Ils ont l'air déstabilisés, a constaté Hi.

— Les mâles adoptent ces postures face à une menace, ai-je expliqué.

— Quelle menace ? a demandé Ben.

— On peut s'en aller ?

Shelton en avait par-dessus la tête.

— Il fait noir comme dans un four, des singes nous hurlent dessus et on est à côté d'une tombe ouverte.

— Calme-toi, a dit Ben, j'ai apporté une lampe-torche…

Clang, clang.

— Qu'est-ce que c'était ? ai-je chuchoté.

Ce bruit n'avait rien de naturel dans une forêt. Non loin de nous, du métal avait heurté du métal.

— Les chiens ? Quelque part dans le coin ?

La voix de Hi était aussi tendue que celle de Shelton.

— Non, ai-je murmuré. On aurait entendu la meute se déplacer parmi les arbres. Et qu'est-ce qu'ils pourraient faire avec du métal ?

Un frottement.

Un bruit sourd.

Suivis d'une bordée de jurons.

Les battements de mon cœur se sont accélérés. Il y avait *quelqu'un*. Et nous étions là, nos instruments à la main, au-dessus du squelette fraîchement découvert de la victime d'un meurtre.

Instinctivement, on s'est serrés les uns contre les autres.

Surpris, les primates ont disparu dans le feuillage. Le ou les intrus les avaient accidentellement poussés vers nous, nous prévenant de leur arrivée.

Maintenant, tout était silencieux.

La lune montait dans le ciel, mais elle me permettait à peine d'apercevoir mes compagnons. Au-delà, je ne voyais que le noir.

— Chut !

Il fallait repérer la source du bruit. J'ai retenu mon souffle et j'ai écouté.

Pop !

J'ai tourné la tête.

Pop !

Assez loin de l'autre.

Merde ! Ils étaient plusieurs !

Les questions se bousculaient dans ma tête.

Pourquoi ne s'éclairaient-ils pas ? Pourquoi étaient-ils séparés ? Combien étaient-ils ? Qui étaient-ils ?

Le personnel du LIRI ne se promenait jamais la nuit sur l'île. Ce n'était *pas* un comportement normal de se glisser dans la forêt sans une lampe.

Hi était sur la même longueur d'ondes.

— Quelque chose ne va pas. On se casse !

— Tais-toi ! a sifflé Ben entre ses dents.

Trop tard.

— Là-bas ! Dans la clairière !

Une voix d'homme.

Des pas. Des craquements de branches. Trois rayons lumineux ont soudain percé l'obscurité. Un moteur a démarré.

Les rayons lumineux se sont rapprochés.

— On court, ai-je lancé. Au bateau !

J'ignorais où se trouvait le sentier et comment y accéder. Mais je savais de manière certaine qu'il ne fallait se faire prendre à aucun prix.

Je n'avais qu'une vague idée de la direction de Dead Cat, mais j'ai foncé vers la lisière des arbres.

Trois silhouettes noires sont sorties de la forêt. Ces hommes n'étaient certainement pas des savants.

L'un d'eux a levé la main et visé dans ma direction.

Crac ! Crac !

Une branche a explosé au-dessus de ma tête. Un singe a poussé un cri aigu et s'est enfui, paniqué.

Un flingue ! Un FLINGUE !

Mon cerveau, sachant ce que des balles signifiaient, a rendu la machine Tory à ses instincts primitifs. Stimulée par une dose massive d'adrénaline, j'ai couru à perdre haleine.

*
* *

Bien que je n'aie pas terminé l'histoire, tu sais ce qui est arrivé ensuite.

Ma course à l'aveuglette a abouti, et j'ai trouvé Dead Cat Beach. Shelton, Ben et moi, nous avons attendu l'arrivée de Hi, tapis dans le *Sewee*.

Terrifiée, j'étais en proie à mille questions.

Que faisaient ces types armés sur Loggerhead ? Pourquoi avaient-ils tiré sur nous ? Étaient-ils au courant, pour le cadavre ?

Une pensée dominait toutes les autres : *Quelqu'un vient d'essayer de me tuer.*

De m'assassiner.

Un meurtrier vient de *tirer* en direction de *ma* tête, *dans une tentative* pour mettre un terme à *ma vie*.

Paniquant.

Tu t'en es sortie. Tu vas bien.

Mais nous n'étions pas parvenus tous les quatre au bateau. Où était Hi ? Les secondes s'écoulaient. J'osais à peine respirer.

— Démarre le moteur ! a dit Shelton d'une voix tremblante.

— Ils vont l'entendre, a dit Ben.

— Ils ont eu Hi ! Hi a été touché !

Shelton semblait près de la crise de nerfs. Je l'ai attrapé par les épaules et je l'ai secoué.

— Reprends-toi ! Hi va venir ici. Il sait où est le bateau.

Je me suis tournée vers Ben.

— Est-ce qu'on peut au moins lever l'ancre ?

Ben a obéi, puis il a sauté dans la mer pour stabiliser le bateau. Il avait de l'eau jusqu'à la poitrine.

— Purée, où est-ce qu'il est ? Il se perd tout le temps !

Shelton avait raison. Hi pouvait se trouver n'importe où. Plus on attendait, plus on se mettait en danger.

Autre chose me préoccupait.

J'avais laissé mon matériel d'archéologue près de la tombe.

J'ai essayé de me souvenir. Le sac était anonyme et il ne contenait que de l'équipement. Rien ne permettait de faire le lien avec moi.

Le temps passait. Nous ne pouvions rester là indéfiniment. Il faudrait bien partir.

Au moment où j'allais perdre espoir, Hi est apparu, son visage blême à peine visible sous la lune. Il a jailli du sous-bois, cherchant désespérément le bateau du regard.

Malgré les efforts de Ben, le *Sewee* flottait à une certaine distance du bord. On a battu l'eau avec nos mains pour attirer l'attention de Hi. Il a tourné la tête vers la mer. Shelton et moi avons agité les bras comme des fous.

Avec un soulagement manifeste, Hi s'est avancé sur le

sable, puis il est entré dans l'eau. Ben s'est hissé à bord et l'a aidé à en faire autant.

— Vous n'êtes pas partis ! Merci ! Merci !

Hi a craché un peu d'eau de mer.

— Pas de quoi, vieux ! a dit Shelton. Ça ne nous est même pas venu à l'idée.

— Tu mens, mais je m'en fiche. Vous êtes les meilleurs. J'étais persuadé que vous ne seriez plus là.

Ben a mis le contact et le moteur a rugi. S'il y avait quelqu'un dans les parages, il allait entendre.

On a regardé autour de nous, terrifiés.

Personne n'est sorti de la forêt.

Ben a mis la gomme et le bateau a filé comme une fusée, laissant de pâles rubans d'écume dans son sillage.

26

— Il faut aller à la police. Tout de suite !

C'était la troisième fois que Hi répétait ça. Il était adossé au mur du bunker, les bras croisés sur la poitrine.

— Et avec quoi ? a demandé Shelton. Tu as perdu la seule preuve qu'on avait.

— Écoute, Shelton, j'ai couru en pleine forêt, dans le noir, pendant que des tueurs me tiraient dessus. Puis j'ai dû plonger dans l'eau et nager jusqu'au bateau. Je suis vraiment navré d'avoir perdu mon téléphone !

— Je sais, je sais, a reconnu Shelton. Mais c'est toi qui avais les photos. Du coup, on n'a rien à montrer aux flics.

Hi a explosé.

— Il y a un putain de cadavre dans les bois ! Je pense que ça suffit, non ?

Après notre fuite, Ben avait dirigé le *Sewee* vers le bunker. On avait beaucoup de choses à voir ensemble et il nous fallait un endroit tranquille.

Assise sur le sol, je caressais le dos de Coop. La dernière poche de sérum physiologique était vide. J'ai donc ôté la perfusion de sa patte et l'ai débarrassé de la collerette de protection, qu'il s'est mis à mordiller avec délice.

Il semblait en meilleure forme et avait pu absorber de la nourriture solide. Son énergie revenait. L'amélioration de l'état du chiot contrebalançait un peu les horribles événements de la nuit.

— Pourquoi ce soir ? a demandé Ben. Demain suffirait, non ? Je ne veux pas inquiéter mon père à cette heure-ci sans motif.

Hi a froncé les sourcils.

— Sans motif ? Tu oublies les ossements humains !

Incrédule, il a regardé autour de lui, attendant qu'on le soutienne. Mais sur ce point précis, j'étais d'accord avec Ben.

— Ben a raison, ai-je dit. Si on raconte ça ce soir, nos parents vont nous le faire répéter au moins cent fois. Ensuite il faudra aller à Folly Beach et convaincre les flics. Pour ma part, je suis trop épuisée pour répondre à un feu roulant de questions. Demain matin, ce sera très bien.

— Je ne suis même pas sûr que le poste de police de Folly Beach soit ouvert la nuit, a déclaré Ben.

Personne ne le savait. Folly Beach était une petite ville assoupie.

— Ce ne sont pas exactement des experts des scènes de crime, a renchéri Shelton. En l'absence de preuves, ils peuvent très bien ne pas nous croire. Même si nos parents nous accompagnent.

J'ai approuvé.

— Ils seront plus réceptifs demain matin.

— D'accord, a déclaré Hi. Je suppose que Katherine Heaton ne va pas se faire la malle.

À peine avait-il prononcé ces mots qu'il a pris un air confus, regrettant sa mauvaise plaisanterie. J'ai balayé d'un revers de main l'excuse qu'il s'apprêtait à formuler. Nous étions tous morts de fatigue.

— Il faut qu'on s'entende sur nos déclarations, ai-je annoncé. Il est essentiel de dire la vérité, mais sans parler de l'intrusion dans le labo. Déclarons simplement que la première plaque était lisible quand on l'a trouvée.

Les plaques militaires !

J'ai tâté mes poches. Vides. Où pouvaient-elles bien être ?

Et puis je me suis souvenue. Je les avais mises dans le sac. Lequel était resté dans la forêt.

— Merde ! Les plaques sont restées avec mes outils.

156

— Et alors ? a dit Ben. Ils vont utiliser l'ADN pour identifier les ossements.

J'ai secoué la tête.

— Si la police découvre la première plaque, ils vont peut-être s'apercevoir que quelqu'un l'a débarrassée des saletés. En tout cas, Karsten, *lui*, s'en apercevra.

— Est-ce qu'on a nettoyé le sonicateur avant de se tirer ? a interrogé Shelton. Sinon, ça pourrait être embêtant pour nous.

Ben s'est tourné vers moi.

— Demain, on va devoir guider les policiers jusqu'à la tombe. Quand on arrivera, file récupérer ton sac. Les adultes vont foncer vers le cadavre. Tu pourras en profiter.

— Excellente idée, a reconnu Shelton. De toute façon, les flics n'ont pas besoin des deux plaques.

Hi a pianoté sur le banc.

— Un détail. Qui a essayé de *nous tuer* ?

Le sujet que j'avais justement essayé d'éviter.

— Pas d'affolement, a murmuré Ben.

— Pas d'affolement ?

La voix de Hi était partie dans les aigus.

— Un escadron de la mort vient d'essayer d'avoir *ma peau* ! Alors, si, je m'affole. Qu'est-ce que ces gens foutaient là ?

— Est-ce qu'on nous aurait suivis ?

Shelton avait pris un air rêveur.

— Cela paraît impossible. On a pris notre propre bateau.

— Peut-être que c'était un hasard ? a suggéré Ben. Des gens qui font du trafic de singes ?

Je n'avais pas envisagé cette hypothèse. Il y avait certainement un marché noir de bêtes volées. La réponse était-elle aussi simple ?

Shelton a secoué négativement la tête.

— Un de ces types a hurlé : « Par ici ! » Comme si c'était *nous*, leur cible.

— Pas nécessairement, ai-je dit. Il parlait peut-être de la clairière, si c'est un endroit où les singes sont nombreux.

— Ou alors...

Hi a hésité avant de poursuivre.

— Ou alors, ils savaient que le cadavre était là, et pourquoi nous aussi nous étions là.

Effrayant. Mais était-ce possible ? Comment quelqu'un aurait-il pu être au courant de notre plan ? Je n'arrivais pas à comprendre.

— On verra ça demain, ai-je déclaré. Je parlerai à Kit au petit-déjeuner, puis je passerai vous prendre.

Triple hochement de tête approbateur.

— N'oubliez pas, a résumé Ben. On a trouvé la plaque. On est allés à la bibliothèque. On a remarqué les photos par satellite. C'est bon ?

C'était bon.

Hi avait quelque chose à ajouter.

— Tout de même, ça n'a pas l'air de vous secouer beaucoup qu'on ait essayé de nous tuer !

— On arrête, Hi. Demain.

J'en avais assez. La soirée avait été rude.

Il a fait la grimace, mais il s'est tu. Enfin.

On s'est dirigés en silence vers le bateau.

J'espérais pouvoir trouver le sommeil. Le lendemain matin promettait d'être agité.

27

J'ai sauté sur Kit au moment de son café matinal. Je n'avais pas le choix, car il était déjà sept heures et les autres devaient m'attendre.

Quand j'ai eu terminé, il est resté quelques instants sans voix. Puis il a retrouvé la parole.

— Tu veux dire que quelqu'un t'a *tiré dessus* hier soir ? À Loggerhead Island ?

J'ai confirmé d'un signe de tête.

— Tu as découvert un *cadavre* ? Que tu as exhumé ?

Idem.

Une autre pause. Puis Kit s'est frotté les yeux.

— Tory, si c'est une façon de me dire que je ne passe pas assez de temps avec toi, je suis désolé. C'est vrai que je ne suis pas le meilleur des...

— Je n'invente rien ! On a découvert un squelette. Puis des types nous ont tiré dessus. Pour nous tuer, ou pour nous chasser. Je n'en sais rien. Mais c'est arrivé.

— D'accord, d'accord.

Il s'est frotté le front, concentré.

— Tu as vu qui c'était ?

— Non. Ils étaient vêtus de noir et il faisait noir.

— Et ce corps, tu crois que c'est celui de la jeune fille disparue, Katherine Keaton ?

— Heaton. Katherine Heaton. Je *sais* que c'est elle.

Je n'ai pas précisé comment je le savais. Il fallait d'abord que je remette la main sur la plaque militaire compromettante.

Troisième interlude. L'esprit de Kit essayait de suivre.

— Donc, on va à la police, a finalement décidé mon père. Tout de suite. Prépare-toi pendant que j'appelle les autres parents. Ensuite on ira à Folly Beach. Tu m'expliqueras tout ça dans la voiture.

L'heure suivante a été un tourbillon.

Kit a commencé par les Stolowitski. Ruth n'a pas très bien pris les choses. Après avoir mis Kit sur le grill, elle est restée persuadée que des tueurs masqués allaient fondre sur Morris Island.

Shelton avait déjà prévenu ses parents. Sa mère, Lorelei Devers, a accepté d'accompagner Ruth et Kit au poste de police de Folly Beach.

Kit a attrapé au vol le père de Ben, qui était sur le quai, en train de préparer le ferry pour la journée. Quand il a été mis au courant, Tom Blue a jeté un regard sceptique à son fils, mais il a accepté de retrouver le groupe à Loggerhead après sa traversée de la matinée.

*
* *

Folly Beach s'étend sur dix kilomètres le long d'une île barrière, à une quinzaine de minutes du centre de Charleston. C'est un havre pour les jeunes branchés qui cherchent de bons spots de surf et des logements pas chers en bord de mer.

Dans la mesure où l'unique route de Morris Island traverse la petite communauté, ce poste de police assure le maintien de l'ordre dans notre zone. Loggerhead Island est une propriété privée et c'est moins clair au niveau de la juridiction. Folly Beach nous a semblé le meilleur endroit pour faire notre déposition.

Le poste était situé au rez-de-chaussée de l'hôtel de ville, un bâtiment de stuc rose aux volets bleu et blanc qui évoquait plutôt une agence de locations de vacances.

Le local de la police ne tient guère de place. Hors saison, les choses sont assez calmes, mais l'été et l'arrivée des touristes changent la donne. Et les policiers à plein temps ne sont pas nombreux.

Huit heures du matin, un mercredi de la fin du printemps. Nous étions les seuls citoyens présents.

160

Si Tom Blue n'avait pas eu l'air très convaincu, le sergent Carmine Corcoran s'est montré franchement soupçonneux. Et peu accueillant.

C'était un homme corpulent, d'une quarantaine d'années, avec des côtelettes, une moustache noire aux poils raides, et un ventre qui ballottait comme un sac de foin humide.

Kit et lui se sont serré la main. Le sergent lui a désigné une chaise métallique en face de son bureau, puis en a déplié deux autres pour Ruth et Lorelei. Les trois adultes se sont assis.

Les garçons et moi sommes restés debout contre le mur du fond. Vu de l'extérieur, on aurait presque pu croire que nous étions accusés d'un crime au lieu d'en signaler un.

De la manière la plus concise possible, Kit a rapporté les événements des derniers jours et a exposé notre découverte des ossements.

Le sergent Corcoran a soupiré en jetant un coup d'œil à son muffin à l'œuf de chez Mc Do à moitié entamé.

— Monsieur Howard, a-t-il déclaré d'une voix traînante, c'est une histoire *incroyable*.

J'ai bondi.

— Ce n'est pas une histoire, c'est la vérité !

Mon père m'a fait signe de me calmer.

— Sergent, nous ne sommes pas là pour vous faire perdre votre temps. Ces jeunes ont fait une découverte et quelqu'un leur a tiré dessus.

— C'est ce qu'ils prétendent !

Corcoran a installé son volumineux postérieur sur sa chaise trop étroite.

— Il arrive que les enfants se trompent. On a souvent des coups de fil de ce genre, qui n'aboutissent à rien.

— Tous les quatre racontent la même chose, a répliqué Kit. Interrogez-les.

Corcoran a fait une grimace.

— Ne le prenez pas personnellement, mais j'ai toujours trouvé les universitaires et leur progéniture peu crédibles. Portés sur l'exagération, on va dire.

— Non, on ne va pas le dire.

Le ton de Kit était glacial.

Corcoran ne s'est pas démonté pour autant.

— Si ce poste est techniquement responsable du maintien de l'ordre sur Morris Island, nous n'avons pas assez de moyens et de personnel pour partir sur une fausse piste à Loggerhead. L'île appartient à l'université de Charleston. C'est à la sécurité du campus de gérer la situation.

Kit a changé de tactique.

— Je vous signale un meurtre potentiel. Refuseriez-vous d'enquêter ?

— Ne vous méprenez pas, monsieur Howard.

Pour la première fois, j'ai senti une hésitation chez Corcoran.

— Morris Island mobilise déjà toutes les ressources du poste. Ça me prend mon temps et mes hommes. Il est hors de question que je fasse la police sur Loggerhead.

— Mobilise toutes vos ressources ?

La voix de Ruth s'élevait, tranchante comme un hachoir.

— Mais vous ne mettez jamais les pieds du côté de chez nous ! Notre propre réseau de surveillance est la seule protection que nous ayons !

Elle s'est levée et a empoigné le bord du bureau de Corcoran. Le sergent a cillé, puis, se reprenant, il a bombé le torse.

— Mon *bubby* dit qu'un homme lui a tiré dessus, alors vous allez remuer votre *tuchus* et enquêter, a repris Ruth. Sinon, croyez-moi, je suis chez le maire avant même que vous ayez le temps de dire ouf.

Dix minutes plus tard, nous étions tous sur un bateau de la police.

28

Le reste de la matinée a été un désastre.

Le trajet entre Folly Beach et Loggerhead a pris une demi-heure. Le sergent Corcoran n'a pas quitté la cabine de pilotage. Il évitait Ruth. Nous, les habitants de Morris Island, nous nous étions regroupés à la proue.

L'île est enfin apparue. Et avec elle, un sérieux problème.

— Oh, mince ! a grogné Kit.

Marcus Karsten faisait les cent pas sur le quai. En apercevant le bateau de la police, il s'est arrêté et a attendu, les mains croisées sur la poitrine. Un rapace prêt à fondre sur sa proie.

Il n'était pas seul. Linus Stolowitski, Nelson Devers et Tom Blue étaient là, eux aussi. Visiblement, les pères l'avaient informé. Ils attendaient en silence, à distance respectueuse.

— Qu'est-ce que c'est que ces salades ? a lancé Karsten avant même que le bateau ait accosté. Ces *enfants* – il a littéralement craché le mot – prétendent qu'il y a des cadavres sur *mon* île ? C'est ridicule !

L'expression de Kit s'est durcie. J'ai eu le cœur serré, car cela n'allait pas être facile pour lui. Mais je savais qu'on allait bientôt lui donner raison.

— Docteur Karsten, a répondu mon père d'un ton courtois, mais ferme. Les jeunes affirment avoir trouvé un squelette humain dans les bois. Si c'est le cas, il peut s'agir d'un crime. Ils disent également avoir été poursuivis. On leur a tiré dessus. Nous n'avons pu faire autrement que de prévenir la police.

Karsten est devenu si rouge que j'ai eu peur qu'il n'explose. Mais c'est moi qui ai explosé.

— Laissez-nous vous montrer cette fichue tombe, enfin !

— Tory !

Kit m'a lancé un regard réprobateur, puis s'est tourné vers son boss.

Karsten a pointé les deux index dans ma direction, prêt à me passer un savon, puis il s'est ravisé.

— Très bien, a-t-il déclaré d'un ton glacial. Conduisez-nous, mademoiselle Brennan. Mais vous avez intérêt à ne pas nous avoir menés en bateau.

Nous nous sommes dirigés vers le site de notre découverte.

Les garçons et moi allions en tête, suivis par Karsten et le sergent Corcoran, qui transpirait abondamment. Les parents fermaient la marche, l'air sombre.

Bientôt, Ben a repéré l'endroit.

C'est à ce moment que tout a basculé.

Suivant notre plan, je me suis glissée vers mon sac polochon pendant que le groupe se rassemblait autour de la tombe. Mes instruments se trouvaient à l'intérieur, encore couverts de terre. Une exploration rapide m'a permis de voir que les plaques militaires n'étaient pas là.

— Oh, il y a *effectivement* des ossements ! s'est écriée Ruth Stolowitski, affolée.

Linus a offert son bras à son épouse.

Les autres ont contemplé la fosse en silence. Nous n'avions pas bâché le site et des coups de vent avaient recouvert les restes d'une fine couche de terre.

— Humains, vraiment ?

L'attitude de Corcoran avait changé du tout au tout.

Je te l'avais bien dit, ai-je pensé. Mais j'aurais préféré ne pas avoir ce motif de satisfaction.

Je suis revenue aux plaques d'identité. Où pouvaient-elles être, nom d'une pipe ? J'étais certaine de les avoir mises dans le sac, qui n'avait pas changé de place.

— Bon.

164

Karsten avait les narines pincées, les yeux mi-clos, comme s'il se livrait à une expérience désagréable.

— Monsieur Howard, descendez dans l'excavation et vérifiez, je vous prie.

Kit a sauté dans la tombe, en veillant à ne pas marcher sur les restes. J'en ai profité pour secouer négativement la tête en direction des garçons. Regards interrogateurs. J'ai haussé les épaules. *Comment savoir ?* Les plaques avaient disparu, point barre.

Au bout de quelques secondes, Kit a rendu son verdict.

— Euh… les enfants, j'ai peur que vous n'ayez fait erreur.

Il semblait, comment dire, *gêné*.

— Erreur ?

Impossible. Je me suis mordu les lèvres pour ne pas le dire à haute voix.

Kit a évité mon regard.

— Il devait faire trop sombre pour que vous puissiez bien voir. C'est facile de se tromper.

— Se tromper ? Comment ça ? Le squelette est sous notre nez !

Kit a poussé un soupir.

— Tory, ces ossements appartiennent à des primates.

Je me suis précipitée vers la fosse, les autres sur mes talons.

Incroyable ! Le squelette humain avait disparu. À sa place gisait un tas de vieux os de singes. Tout le monde pouvait voir qu'il ne s'agissait pas d'ossements humains.

— Comment est-ce possible ? a crié Shelton.

— Ce n'est pas ça qu'on a trouvé ! me suis-je exclamée. Nous avons mis au jour le cadavre d'une jeune fille qui avait reçu une balle dans la tête. Je n'ai jamais vu ces ossements auparavant !

Hi et Ben ont approuvé, aussi stupéfaits l'un que l'autre.

Le sergent Corcoran m'a lancé un regard ironique.

— Des os de singes sur une île aux singes, la grande affaire !

Il a hoché la tête, l'air écœuré.

— Ah, les enfants de scientifiques !

Karsten a ricané. Il semblait aussi ravi que Corcoran de notre disgrâce.

La mère de Hi est restée muette, contrairement à son habitude. Les parents de Shelton paraissaient soulagés. Tom Blue s'est contenté de se passer la main sur le front. Notre crédibilité était en chute libre.

Quelqu'un a substitué ces ossements aux autres !

— Les types aux revolvers ! ai-je lancé. Ils ont emporté le squelette et ils ont mis des ossements animaux à la place !

— Des revolvers ! a pouffé Corcoran. Vous persistez avec votre histoire de terrorisme à dormir debout !

Mon père s'est adressé à moi.

— Tory, il faisait nuit noire, n'est-ce pas ? Peut-être que ce que tu avais lu sur cette jeune fille disparue t'avait un peu tourné la tête et…

— Les balles ! ai-je coupé en tendant l'index vers les arbres. Elles doivent être encore ici. Le tireur a touché une branche.

Je me suis précipitée vers les arbres, imitée par les garçons. Les adultes n'ont pas bougé.

On a examiné frénétiquement la canopée.

Rien. Aucun dégât, aucune balle. J'entendais derrière nous Kit qui tentait de calmer Corcoran et Karsten.

— Tory, regarde ! À onze heures !

Shelton me montrait quelque chose du doigt.

— Tu vois, près du tronc ? Quelqu'un a scié une branche et a recouvert l'endroit de sève.

Il avait raison. J'avais envie de hurler de frustration.

— Les tireurs ont pris les plaques, a dit calmement Ben. C'est pour ça que tu ne les trouves pas.

— Ensuite, ils ont remplacé le squelette par des os de singes, a déclaré Hi. Du coup, on a l'air d'imbéciles.

Il a sifflé entre ses dents.

— Je vais me faire sonner les cloches quelque chose de bien !

— Plus un mot jusqu'à ce qu'on ait éclairci la situation, ai-je ordonné. D'accord ?

Ils m'ont fait signe que oui. On avait affaire à forte

166

partie. Pas question de tomber la tête la première dans d'autres pièges.

Le moral dans les chaussettes, on a rejoint les adultes.

— Tu as trouvé quelque chose ? m'a demandé Kit.

J'ai fait signe que non.

— Je suis sûre que c'est l'effet de la peur, a déclaré gentiment Lorelei Devers. Dans la forêt, et dans l'obscurité, certains bruits ont pu ressembler à un coup de feu.

Shelton n'a pas jugé utile de discuter.

— Hiram Moshe Stolowitski, tu vas au-devant de gros soucis, jeune homme ! a grondé Ruth.

Hi a levé les yeux au ciel, résigné.

— Ce n'est pas un drame, a déclaré Kit. Les enfants étaient honnêtes.

— Honnêtes ou pas, cette petite escapade m'a fait perdre ma matinée, a maugréé Corcoran.

Puis, se tournant vers Karsten, il a ajouté :

— À l'avenir, doc, mettez de l'ordre chez vous.

— Je ne vous ai pas invité à venir, a rétorqué Karsten. Mais je vous invite à partir. Tout de suite.

Sentant qu'il était allé un peu loin, Corcoran s'est éloigné d'un pas lourd et nous l'avons suivi sur la piste.

— Autre chose ! a lancé Karsten dans notre dos. Quelqu'un s'est introduit dans le labo n° 6 le week-end dernier.

On s'est tous retournés, inquiets. Mis à part Ruth, tous les parents travaillent à un niveau ou à un autre pour le LIRI.

— Je vais faire une enquête, a poursuivi Karsten, tel un inquisiteur. J'attends de chacun d'entre vous la plus étroite collaboration.

— Bien sûr, a dit Kit.

Les autres adultes ont approuvé de la tête.

— Pour commencer, je veux savoir pourquoi ces jeunes passent autant de temps ici. Ce qu'ils font, et où ils vont.

J'étais sur le point de protester lorsque Kit m'a pressé l'épaule. Vigoureusement. J'ai compris le message.

— Il me semble que si j'avais commis un acte idiot, a poursuivi Karsten avec un sourire sans chaleur, *volé quelque chose*, par exemple, j'essaierais de lancer les autorités sur une fausse piste.

Il avait les yeux rivés sur moi.

Il me soupçonnait. Et il voulait que je le sache.

— Et quel meilleur moyen de détourner l'attention que d'inventer une histoire abracadabrante de bandits masqués et armés crapahutant sur l'île ? a-t-il poursuivi.

Sur ces mots, il nous a dépassés et s'est éloigné à grands pas sur la piste.

29

Pendant la traversée du retour, je n'ai pas arrêté de gamberger. Je n'arrivais pas à croire ce qui s'était passé. Le squelette s'était envolé et nous avions été humiliés.

Dans quoi avions-nous mis les pieds ? Qui étaient nos adversaires ?

Hi n'était pas à la fête. Sa mère n'arrêtait pas de le mettre sur le gril, le soumettant à un feu roulant de questions.

Lorelei Devers était persuadée que nous avions tout imaginé sous l'effet de la peur. Abondant dans son sens, Shelton insistait sur le côté « chaotique » et « inquiétant » de l'épisode.

Pour ma part, j'étais triste. Je n'avais pas de mère pour me réconforter. Pourquoi devais-je toujours tout assumer seule ?

Les larmes me sont montées aux yeux. J'ai secoué la tête pour tenter de chasser cette tristesse. Je ne voulais pas y succomber. Pas devant les autres.

Ben était assis à côté de moi. Kit était resté à Loggerhead et Tom conduisait le bateau. Nous étions donc seuls. Pour le moment. C'était bien la seule chance de la journée.

Après les révélations de Karsten, Kit avait paru un peu moins réceptif à ma version des événements. Pas ouvertement soupçonneux, mais méfiant. Il m'avait annoncé qu'à son retour à la maison, nous aurions « à parler ». Je n'étais vraiment pas impatiente d'avoir cette conversation.

— On a eu l'air d'imbéciles, a marmonné Ben.

— D'abrutis complets. Et maintenant Karsten nous soupçonne d'avoir commis l'effraction. Pas de veine.

— Ils ont dû venir chercher les restes. Déterrer Katherine Heaton. On s'est trouvés sur leur chemin.

— Je le pense aussi, ai-je approuvé. Ils ont emporté le squelette et les plaques, puis ils ont collé des os de singes dans la fosse pour nous discréditer. Ces salauds ont supprimé toute trace de Katherine de cette tombe.

Ce qui me perturbait, c'était le timing.

— Après… quoi, quarante ans ? ai-je repris. Pourquoi maintenant ? Pourquoi avoir déplacé le corps justement hier, vingt-quatre heures après qu'on a appris la disparition de Katherine ?

Ben a secoué la tête. Il n'avait pas de réponse.

J'ai réfléchi aux derniers jours. Je ne suis pas du genre à croire aux coïncidences. Quelque chose me troublait.

J'ai fait fonctionner mon cerveau. Des sons, des images me sont revenus.

Un soupçon a germé.

Peut-être.

J'ai gardé ma théorie pour moi. J'avais d'abord besoin de preuves.

Quand nous sommes enfin arrivés à Morris Island, l'après-midi était déjà bien entamé.

Nous avions manqué une journée de classe. Je me suis étirée, fatiguée. J'avais envie d'une petite sieste.

Mais la bande voulait comprendre le pourquoi d'un tel fiasco. Essayer de trouver un sens au mélodrame qui venait de se jouer.

Comment faire ? Impossible d'aller en douce au bunker.

— J'envoie un texto à Hi et à Shelton. Télécharge iFollow.

J'ai parlé à Ben de l'application que m'avait montrée Jason.

— Charge aussi le programme dans ton ordinateur. Avec iFollow, on peut tenir une vidéoconférence en temps réel. Et ce soir, après dîner, on peut se retrouver en ligne.

170

— D'accord.

Tandis que Ben s'activait sur son mobile, j'ai envoyé mon message dans le cyberespace.

Hi a jeté un coup d'œil à son téléphone, en douce, pour que sa mère ne remarque rien. Dix secondes, puis il a discrètement levé le pouce.

Shelton a lu mon texto à l'intérieur de sa poche. Il a approuvé d'un hochement de tête presqu'imperceptible.

J'ai réfléchi à ma théorie. Il fallait que je sois certaine.

Désormais, j'allais devoir jouer serré.

*
* *

Pendant le dîner, j'ai éludé les questions de Kit. Il était inutile de dire la vérité. Il ne me croirait jamais.

— J'ai dû me tromper. La peur.

— Te tromper ?

Kit a plissé les yeux.

— Sur les ossements ?

J'ai haussé les épaules.

Aux prises avec ses propres problèmes, il n'a pas insisté. Il avait les traits tirés. Sans doute à cause de son boss, ai-je pensé.

— On en reparlera, m'a-t-il promis.

La suite du repas s'est déroulée en silence.

Une fois dans ma chambre, j'ai démarré mon Mac. Deux clics de souris ont exécuté iFollow dans une débauche de couleurs et de sons.

Quand la fonction GPS s'est lancée, sept cercles lumineux se sont affichés sur la carte de Charleston. L'un d'eux se trouvait au-dessus de Mount Pleasant.

Hello, Jason, l'eau est bonne ?

J'ai modifié mon statut et remplacé « en ligne » par « absent ». Pas le temps d'échanger avec Jason ce soir. Mon équipe de l'île avait une tâche urgente à accomplir.

J'ai changé « Bolton Lacrosse » en « Bunker ». On avait vraiment besoin d'un meilleur nom de groupe.

Il y avait maintenant quatre points lumineux sur

l'écran GPS, réunis sur Morris Island. Même en ligne, nous semblions isolés.

Ping. Ping. Ping.

L'un après l'autre, les garçons se sont connectés.

— Passez en vidéo, ai-je tapé.

Mon écran s'est séparé en quatre fenêtres.

Sur chacune, un visage est apparu. Le mien était dans le carré supérieur droit. Gênée, j'ai recoiffé quelques boucles rebelles.

— Arrête de te pomponner, Miss Amérique, a lancé Hi.

— Tu pourrais peut-être commencer, au contraire, a plaisanté Shelton.

Hi était en haut à gauche, son pyjama boutonné jusqu'au menton. La lumière de sa chambre était éteinte. Il essayait d'éviter le radar maternel.

Le visage de Ben s'affichait sous le mien. Ben était installé dans sa salle de jeux, près d'une table de billard déglinguée.

Shelton me regardait dans le dernier carré. J'apercevais les affiches de *La Guerre des étoiles* qui décoraient les murs de sa chambre. Il avait les cheveux humides et paraissait fatigué.

Je suis allée à l'essentiel.

— Quelqu'un nous a espionnés à la bibliothèque.

Shelton a écarquillé les yeux. Hi et Ben ont approuvé de la tête.

— Ça tient la route, a commenté Ben.

Hi était d'accord.

— On est au courant pour Katherine Heaton depuis *une seule* journée et quelqu'un va voler son cadavre ? Ce ne peut pas être un hasard.

— Mais comment celui qui nous a espionnés a-t-il su qu'on avait l'intention de creuser ? On n'a pas parlé de ça dans la bibliothèque.

Bonnes questions. Je n'avais pas les réponses.

— Peut-être qu'il a copié nos recherches ? ai-je suggéré.

— Il s'agit de l'assassin, a dit Hi. Qui d'autre connaîtrait l'existence de la tombe ? Celui qui nous a suivis est certainement la personne qui a tué Katherine Heaton.

172

Silence.

Les images se bousculaient dans ma tête. Des formes sombres dans une forêt obscure. Deux bangs.

— Le bibliothécaire ? a proposé Shelton. Il a eu l'air bizarre, au bout d'un moment.

— Katherine Heaton a disparu en 1969, ai-je dit. Limestone est trop jeune. En plus, je suis persuadée qu'il n'a pas de tripes.

N'empêche que le comportement de Limestone m'intriguait. J'ai momentanément laissé la question de côté pour avancer ma seconde théorie.

— Karsten était furax, aujourd'hui.

— Il l'est toujours, a signalé Ben.

— Exact, ai-je approuvé, mais là-bas, il était dans un état pas possible. Comme s'il cachait quelque chose. Et il semblait presque angoissé qu'on amène un flic.

— Karsten contrôle Loggerhead depuis des années.

Hi allait dans mon sens.

— Il tient tout le monde à l'écart de ces bois. Shelton aussi.

— Ce type se livre à des expériences secrètes.

Ben suivait, maintenant.

— Trois fois bravo, ai-je dit. Pensez à ce qu'il a fait à Coop. Sans compter qu'il a accès à des ossements de singes.

— Qui d'autre pourrait déplacer aussi vite un équipement lourd dans les bois ? a demandé Hi.

Un silence gêné a suivi, bientôt rompu par Shelton.

— Alors vous croyez que *Karsten* est l'assassin ?

— C'est en tout cas le principal suspect, ai-je répondu. Mais nous n'avons pas de preuves.

Hi s'est mis à compter sur ses doigts.

— Un, nous ignorons qui nous a suivis. Deux, nous n'avons aucune preuve contre Karsten. Trois, nous sommes déjà assez embêtés comme ça.

Il a posé ses mains sur le bureau.

— Et quatre, je n'ai aucune envie de me faire tirer dessus.

Nous y étions. C'est pour ce motif que j'avais convoqué cette réunion.

Hi avait entièrement raison. Mais je m'en fichais. Je

sentais qu'il existait un lien entre Katherine Heaton et moi. Elle avait besoin d'un avocat.

Moi.

— Katherine avait perdu sa mère, comme moi, ai-je déclaré. Puis elle a perdu son père. Je ne l'abandonnerai pas.

Et comme moi, elle était coriace. Elle n'aurait jamais laissé tomber. Je le sens, je le sais.

— Je te suis, a déclaré Ben. Katherine a été assassinée. Personne ne se bat pour elle. Nous le ferons.

Droit au but. Du pur Ben Blue, simple et concis.

— En dehors de tout héroïsme, si l'on regarde les choses en face, on ne peut pas lâcher l'affaire, a déclaré Shelton. Les tueurs savent maintenant qui nous sommes, sans doute. Il faut les coincer avant qu'ils nous coincent.

Hi a baissé la tête. Petits pianotements sur son bureau, puis, sans lever les yeux :

— D'accord. Qui a envie de vivre éternellement ?

— Super-équipe, ai-je conclu, soudain pleine de fierté. On est plus intelligents que les fumiers qui ont fait ça. On les aura.

— Tout ça, c'est très bien, mais on n'a pas de piste.

Hi à nouveau.

J'ai souri.

— Qu'avez-vous prévu pour cette nuit, messieurs ?

Trois grognements ont répondu à ma question.

Mon sourire s'est élargi.

30

— Pourquoi faut-il que toutes tes brillantes idées nous obligent à faire des choses interdites par la loi ?

Hi avait l'air ridicule avec sa chemise noire à manches longues, son pantalon noir et sa cagoule. Il devait transpirer là-dedans comme dans un hammam.

Nous étions tous les quatre accroupis dans les buissons d'azalées qui bordaient la bibliothèque publique de Charleston. Il était minuit quarante-deux. Si Kit apprenait que j'étais dehors à cette heure-ci, il allait me boucler tout l'été.

Un peu plus tôt, avant de me déconnecter, j'avais exposé les grandes lignes de mon plan aux garçons. Ils n'avaient pas eu le temps de réagir. Kit frappait à ma porte. J'avais fermé mon Mac, sauté dans mon lit et fait semblant de dormir.

J'avais entendu mon père hésiter, puis se retirer dans sa chambre. Bientôt, des ronflements étaient montés du fond du couloir.

J'avais honte de tromper mon père, et pour lui, j'espérais que nous ne nous ferions pas prendre. Pour lui, et pour moi aussi.

Derrière moi, sur la droite, j'ai entendu Shelton chuchoter.

— Pour sa sécurité, la bibliothèque doit avoir une alarme, non ?

C'était la cinquième fois qu'il disait ça.

— Le bâtiment est assez récent, tout de même.

— On ne le saura pas avant d'essayer d'entrer, ai-je répété. Si une alarme se déclenche, on file.

La nuit était chaude et humide. Évidemment. Des nuages cachaient la lune et un brouillard enveloppait la ville. Des conditions idéales pour une effraction.

Une voiture de police a fait le tour du pâté de maisons au ralenti, avant de poursuivre sa route sur Calhoun Street. C'était son troisième passage depuis que nous étions là.

— On y va, a soufflé Ben. C'est le bon moment.

On a bondi vers une porte latérale donnant sur une ruelle. Elle était fermée par une serrure de sécurité qui nous a paru neuve et impressionnante.

— Eh, regardez !

Hi pointait le doigt vers une fenêtre à ras du sol, une dizaine de mètres plus loin.

Une fenêtre légèrement entrouverte.

On a avancé le long du mur.

Glissant les mains dans l'ouverture, Shelton a forcé le châssis à guillotine à s'ouvrir. Nous avons attendu, en retenant notre souffle.

Rien. Pas de sonnerie ou de sirène. Bon début pour notre petite équipe de malfaiteurs.

L'un après l'autre, on s'est glissés par l'ouverture. Ben a refermé la fenêtre derrière nous, puis il a allumé une lampe-torche. Nous étions dans une pièce carrée aux murs couverts de rayonnages vides. Au centre, sur une longue table, une douzaine de bouquins étaient posés, à côté d'un gobelet contenant un fond de café dans lequel baignaient des mégots.

— Merci à la nicotine, ai-je murmuré.

L'employé qui nuisait gravement à sa santé malgré l'interdiction avait oublié de refermer la fenêtre. Méchamment, je souhaitais qu'il s'agisse de Limestone.

Je me suis reconcentrée sur notre mission. Quelqu'un avait jeté un coup d'œil aux dossiers que nous avions examinés lundi. Comment aurait-on pu connaître nos intentions, autrement ?

Mais comment le prouver ? Peut-être même l'identifier ?

Par les empreintes digitales.

Nous avancions à l'aveuglette. Pourtant, si nous avions un ennemi, il fallait que l'on sache. Surtout si l'ennemi avait un revolver et l'intention de s'en servir.

On a suivi Ben et son rayon lumineux à l'étage, à l'affût d'éventuelles caméras. Apparemment, il n'y en avait pas et je me suis sentie plus sûre de moi. Nous n'en avions que pour quelques minutes.

Pénétrant dans la salle de Caroline du Sud, on s'est dirigés vers le lecteur de microfilms. À l'époque d'Internet, il servait peu et il était probable que personne n'avait utilisé cette antiquité depuis notre visite, deux jours auparavant.

Personne, sauf celui qui nous espionnait. Du moins, je l'espérais.

— Essayons toujours.

J'ai allumé la lampe à ultraviolets que j'avais subtilisée dans la boîte à outils de Kit et je l'ai promenée sur les commandes, espérant un miracle.

Rien.

— Qu'est-ce que ce truc va nous apporter ? a interrogé Ben.

— Les empreintes digitales.

La voix de Hi était étouffée par sa cagoule.

— Elles sont uniques chez chaque individu.

— Je sais bien, a répondu Ben. Ce que je veux savoir, c'est comment les repérer ?

— Comme les doigts sont huileux ou humides de transpiration, ils laissent des traces pratiquement partout. Je repassais encore une fois la lampe sur le lecteur.

Toujours que dalle.

— Certaines sont visibles à l'œil nu, mais c'est rare. Les empreintes invisibles sont dites « latentes ». C'est celles-ci que je cherche, en fait.

La surface métallique du lecteur de microfilms, brillante et noire, était idéale pour capturer des empreintes latentes. Je l'ai balayée avec la petite lumière bleue.

Rien de rien.

Passant à la phase deux, j'ai sorti de ma poche un pinceau magnétique et un flacon contenant une fine poudre grise.

— S'il existe une empreinte, les minuscules particules de poudre vont se coller sur le sébum et la sueur,
ai-je expliqué. Elles feront apparaître les bosses.

Avec précaution, j'ai versé la poudre sur les commandes. Pas d'empreintes. J'ai essayé ensuite la surface
de l'appareil. Nada. L'écran. Toujours rien. On avait fait
chou blanc.

— On s'arrache, a lancé Shelton. On essaiera d'avoir
une autre idée, quelque chose qui risquera moins de
nous envoyer en prison.

Soudain, une question m'a traversé l'esprit.

— Où sont donc *nos* empreintes ? Sur ce genre de
surface, elles auraient dû tenir plusieurs semaines.

— Peut-être que quelqu'un a fait le ménage, a avancé
Hi.

— Ou que quelqu'un a volontairement essuyé l'appareil pour effacer ses propres empreintes.

Mince.

Nous nous étions introduits par effraction dans un
bâtiment officiel pour rien. J'étais sur le point de
reconnaître notre échec lorsqu'une nouvelle idée m'est
venue.

— Avant de partir, vérifions si le microfilm de *The
Gazette* est toujours là. Personne n'a pu sortir la bobine,
à part nous.

Hi a rouspété, mais il s'est hâté d'aller voir.

— Ne la touche pas, ai-je ordonné à mi-voix.

Utilisant sa cagoule pour protéger ses mains, Hi a
récupéré la bobine sur l'étagère et l'a déposée sur la
table.

Je l'ai scrupuleusement passée à la lumière ultra-
violette.

Pas la moindre empreinte.

Déçue, j'ai fait la même chose sur l'autre face.

Et là, un ovale blanc est apparu, lumineux comme la
lune.

J'ai réprimé un cri de triomphe et je l'ai saupoudré
de poudre grise. L'empreinte est apparue, avec tous ses
détails.

— Punaise ! a marmonné Ben entre ses dents.

— Bon, on la relève et on se casse.

Shelton me tendait un rouleau de Scotch et une fiche.

Avec précaution, j'ai pressé un bout de ruban adhésif sur l'empreinte recouverte de poudre. Puis je l'ai retiré et collé sur la fiche. Un motif en spirale gris a été transféré sur le papier.

Enfin, il se passait quelque chose de positif.

Cela a duré une nanoseconde.

Il y a eu un bruit de portière qui claque.

Hi s'est rué à la fenêtre.

— Merde !

Une lumière rouge et bleue flashait sur son visage.

— Dehors ! a-t-il hurlé. Les flics !

31

Je me suis précipitée à terre et j'ai rampé jusqu'à la fenêtre. Puis j'ai jeté un coup d'œil par-dessus le rebord.

Deux voitures de patrouille étaient garées au-dehors. Un groupe de trois policiers promenaient le faisceau de leur lampe-torche devant la bibliothèque.

— Comment…

J'étais incapable de prononcer un mot de plus. La situation était irréelle.

Nous étions dans de sales draps. C'étaient de vrais flics, et nous avions commis une véritable effraction. Nos parents ne pourraient pas nous sortir de là.

— Alarme silencieuse ?

Hi avait la tête dans ses mains.

— Détecteurs de mouvement ? Médiums ?

— Des cambrioleurs plus nuls que nous, il n'y a pas !

Assis par terre, Shelton semblait vaincu par la tournure que prenaient les événements.

— Je jette l'éponge.

Ben, qui ne partageait pas son défaitisme, lui a donné un petit coup sur la tête. Puis, plié en deux, il est allé jusqu'à la porte pour voir ce qui se passait dans le hall.

— Deux flics en vue sur le devant. Impossible de passer par là.

Il s'est précipité vers la sortie de secours au fond de la salle. La porte n'était pas fermée à clé.

On a dévalé l'escalier. Une fois au rez-de-chaussée, on s'est glissés à l'intérieur de la pièce par laquelle nous étions entrés dans le bâtiment.

180

J'ai entendu un cliquetis de clés du côté de l'entrée principale. Suivi de grincements de gonds. Puis de bruits de voix.

J'ai refermé la porte sur nous.

— Flics dehors ! a prévenu Shelton. Baissez-vous !

Je me suis jetée au sol.

Une voiture de police avançait lentement dans la ruelle. On entendait le crachotement de sa radio. Elle s'est arrêtée sous la fenêtre. Un puissant rayon lumineux a traversé la vitre. Des lumières rouges et bleues tournoyaient sur les murs.

J'étais allongée par terre, immobile, osant à peine respirer. Dieu merci, j'avais refermé la fenêtre en arrivant.

Le projecteur explorait les coins et recoins de notre cachette. Mon cœur battait à tout rompre. J'ai enfoncé un peu plus ma joue dans la vieille moquette qui sentait le moisi. Mon nez inhalait des décennies de crasse.

Une éternité s'est écoulée. J'étais sûre que nous étions repérés. La pièce semblait trop petite pour dissimuler quatre ados.

Finalement, la voiture est repartie.

Personne n'a battu un cil.

Un bruit de loquet qu'on ouvre. Quelque part. Tout près. Des pas dans le couloir.

Nouvelle montée d'adrénaline.

Les flics. Dans la bibliothèque. Fouillant toutes les pièces, l'une après l'autre.

La porte n'avait pas de serrure. J'ai agité frénétiquement le bras en direction des garçons.

Ils ont compris le message.

Les lumières rouges et bleues ont diminué d'intensité. La ruelle est redevenue sombre lorsque la voiture de patrouille a tourné le coin.

Ben a bondi sur ses pieds et a soulevé la fenêtre. Je l'ai enjambée tant bien que mal, puis j'ai traversé la ruelle comme une flèche et plongé dans les buissons.

Hi a suivi. Ensuite, Shelton. Ben a été le dernier à sortir. Il bataillait pour refermer la fenêtre. Le châssis à guillotine descendait lentement. Il s'est bloqué à un centimètre de la fermeture.

J'étais au bord de la crise cardiaque.

File ! Tire-toi de là !

Ben a laissé tomber et s'est précipité vers les buissons. Il avait à moitié traversé la ruelle lorsqu'une autre voiture de police a tourné l'angle, son projecteur trouvant l'obscurité.

Il a bondi dans les azalées et a pris ses jambes à son cou. Shelton, Hi et moi l'avons suivi sans nous retourner.

*

* *

Malgré le brouillard et l'obscurité, on a couru comme des fous. Même Hi, malgré son surpoids. La peur de se faire arrêter lui donnait des ailes.

À quelques centaines de mètres de la bibliothèque, on a entendu une sirène hurler, puis une voiture de police est passée à toute allure. Et peut-être à cause du brouillard, les policiers ne nous ont pas repérés.

On a continué à galoper. Dommage que personne n'ait enregistré nos temps. Des records de vitesse personnels ont certainement été battus.

Dix minutes plus tard, nous étions à bord du *Sewee*, pantelants et trempés de sueur.

Ben a lancé le moteur, Shelton a détaché les cordes et le bateau s'est mis en route dans la brume du port. La surface de l'eau était lisse comme du verre. Un calme bienvenu après tout ce ramdam.

Je profitais de ce moment de sérénité lorsque Shelton s'est mis à rigoler tout seul.

— On est peut-être nuls pour entrer par effraction quelque part, a-t-il dit entre deux hoquets, mais pour en sortir on est champions !

Son rire était contagieux. Hi a gloussé, puis il a manqué s'étouffer et s'est mis à tousser.

Cela n'a fait que rendre la situation plus comique. J'ai ri moi aussi, bientôt imitée par Ben, qui poussait des cris de chimpanzé tout en conduisant le bateau. La tension accumulée s'envolait.

Je me suis glissée à côté de Hi.

— Ça va ?

Il m'a regardée, l'air bizarre, puis il a essayé de me répondre, mais les paroles se sont figées sur ses lèvres. Pendant une seconde, ses pupilles ont brillé au clair de lune. Et soudain, ses yeux se sont révulsés. Il s'est affaissé, inconscient. Je me suis précipitée pour le rattraper avant que sa tête ne heurte le pont.

— Ben ! ai-je crié. Hi ne va pas bien !

Ben a coupé le moteur et m'a rejointe en toute hâte à la poupe. Hi était évanoui, mais il respirait normalement.

— Est-ce qu'il s'est cogné la tête sur quelque chose ?

J'essayais de me rappeler les soins à donner pour une commotion cérébrale.

— Hiram, réveille-toi, mec !

Shelton a giflé Hi avec vigueur, puis lui a frictionné les bras. Ce n'était pas exactement ce que l'on recommandait sur les sites médicaux du web. Je l'ai gentiment repoussé.

Hi a lentement soulevé les paupières, révélant un regard étrange. À la place de ses iris bruns, il y avait maintenant des globes dorés autour de la pupille noire.

Instinctivement, j'ai reculé. Du coup, j'ai trébuché et me suis retrouvée sur le plancher.

Qu'est-ce que c'était ???

— Il lui est arrivé quelque chose aux yeux !

Ben et Shelton se sont approchés, s'attendant au pire. Aucun des deux n'avait été assez près de Hi pour constater l'étrange phénomène.

Hi a cligné des paupières. S'est redressé. Ses yeux avaient leur couleur marron habituelle.

— C'était curieux, a-t-il déclaré, tentant de reprendre ses esprits. Est-ce que je suis tombé dans les pommes ?

— Ouais, a répondu Shelton. Ça va ? Tes yeux fonctionnent bien ?

Hi a fermé les yeux, les a rouverts.

— Évidemment.

Puis soudain, sa voix est montée dans les aigus.

— Attendez ! Qu'est-ce qui se passe ? Vous me cachez quelque chose ?

Shelton et Ben se sont tournés vers moi.

— Rien du tout, Hi, ai-je lancé. C'est de ma faute. Une illusion d'optique provoquée par le clair de lune, je pense. Excuse-moi, je ne voulais pas t'effrayer.

Effectivement, son regard semblait redevenu normal.

— Voilà ce qui se passe quand un Jelly Belly veut courir le mille mètres ! a plaisanté Shelton.

— On en reparlera quand tu feras la course en tête, vieux.

Ben a repris sa place aux commandes.

— Allez, on rentre. Il est plus de deux heures du mat' et on a cours demain.

— Tu es sûre que tout va bien, Tory ?

Hi avait besoin d'être rassuré. Je lui avais fait très peur.

— Bien sûr ! On a récupéré une empreinte sans se faire prendre.

Hi s'est détendu. Il a fermé les yeux.

— C'est curieux, a-t-il dit. Je ne m'étais encore jamais évanoui. Maintenant, je me sens en pleine forme.

Malgré moi, une image m'est revenue. Des iris d'or à la pupille noire. Un regard profond. Primitif. Évocateur d'une créature différente.

Soudain, je me suis sentie vidée. Mon esprit s'est brouillé, a semblé fléchir, puis s'est brusquement remis en place. Des décharges d'énergie me parcouraient.

J'ai voulu bouger. Impossible. Je me suis laissée aller contre le dossier du siège. Mes paupières, lourdes, se fermaient.

À l'intérieur de mon corps, des liaisons volaient en éclats, se raccordaient, renaissaient.

Mes yeux se sont ouverts. Quelque chose n'était plus comme avant. Je le sentais dans chaque fibre de mon être. Quoi ? Un changement s'était produit. Intérieurement, j'ai entamé un check-up, cherchant à repérer cette modification. Je n'ai rien trouvé.

Je me sentais légère. En pleine possession de mes moyens. Le flot d'une force viscérale balayait la fatigue de la journée.

Le bateau fendait l'eau calme sous la lune presque

pleine. J'ai contemplé la beauté de l'astre, fascinée.
Entendant un appel nouveau.

J'ai jeté un coup d'œil à Hi. Les yeux luisants, il regardait le ciel, comme je l'avais fait. J'ai compris. Il ressentait la même attraction.

Sans que je le veuille, un nom a franchi mes lèvres.

— Whisper, ai-je dit, sans savoir pourquoi.

— Whisper.

Le nom a flotté dans l'air un moment, avant de se dissiper dans l'obscurité de la douce nuit d'été.

Troisième partie

INCUBATION

32

Le réveil a sonné dix bonnes minutes avant que je ne réagisse.

Bip ! Bip ! Bip !

Kit tambourinait à ma porte, histoire de me rappeler qu'il était hors de question que je manque l'école deux jours de suite.

— Je suis levée ! ai-je menti.

Je suis restée immobile sous les draps, encore épuisée par les événements de la nuit, cherchant désespérément une raison valable de rester au lit. J'avais les articulations douloureuses et ma tête pesait une tonne. J'espérais ne pas être tombée malade.

Boum ! Boum !

— Tory, remue-toi !

Un pied sur la moquette. Puis les deux. Des gestes lents de zombie. Mes yeux refusaient de rester ouverts.

J'ai accompli mes gestes quotidiens dans un brouillard, avant de piquer un sprint pour attraper la navette.

Les garçons n'avaient pas l'air en meilleure forme. Ben et Shelton gardaient un silence maussade. Hi ronflait carrément. De temps en temps, il tombait sur l'épaule de Ben qui le repoussait.

En classe, le temps a semblé passer au ralenti. Généralement, j'aime les cours, mais là, j'avais envie d'appuyer sur le bouton « avance rapide ». Il fallait que je parle de l'empreinte à Jason.

Quand ? Pendant le cours de biologie ? Non. Ce que

j'avais à lui demander était inhabituel, limite illégal. Ce n'était pas un sujet pour le groupe. Sans compter que j'avais un travail préparatoire à faire.

Shelton et Hi sont venus me retrouver à la bibliothèque de l'école pendant la pause-déjeuner. Ben était excusé, car il n'était pas présent lorsque nous avions utilisé le lecteur de microfilm.

— On a besoin de vérifier avec nos empreintes, ai-je dit.

Empruntant un tampon encreur, j'ai appuyé dessus mon index, que j'ai ensuite pressé sur une fiche sur laquelle j'ai inscrit mes initiales. Shelton et Hi ont fait de même.

— Tu peux me rappeler pourquoi on fait ça ? a demandé Shelton.

— Pour avoir la certitude que l'empreinte mystérieuse n'est pas l'une des nôtres.

Hi m'a jeté un coup d'œil intrigué.

— Tu sais comment interpréter une empreinte ?

— Oui. Il y en a de trois sortes – boucles, arches et tourbillons.

Prenant ma loupe, j'ai étudié nos fiches.

— Vous êtes tous les deux de la famille boucles. Shelton, tes traces digitales vont de la gauche vers le centre de l'extrémité du doigt, puis elles repartent vers la gauche.

— Pas les miennes.

Hi, penché sur mon épaule, louchait sur sa fiche.

— Elles forment des boucles, mais les traces vont dans l'autre sens.

— Serions-nous des frères perdus de vue, Shelton et moi ?

Shelton a reniflé.

— Non, vous êtes tous les deux dans la norme, ai-je dit. Les deux tiers de la population présentent des boucles.

— J'aurais préféré avoir des tourbillons, c'est plus sympa, a décrété Hi.

— La famille tourbillons a un cercle entier au milieu de l'empreinte.

J'ai levé ma fiche.

— Moi, par exemple. Ça représente moins d'un tiers des gens.

— Donc, le dernier type doit être très rare.

— Oui. Moins de cinq pour cent de la population est de la famille arches. Le centre de cette empreinte ressemble à un minuscule empilement de collines.

— Et le vainqueur de la nuit dernière est…

Shelton a imité un roulement de tambour.

J'ai positionné ma loupe au-dessus de l'empreinte mystérieuse.

— Du type arches ! a annoncé Hi.

— Ce qui nous exclut, en ai-je conclu.

Hi a aligné les quatre fiches côte à côte.

— Elle est énorme, en plus ! Nos doigts sont beaucoup moins gros !

— Une empreinte aussi nette est forcément récente, ai-je dit. Shelton, tu es sûr d'avoir remis la bobine en place ? Tu ne l'as pas laissée sur un chariot pour qu'elle soit rangée ?

— Certain à cent dix pour cent.

— Donc cette empreinte a été laissée par notre traqueur.

J'ai pris une photo avec mon téléphone, puis j'ai consulté ma montre. Il restait vingt minutes avant la fin de la pause-déjeuner. C'était le moment de partir à la recherche de Jason.

Mais Jason n'était nulle part.

J'ai regardé partout, dans les couloirs, sur la pelouse, dans le gymnase et la cafétéria.

Les élèves n'étaient pas censés sortir du campus pendant les heures de cours, mais les vigiles regardaient souvent ailleurs. Peut-être que Jason était allé en douce s'offrir un bon repas au Poogan's Porch, l'un des meilleurs restaurants de Charleston.

J'ai donc décidé de lui mettre la main dessus après le dernier cours. Nous avions trigonométrie ensemble.

L'après-midi s'est traîné au rythme d'une marche funèbre. J'avais du mal à tenir les yeux ouverts. Par deux fois, j'ai failli piquer du nez sur ma table. J'ai compté les secondes jusqu'à la sonnerie.

Dring ! Enfin.

J'ai bondi de mon siège comme si j'étais montée sur ressorts.

— Jason, attends-moi !

J'ai couru pour le rattraper dans le hall.

Grand sourire de Jason.

— Avec plaisir, charmante demoiselle.

— Tu as une minute ?

— Dix. Je suis tout entier à toi en attendant le début de l'entraînement.

L'équipe de lacrosse dont il faisait partie défendait son titre de champion de l'État et était pas mal avancée dans les play-offs à nouveau cette saison. Jason était le meilleur marqueur de l'équipe.

But atteint. Vas-y.

Avec horreur, je me suis aperçue que je ne trouvais pas les mots pour formuler ma requête.

Jason attendait, l'air un peu surpris. À ce moment-là, Ben est arrivé.

— Il peut être utile ? m'a-t-il demandé, ignorant délibérément Jason.

— Je viens juste de mettre la main sur lui.

— Je suppose que vous parlez de moi, a déclaré Jason. Tu es Ben, n'est-ce pas ?

— Exact.

Sèchement, sans même un sourire.

Jason a haussé les sourcils, stupéfait.

C'est quoi, ce cirque ?

J'ai essayé de réchauffer l'atmosphère.

— Vous vous connaissez, tous les deux ?

Pas de réponse. Jason avait planté son regard dans celui de Ben. La situation devenait tendue. Mais les jeunes gens des bonnes familles de Charleston sont bien élevés. L'éducation de Jason a pris le dessus.

— Heureux de faire ta connaissance, Ben, a-t-il déclaré.

Cet échange d'amabilités terminé, Jason s'est de nouveau tourné vers moi. Ben n'existait déjà plus.

— J'ai un problème, me suis-je hâtée de dire. Je me demandais si ton père ne pourrait pas nous aider.

À la fin de ses études à la Citadelle, la prestigieuse école militaire de Charleston, le père de Jason avait tourné le dos à la tradition et intégré la police de la ville, au grand dam de la famille Taylor. Après plusieurs années comme policier de proximité, il était devenu inspecteur, bientôt affecté aux homicides. Il dirigeait maintenant la brigade criminelle.

— Mon père ?

Jason était surpris, une fois de plus.

— Tu as tiré sur quelqu'un ?

— Bien sûr que non.

J'ai embrayé sur une histoire inventée de toutes pièces.

— On a volé mon ordi portable. C'est de ma faute. Je l'avais laissé devant la porte de chez moi, le temps d'aller prendre le courrier. Quand je suis revenue, il avait disparu.

— Tu as des soupçons ?

— Non, mais le voleur a laissé un indice.

J'ai sorti la fiche avec l'empreinte du lecteur de microfiches.

— Elle était sur une cannette de soda, près de l'endroit où j'avais posé mon Mac. Je me demandais si ton père aurait pu voir à qui elle appartenait.

— Tu l'as relevée toute seule ? Sérieusement ?

Jason semblait amusé.

— C'est de famille.

Il a réfléchi quelques instants.

— Tu as porté plainte ?

C'était là le point délicat.

— En fait, j'espérais vérifier l'empreinte *d'abord*. Le voleur doit être un voisin. Sur Morris Island, on se connaît tous. J'aimerais mieux régler discrètement l'affaire et récupérer l'ordinateur.

Jason plissait le front.

— Ça ne va pas être facile. Mon père peut faire une demande, mais il faut donner un numéro de dossier. Même quand c'est légal, ça prend des semaines.

— Et en heures sup ?

— Les types du labo ne font exception que pour les urgences, et ils attendent quelque chose en échange. Je crains de ne pouvoir t'aider.

Ben a levé les yeux au ciel. Jason lui a lancé un regard que je ne suis pas arrivée à interpréter.

Quelque chose m'échappe chez ces deux-là.

— Merci quand même, Jason. Je crois que je vais…

Jason m'a interrompue.

— Attends ! Je sais qui peut nous rendre service.

Avant que j'aie eu le temps de réagir, il a hurlé d'un bout à l'autre du hall :

— Chance, viens ici un instant !

Mon rythme cardiaque s'est accéléré.

— Non, non, ai-je balbutié. N'ennuie pas Chance avec ça. Ce n'est pas très important.

— Relax, Tory. C'est l'homme de la situation, je t'assure.

Chance nous a rejoints, Hannah accrochée à son bras tel un oiseau exotique.

— Jason, tu harcèles encore Tory ?

Après m'avoir adressé un clin d'œil, Chance s'est tourné vers Ben.

— Je ne crois pas que nous nous soyons déjà rencontrés ?

— Voici Ben, a dit Jason. Quelqu'un de particulièrement bavard.

Ben lui a jeté un regard noir.

J'ai tenté de faire baisser la tension.

— Ben Blue est un excellent ami…

Jason m'a coupée.

— Chance, on a besoin de quelqu'un qui ait des relations. Toi.

Il a entrepris de raconter à Chance mon histoire de vol. Qui semblait, comment dire, l'ennuyer à mourir.

— C'est embêtant.

Chance a ôté une poussière inexistante de la manche de sa veste.

— J'espère qu'ils vont prendre le voleur.

Jason m'a donné un petit coup de coude dans les côtes.

— Montre-lui.

À contrecœur, j'ai ressorti ma fiche avec l'empreinte, en espérant que la scène était moins bizarre que j'en avais l'impression.

— Je pourrais peut-être demander à quelqu'un de la SLED de jeter un œil, a marmonné Chance. Je fais du golf avec le fils de son chef. Mon père a parrainé leur admission au club, je crois.

La SLED, c'était la division de police de la Caroline du Sud, la version fédérale du FBI.

— Mais est-ce que ça vaut vraiment la peine ? a-t-il poursuivi sans enthousiasme.

— Chance !

Hannah était tout sucre, tout miel.

— Si tu peux aider Tory, tu dois le faire. Ce n'est pas grand-chose, n'est-ce pas ?

— Effectivement. Les amis de Jason sont mes amis.

Chance a accompagné ces paroles de son clin d'œil patenté. J'étais sûre qu'il s'exerçait tous les matins en nouant sa cravate.

— Mais pas un mot à mon père, n'est-ce pas ?

— Mes lèvres sont scellées, ai-je dit.

Je n'arrivais pas à y croire.

— Merci beaucoup !

— De rien. Et ne scelle pas ces jolies lèvres. J'espère qu'elles nous donneront des nouvelles, maintenant que nous sommes tous des conspirateurs.

Il a regardé par-dessus son épaule d'un air faussement méfiant.

J'étais scotchée.

Hannah a gloussé.

— Ne fais pas attention, m'a-t-elle dit en donnant une petite tape sur le bras de Chance. C'est un séducteur *incorrigible*.

— Je plaide coupable, a dit Chance en riant, avant de s'adresser à Jason.

— Tu allais à l'entraînement ?

Jason a répondu par un signe de tête affirmatif.

— À plus, Tory.

— À plus.

Puis, à retardement, il a ajouté :

— Salut, Ben.

Tandis qu'il s'éloignait en compagnie de Chance et d'Hannah, Ben bouillait.

— Gosses de riches ! a-t-il marmonné quand le trio a été hors de portée de voix.

Je n'ai rien dit. J'avais appris à ne pas discuter avec Ben quand il était d'une humeur noire.

Mais je pensais à Chance.

Ses yeux. S'étaient-ils attardés sur moi ? Et ses clins d'œil. Était-ce seulement une attitude ? À partir de combien avaient-ils un sens ?

Bon, assez. Voilà que j'étais en train de fantasmer sur le garçon le plus populaire de l'école. Pathétique.

— Viens, dur de dur, ai-je lancé à Ben en plaisantant. Allons retrouver ce mythique ordinateur volé.

Ben ne s'est pas déridé.

— M'en fiche.

D'accord.

Le retour a été un vrai bonheur.

33

Le lendemain matin, je me suis réveillée avec le sourire.

Vendredi. Toujours un bon jour. Et les vacances d'été commençaient dans deux semaines.

Mais ma bonne humeur n'avait pas grand-chose à voir avec le calendrier.

La veille au soir, j'avais vu quelque chose de formidable : Coop en train de gambader en remuant la queue pendant une dizaine de minutes. Puis il avait nettoyé son écuelle et m'avait donné un petit coup de museau pour que je la remplisse de nouveau.

Ce bon appétit était le signe que le chien allait mieux. Son système immunitaire avait eu raison du virus. Ravie, je lui avais redonné à manger.

Mais tout n'était pas rose sur le plan de la santé. Contrairement à Coop, je me sentais lasse et apathique. Redoutant d'avoir attrapé la grippe, j'ai avalé un médoc homéopathique avec une ampoule d'échinacée. Traitement d'attaque.

Et puis il y avait les autres problèmes.

Karsten nous avait convoqués tous les quatre pour un « entretien » avec la sécurité de Loggerhead. Je refusais de penser aux conséquences éventuelles.

La matinée s'est passée comme d'habitude à l'école. En biologie, on avait une conférence, donc je n'ai vu ni Hannah, ni Jason. Tant mieux. Je n'avais pas fait mes comparaisons d'ADN. Il faudrait que j'aie terminé avant le rendez-vous de dimanche.

À l'heure du déjeuner, toute la bande s'est retrouvée près de l'appontement pour répondre à la convocation de Karsten. M. Blue nous a fait monter à bord du ferry et a mis le cap sur Loggerhead. Trop inquiets pour nous asseoir, nous sommes restés debout, accoudés au bastingage.

Pendant la matinée, j'avais pu éviter de penser à l'interrogatoire qui nous attendait, mais là, je commençais à avoir la trouille.

Hi avait son idée sur la question.

— Vous êtes au courant qu'on ne peut prendre le risque de se planter ? Nos versions doivent coller au mot près.

— D'accord, a répondu Shelton. Alors, voilà. On a trouvé une plaque militaire. On est allés à la bibliothèque, où l'on a découvert ce qui était arrivé à Katherine Heaton. Tory s'est aperçue que le sol de la clairière était bizarre. C'est comme ça qu'on a exhumé ce qui s'est révélé être des ossements de singes. Fastoche.

— À ce moment, a continué Ben sur un ton sarcastique, on a eu « une peur bleue », et on a « imaginé des coups de feu et des crânes humains ».

Pour éviter une semonce, nous avions décidé de faire les idiots. Il ne servirait à rien de dire la vérité, car personne ne nous croirait. Au contraire, cela ne servirait qu'à augmenter les soupçons.

J'ai hoché la tête en signe d'approbation.

Frustré, Hi s'est tapé sur le front.

— Non, non et non !

— Quoi ? ai-je déclaré. Il n'y a rien à ajouter.

— Les détails ! Si l'on veut avoir l'air de dire la vérité, il faut en donner. Plus on est vague, moins on est crédible.

Nous l'avons regardé, les yeux ronds.

Hi a soupiré.

— D'abord, il nous faut un alibi pour samedi. Et on doit convaincre Karsten qu'on a vraiment cru avoir trouvé des ossements humains.

— Tout ira bien, a assuré Shelton. Karsten n'a pas le don de voyance, que je sache.

— Ah bon ?

Les mains dans le dos, Hi a pivoté vers Shelton.

— Toi ! a-t-il rugi comme un policier tentant de confondre un suspect. Dis-moi où est la plaque que vous avez trouvée ?

Shelton a sursauté.

— Quoi ? On… on l'a perdue.

— Où ça ?

— Dans les bois. Pendant qu'on courait.

— À quel endroit des bois ? Qu'est-ce qui vous faisait courir ?

— Eh bien… Tory a laissé tomber la plaque quand on courait devant… euh… je ne sais pas.

— *Tu ne sais pas !* a martelé Hi. Vous avez vu des hommes armés de revolvers, oui ou non ?

— Non, enfin, je crois…

— Tu crois ?

Shelton s'est défendu.

— Il faisait sombre. Je me rends compte maintenant qu'il n'y avait personne, en vérité.

— Dans ce cas, qu'est-ce que vous avez entendu ?

— Des… espèces de « bams ». Comme des branches qui cassaient.

— Combien ? D'où ces bruits venaient-ils ?

— Beaucoup. Je veux dire, ils venaient de partout.

Hi a pris un air étonné.

— Vous avez entendu beaucoup d'« espèces de » bams qui venaient de partout. C'est ça ta version ?

— Pas de partout. De la gauche, peut-être ?

Hi a foncé sur sa cible tel un missile.

— Combien étaient-ils à vous poursuivre ?

— Trois.

Shelton avait répondu sans réfléchir.

— Je croyais que tu avais *imaginé* les tireurs ?

— Non, non ! J'ai cru voir des hommes, mais en réalité…

La sueur perlait au front de Shelton.

— Bon, Hi, on arrête !

Hi s'est tourné vers Ben.

— Toi ! Qu'est-ce que tu as trouvé dans la fosse ?

— Des ossements, a répondu Ben.

— Combien ? Quel genre ?

Ben a ouvert la bouche, l'a refermée.

— La balle, a dit Hi. Dans quel os ?

— Le crâne.

Hi s'est approché de Ben à le toucher.

— Il n'y avait pourtant aucune trace de balle sur le crâne du singe !

— Exact. J'ai cru qu'il y avait un trou, mais je me suis trompé.

— Tu as cru ? Tu ne sais pas faire la différence ?

— Tu hurles encore comme ça sous mon nez, gogolito, et c'est ton crâne qui se retrouve avec un superbe trou !

Hi s'est alors adressé à moi.

— Où étais-tu samedi matin à neuf heures ?

— Comment ?

Je n'avais pas pensé à ça.

— J'étais chez moi. En train de dormir.

— Dans ce cas, ton père peut le confirmer. Il était là lui aussi, n'est-ce pas ?

Oups.

— Non, j'ai oublié, j'étais au bun…

Je ne peux pas dire ça non plus.

— J'étais avec Ben, dans son bateau.

— Seule ?

Et zut ! Que diraient les autres ?

— Peut-être bien.

— Peut-être bien ?

Hi a levé les bras au ciel, catastrophé.

— On n'est pas bons, a marmonné Shelton.

— Entendu, Hi, ai-je déclaré. Tu as raison. Dis-nous ce qu'on doit déclarer.

Hi nous a fait signe de nous rapprocher de lui.

— Les détails, c'est *essentiel*. Verrouillons les plus importants. Et si Karsten nous pose une question imprévue, on dit qu'on ne sait pas, ou bien on invente quelque chose que les autres n'auront pas besoin de confirmer.

Pointant l'index vers Shelton, il a ajouté :

— Personne n'a rien vu dans les bois. Pas de lumières, rien. On n'a pas non plus entendu de voix.

— Reçu cinq sur cinq, a déclaré Shelton.

— On va dire qu'on a entendu deux bruits secs. Comme un claquement de fouet. Voilà.

— D'accord. Cela pouvait être un singe dans les arbres, ou une branche qui cassait, va savoir.

— Oui, mais laissons-les, *eux*, tirer les conclusions, a décidé Hi. Nous, on fait les andouilles. Et le claquement de fouet venait « de l'autre côté de la clairière ». Rien de plus précis, OK ?

On est tous passés en mode mémorisation. Par chance, on était plutôt doués pour.

— Tory a perdu la plaque, a poursuivi Hi, donc elle peut gérer ça comme elle veut. Qu'est-ce qu'on dit, nous autres ?

— Je ne sais pas.

Shelton et Ben avaient répondu d'une seule voix.

Hi a consulté sa montre.

— Bon. On a une demi-heure. Vous avez de la chance que j'aie réfléchi à la question.

On a passé le reste de la traversée à peaufiner notre alibi.

Pourvu que je ne fiche pas tout en l'air !

34

— Monsieur Stolowitski.

Karsten jeta un coup d'œil à son bloc-notes.

— À vous l'honneur.

Hi se leva et entra dans la salle de conférences. À l'intérieur, trois chaises étaient disposées autour d'une table pliante. Karsten s'assit auprès de Carl. Hi prit la chaise qui leur faisait face.

Karsten ne perdit pas de temps.

— Où étiez-vous, samedi matin ?

Carl s'appuya sur les avant-bras, dans une vaine tentative pour avoir l'air menaçant.

— Samedi matin ? Voyons, laissez-moi réfléchir.

Hi regarda le plafond.

— Ah, oui ! Je suis allé au festival canin avec Shelton, Ben et Tory. On a laissé le bateau de Ben à la marina et on est allés à pied à Marion Square.

Hi appuya son menton dans sa main.

— Je m'en souviens parce qu'il tombait une espèce de crachin et que les chiens hurlaient. Un énorme doberman a faussé compagnie à son maître et il a fait trébucher Ben qui est tombé dans une grande flaque d'eau. C'était drôle comme tout. Ben a dû s'acheter une nouvelle chemise dans un stand qui ne vendait que des vêtements imprimés avec des animaux. Il était furax…

Karsten l'interrompit.

— À quelle heure êtes-vous arrivés au parc ?

— Voyons, vers huit heures vingt. Tory voulait acheter des gourmandises spéciales pour chien. Il n'y en avait déjà plus, mais le vendeur a dit que son associé apportait des barres de chocolat blanc à neuf heures.

Sans faire de pause, Hi poursuivit :

— Je sais ce que vous pensez : le chocolat n'est pas bon pour les chiens. Mais d'après le vendeur, c'est le cacao qui présente un danger, et le chocolat blanc n'en contient pas.

Karsten ouvrit la bouche, mais Hi était lancé.

— Bref, on en a acheté pas mal pour donner aux chiens de la SPA. Comme on ne peut pas adopter un animal nous-mêmes, on s'est dit qu'au moins…

— Bon, ça va !

Karsten leva la main pour tenter d'arrêter le flot de paroles de Hi. Carl avait cessé depuis longtemps de prendre des notes.

— Combien de temps êtes-vous restés à ce festival ? Avant que vous répondiez, je tiens à vous prévenir que je vérifierai toutes vos déclarations.

— Pas de problème.

Hi s'appuya au dossier de sa chaise, les bras croisés derrière la tête.

— On a dû partir vers midi, quand le dernier lévrier a été adopté. Cette énorme bonne femme de Caroline du Nord…

— Qu'est-ce que vous voulez que ça me fasse ?

Les narines de Karsten frémissaient. Il se tut un instant, comme s'il hésitait, puis il demanda :

— Par curiosité, comment vous sentez-vous, ces temps-ci ?

Le visage de Hi exprima la surprise.

— Bien, pourquoi ?

— Pour rien.

Karsten consulta de nouveau son bloc.

— À quelle heure êtes-vous rentrés chez vous ?

Hi reprit son compte rendu hyper-détaillé.

— Vers midi et demi, je pense. Juste après le départ de la grosse dame avec son clébard, on est allés voir l'exposition canine. Un caniche nain a remporté le prix.

Il a souri.

— Vous auriez vu ce chien !

— Alors, vous avez quitté le festival canin à onze heures ? demanda Karsten, mine de rien.

— Non.

Les yeux fixés sur la table, Shelton tirait sur le lobe de son oreille.

— Il était au moins midi. Midi et demi, même. Je m'en souviens parce que c'était après l'adoption du lévrier par la grosse dondon, mais avant le concours.

Carl esquissa un bâillement, qu'il se hâta de réprimer en voyant le regard réprobateur de Karsten.

— Et qui l'a remporté, ce concours ? demanda Karsten, l'air indifférent.

— Un caniche.

Karsten changea de sujet.

— Vous avez vu trois hommes dans les bois dans la soirée de samedi, c'est bien ça ?

— Honnêtement, j'avais tellement peur que je ne suis pas sûr de ce que j'ai vu.

Shelton gardait toujours les yeux baissés.

— Je me souviens qu'il y avait des singes qui se baladaient dans le coin.

— Mais vous avez déclaré avoir été poursuivis par des *hommes armés*.

Visiblement, Karsten était ennuyé.

— Et qu'ils vous avaient tiré dessus.

— J'ai entendu deux fois un bruit comme un claquement de fouet.

Shelton a haussé les épaules.

— J'ignore ce qui l'a provoqué. Je me suis mis à courir.

— Qu'est-ce que vous me racontez ? lança sèchement Karsten. Vous n'avez vu *personne* ce soir-là ?

— Je suis désolé.

Shelton jouait les timides à la perfection.

— J'ai peur du noir. Demandez à ma mère.

— Pourquoi couriez-vous, si personne ne vous pourchassait ?

— On a trouvé les ossements au coucher du soleil.

204

Tory a dit que c'étaient des restes humains. Ça fiche les jetons. Et puis on a entendu des bruits de l'autre côté de la clairière.

Pour la première fois, Shelton regarda Karsten dans les yeux.

— Que voulez-vous que je vous dise ? Je suis trouillard. J'ai pris mes jambes à mon cou.

— Donc, pas d'hommes armés. Pas de coups de feu.

Karsten, frustré, ouvrit les mains.

— Vous êtes en train de me dire qu'il ne s'est rien passé ?

— Désolé, marmonna Shelton. Mon esprit m'a joué des tours, j'en ai peur. Après tout, personne n'a retrouvé de traces de balles, non ?

*
* *

— Où avez-vous amarré votre bateau ? demanda Karsten.

— À la marina de Charleston, répondit Ben. Emplacement 134.

— Vous avez un reçu ?

— Non, c'est prépayé pour la navette.

— L'institut paye cet emplacement ?

Pour toute réponse, Ben haussa les épaules.

Il y eut un long silence. Carl, en proie à un ennui profond, jouait avec son badge.

— Avez-vous été malade ? reprit soudain Karsten.

— Non, répondit Ben, étonné.

— Rien du tout ?

— Mais non.

Cette fois, Ben était soupçonneux.

Karsten changea de tactique.

— Vous avez prétendu avoir découvert un crâne humain.

— C'est une question ?

Karsten tapa du poing sur la table.

— Ne jouez pas au plus fin avec moi, monsieur Blue. Vous avez trouvé un crâne, oui ou non ?

— Il faisait sombre.

Les yeux de Karsten lancèrent des éclairs.

— Y avait-il la trace d'une balle dans ce crâne, comme vous l'avez affirmé ?

— Je ne l'ai pas affirmé. C'est Tory.

Karsten inspira profondément. Une fois, deux fois.

Ben attendit.

Prenant le relais, Carl posa sa première question de la journée.

— Quand vous êtes arrivés au festival canin, quelle est la première chose qui s'est passée ?

Ben plissa les yeux.

— Alors ?

— Un chien m'a fait trébucher. J'ai fait un vol plané et ma chemise a été fichue. J'ai dû en acheter une, ringarde au possible.

— Qu'est-ce qu'elle avait de particulier ?

Ben hésita, tandis que Karsten se penchait en avant, espérant un faux pas.

Souriant, Ben répondit :

— Un chien était imprimé dessus.

— Ce sera tout, conclut Karsten d'un ton sec.

*
* *

— Tory Brennan.

Karsten m'avait gardée pour la fin. Pour me mettre sur les nerfs, j'en étais certaine. Il avait l'avantage. Mais j'étais bien déterminée à ne pas le lui montrer.

— Bonjour. Asseyez-vous.

Je me suis assise sur la chaise encore toute chaude. J'étais prête. On s'était exercés comme des fous.

Vas-y, abruti.

— Avant de commencer, je vais être clair.

Karsten a ôté ses lunettes, qu'il a essuyées avec sa cravate.

— Je *sais* que vos amis mentent.

Les couteaux étaient tirés. Il ne s'agissait pas seulement de recueillir des informations. C'était un interrogatoire, un vrai.

— Leurs récits étaient…

Karsten cherchait le mot juste.

— Parfaits. Verrouillés.

Il a remis ses lunettes sur son nez.

— Soigneusement répétés.

— Je ne comprends pas.

Innocente comme l'agneau qui vient de naître.

— On a apprécié le festival canin, si c'est ce que vous voulez dire.

Le regard de Karsten était comme un rayon laser derrière ses verres maintenant maculés.

— Carl, laissez-nous.

Carl a été pris par surprise.

— Mon chef a dit que je devais rester pour observer.

— Tout de suite, si vous ne voulez pas nettoyer les cages des singes jusqu'à votre retraite ! a-t-il rugi en montrant la porte du doigt.

Le vigile est sorti d'un pas traînant.

Ouh là là !

Je me suis préparée au massacre. En transpirant. Merci à mes glandes sudoripares.

Une fois la porte refermée, Karsten a adopté un ton doucereux.

— Je ne vais pas entrer dans ce jeu avec vous, mademoiselle Brennan. Je perdrais mon temps.

— Docteur Karsten, j'ai confondu.

J'essayais d'avoir l'air gêné.

— J'étais perturbée. Vous savez, c'est terrifiant de découvrir des ossements dans le noir. J'ai paniqué.

— Je ne crois pas un instant que vous ayez pu confondre quoi que ce soit.

Sans prendre de gants, cette fois.

— Savez-vous quels sont mes liens avec votre tante Temperance ?

Comme si nous bavardions aimablement autour d'un verre.

J'ai secoué négativement la tête.

— Nous avons travaillé ensemble au Soudan, il y a cinq ans, a-t-il repris. On faisait des fouilles à Tombos, une colonie de la Nubie antique.

Karsten s'est appuyé des deux mains sur la table.

— Temperance Brennan est spécialiste des squelettes anciens. Vous l'idolâtrez. Vous lisez ses livres.

Il s'est penché vers moi, si près que je pouvais sentir l'amidon sur sa blouse de laboratoire et distinguer les pores dilatés de son nez.

— Vous ne pourriez pas prendre des ossements de singes pour des restes humains. Jamais de la vie.

J'ai cherché vainement une réplique. Cette attaque frontale me déstabilisait.

— Vous ne vous sentez pas très bien ces temps-ci, n'est-ce pas ?

Le ton était tranchant.

— Pas très bien ?

— Oui. Fièvre ? Maux de tête ? Désorientation ? Fatigue ?

— Pas du tout.

Karsten a littéralement explosé.

— *Où est le chien ?*

Un frisson m'a parcourue.

Coop ! Il est au courant.

— Co… comment ?

— Où. Est. Le. Chien ?

Il a martelé la table de ses poings.

— Assez joué. Je veux le récupérer. Maintenant !

— Je ne sais pas de quoi vous parlez.

Ma voix sonnait faux, même à mes propres oreilles. J'ai pensé un instant foncer vers la porte, puis j'ai renoncé. C'était inutile.

— Vous l'avez volé toute seule ? a lancé Karsten. Comment êtes-vous entrée dans ce laboratoire ?

Je n'ai pas répondu. Pendant quelques terribles secondes, j'ai cru que j'allais m'évanouir.

— Qui vous a dit d'aller chercher un cadavre à cet endroit précis ?

Il s'est mis à pianoter sur la table avec ses doigts osseux.

— Je sais que vous travaillez avec quelqu'un.

Silence.

Karsten s'est adossé à sa chaise. Il a bombé le torse et a respiré profondément. Quand il a repris la parole, sa voix était calme et posée.

— Si vous me prenez pour un imbécile, mademoiselle Brennan, vous vous trompez de personne. Je vous aurai. Et je récupérerai l'animal.

Cette froideur m'inquiétait plus que sa fureur. Mais la colère tenait ma peur à distance. Je savais que Karsten exécuterait Coop s'il en avait l'occasion.

Je me suis soudain levée, les mains posées sur la table, prenant ce fumier par surprise.

— Essayez un peu ! lui ai-je craché au visage.

Avant qu'il ait pu réagir, la porte s'est ouverte à la volée et Kit est entré.

— Pourquoi ma fille est-elle interrogée seule ?

— Nous en avons terminé. Vous pouvez raccompagner ces jeunes.

Sur ces mots, Karsten est sorti de la pièce en frôlant Kit au passage.

— Ça va, mon chat ?

Kit était livide. Il a lancé un regard noir en direction du couloir où Karsten venait de disparaître. Je craignais qu'il ne fasse quelque chose qui mette sa carrière en péril.

— Mais oui, ça va bien. Nous parlions de la fosse et des ossements. Pas de problème.

— Tu es sûre ?

— Oui. Karsten n'est pas aussi méchant qu'il en a l'air.

J'avais honte de ce mensonge, mais je n'aurais voulu pour rien au monde que Kit ait un comportement qu'il doive ensuite regretter.

— Rentrons. J'ai des tonnes de devoirs à faire.

Kit a hésité quelques instants.

— Très bien, a-t-il dit. Nous en reparlerons plus tard.

J'ai pris mes affaires et je suis sortie en hâte, les jambes tremblantes. Mais j'ai tenu le coup jusqu'à la maison.

Même si j'ai eu du mal.

35

Le directeur du LIRI était furieux. Et franchement effrayé.

Assis à son bureau, le Dr Marcus Karsten caressait d'une main distraite le crâne de chimpanzé qui lui servait de presse-papiers. Il l'avait acheté des années auparavant, quand il faisait des recherches sur le virus Ébola dans les jungles du Zaïre. Sa présence lui rappelait ses succès passés. Et lui donnait de l'assurance durant les périodes troublées.

Comme celle-ci.

Il souleva le crâne et plongea son regard dans les orbites vides. *Ma vie a tourné autour de virus mortels*, pensa-t-il. *Un de plus, un de moins…*

Il caressa la surface lisse pour tenter de calmer ses nerfs mis à l'épreuve. En vain.

Inutile de se cacher la vérité. Les entretiens avaient été catastrophiques. Les gamins s'étaient préparés. Il n'avait rien appris.

Toujours aussi nerveux, Karsten reposa le crâne sur son bureau. Lui, l'adulte, le cerveau supérieur, il avait perdu son sang-froid. Pire, il n'avait pas réussi à faire trébucher ces petits délinquants. Leurs récits collaient, jusqu'au moindre détail.

Un maudit festival canin ? Mensonge.

Et ils avaient prononcé le nom de Katherine Heaton.

Un frisson le parcourut. Qu'est-ce que ces mâchouilleurs de chewing-gum avaient appris sur elle ?

Karsten pianota sur son bureau. Derrière lui, la large

baie vitrée laissait voir la lumière du jour en train de décliner.

Leur audace le stupéfiait. Avaient-ils demandé l'autorisation de creuser ? Évidemment pas. Ils avaient simplement poursuivi leurs recherches. Sur son île !

Ils savaient que je refuserais. Donc, ils ont fait comme si je n'existais pas. Une bande de punks impertinents !

Mais pourquoi avoir creusé précisément à cet endroit ? Quelqu'un leur donnait des instructions. Qui ?

Il faut que je le découvre, avant qu'ils ne fassent encore plus de dégâts. De vrais dégâts.

Tory Brennan.

Les doigts de Karsten pianotèrent plus lentement, puis retrouvèrent le contact reposant du crâne de chimpanzé.

Cette fille était la clé. Une insolente. Une mademoiselle Je-sais-tout. Brillante, oui, il devait le reconnaître. Elle avait une intelligence remarquable pour quelqu'un d'aussi jeune.

Et coriace, avec ça. Cette petite garce l'avait provoqué !

Le souvenir le rendit furieux. Il appuya ses paumes tremblantes sur les pariétaux du chimpanzé.

J'ai perdu mon sang-froid tout à l'heure en essayant d'intimider une gamine. Ridicule.

Quant à l'idée de faire sortir Carl, elle était démente. Décidément, c'était une erreur monumentale d'essayer de bousculer Tory Brennan.

Kit Howard risque de faire des vagues. À partir de maintenant, je dois être plus prudent.

L'université posera des questions, apprendra l'existence du labo secret. C'est inévitable. Carl ne gardera pas le silence éternellement.

Il va falloir que j'y aille doucement. En me tenant à l'écart des regards indiscrets.

Et je dois remettre la main sur ce foutu chien.

Un soleil orange se couchait derrière la cime vert sombre des arbres de la forêt. Karsten contempla ce spectacle magnifique, sans parvenir à chasser l'angoisse qui l'étreignait. L'impression d'une catastrophe imminente.

Il n'arrivait pas à chasser de son esprit l'image du regard de Tory Brennan quand il avait explosé. Un regard où se lisait quelque chose qui n'était ni de la peur, ni de la confusion, ni de la panique.

Quelque chose de plus dangereux. Qu'il connaissait bien.

La rage. Cette fille était furieuse.

Qu'est-ce qui pouvait motiver une fureur pareille chez une adolescente ?

Elle craignait pour un être qu'elle aimait.

Le chien.

Tory Brennan savait où se trouvait le sujet A. Elle l'avait pratiquement reconnu.

Karsten n'avait pas le choix. Il devait récupérer l'animal au plus tôt. Son bienfaiteur n'était pas du genre à pardonner, ni à hésiter à faire usage de la force.

Au jeu auquel participait Karsten, il n'y avait pas de seconde chance.

36

— Carl a dit que je parlais trop. Très drôle.

Hi, assis par terre, faisait semblant de lutter avec Coop, qui se donnait à fond au jeu, se roulant par terre et grognant.

— Hilarant.

Shelton était en train de verser de la pâtée dans une écuelle.

— Karsten a été tout le temps sur mon dos. J'ai failli péter les plombs.

Sentant l'arôme de la nourriture, le chiot s'est approché de lui.

— Il nous soupçonne, a affirmé Ben.

Pour ma part, j'étais dans ma tour d'ivoire. Je me demandais si je devais ou non raconter à mes amis ce qui s'était passé pendant mon entretien avec Karsten. Ben avait raison. Karsten m'avait directement accusée.

— Ça m'a servi de faire l'andouille, a déclaré Shelton. Mes parents ne suspectent rien.

— On n'est pas débarrassés pour autant du Dr Casse-couilles.

Hi, toujours dans la poésie.

On s'était retrouvés après le dîner. Les veilles de week-end, les adultes nous laissaient le champ libre. Tandis qu'ils nous croyaient à la plage, nous nous étions réunis au bunker.

Shelton a souri.

— Tu nous as donné un bon conseil, Hi. Karsten a posé des questions sur des petits détails. La chute de

Ben, la grosse dame, et même le caniche. Il avait les boules, c'était visible.

— Merci, a répondu Hi en s'inclinant sans se relever. Le brainstorming, c'est ma spécialité. Ce serait pareil pour toi si tu vivais chez moi.

— Eh bien, moi, ce vieux schnock m'a demandé où j'avais amarré le bateau, a dit Ben à son tour. Plus bizarre encore, il voulait savoir si je m'étais senti mal. Je suppose que c'était pour me déstabiliser.

Une petite sirène d'alarme s'est déclenchée dans ma tête.

— Qu'est-ce qu'il a dit, exactement ?

— Juste ça : avez-vous été malade ? Maintenant que j'y pense, il m'a posé deux fois la question.

— C'est curieux, il m'a posé la question à moi aussi, a constaté Hi. Il m'a pris par surprise. Mais j'ai menti, j'ai dit que non. Je n'allais pas lui confier que j'étais tombé dans les pommes après avoir couru l'autre soir.

— Eh bien, j'ai eu droit à la même chose.

Shelton a imité Karsten :

— Vous êtes-vous senti mal ces derniers temps, monsieur Devers ? Grippé ? Quelque chose dans ce genre ?

Il a levé les yeux au ciel.

— Qu'est-ce qu'il cherche ?

— Il doit avoir ses raisons, ai-je déclaré. Il a mis ça sur le tapis avec moi également.

Et c'était une accusation, pas une question. Mais je ne l'ai pas dit.

— Pourquoi pense-t-il qu'on aurait pu se sentir mal ?

Shelton a ôté un peu de pâtée collée sur les babines de Coop.

— Et en quoi est-ce que ça le concernerait ? a ajouté Ben.

— Je l'ignore.

Ce n'était pas tout à fait vrai.

— L'effraction a eu lieu pendant un orage. Il croit peut-être que les cambrioleurs ont pris froid.

Les autres m'ont regardée comme si j'avais dit une énormité.

— Pour être honnête, je me suis pas senti très bien.

Il y avait une note d'inquiétude dans la voix de Hi.

— Et pourquoi est-ce que je me suis évanoui dans le bateau ?

Je me suis forcée à rire.

— Ne t'inquiète pas, je ne suis pas en super-forme moi non plus. La semaine a été dure.

Je n'avais pas l'intention de parler de mon petit épisode de faiblesse.

— Puisque vous en parlez, il m'est arrivé quelque chose de bizarre hier, a admis Shelton après une légère hésitation. Mes jambes se sont dérobées sous moi. Sous la douche. Je me suis retrouvé sur le carrelage, crevant de chaud et incapable de remuer le petit doigt. Et puis, pouf, j'ai retrouvé mon état normal.

Malheur ! L'attaque de Shelton ressemblait à la mienne.

— Et depuis, ça va ? ai-je demandé.

— Très bien.

— C'est exactement ce qui m'est arrivé ! s'est exclamé Hi. Je suis tombé comme une masse, brûlant à l'intérieur, puis plus rien. Mais je me sens vidé, depuis.

— Ben ? ai-je lancé.

Je n'avais toujours pas l'intention de leur dire que j'étais dans le même cas.

— Rien. Une santé de fer.

Ce doit être une coïncidence. Ne commence pas à paniquer.

— On a vraiment dû attraper la crève, ai-je conclu. Après tout, on était dehors sous la pluie toute la journée.

Shelton et Hi ont approuvé de la tête, mais ils avaient tout de même l'air mal à l'aise. Cela n'a fait que confirmer mon intention de ne rien dire pour le moment.

Idem pour les accusations de Karsten. Il était inutile de susciter de l'inquiétude sans raison.

Change de sujet.

— Si Karsten avait eu des preuves contre nous, il s'en serait servi. Tant qu'on se tient tranquille et que

Coop est à l'abri – j'ai jeté un coup d'œil au chiot –, on ne risque rien.

Voilà qui devait les rassurer.

Comme s'il avait compris, Coop s'est approché et a donné un petit coup de museau à Shelton pour qu'il le gratte entre les oreilles. Shelton s'est exécuté et le chiot s'est mis le ventre en l'air en remuant la queue. Trop mignon.

— Qu'est-ce qu'on prévoit pour notre bébé chien-loup ? a demandé Ben.

— Il faut lui trouver un foyer.

L'idée de donner Coop me déprimait, mais le petit animal était une grenade dégoupillée. Si Karsten le repérait, on se retrouverait en centre pour jeunes délinquants.

— Chez des gens de confiance, ai-je poursuivi. À l'extérieur de la ville, pour que Karsten ne risque pas de tomber sur lui.

— Et Katherine Heaton ? a lancé Shelton. Je n'ai rien de prévu pour demain, mais j'aimerais mieux être prévenu si l'on doit attaquer une banque ou un truc de ce genre.

— Tordant, ai-je dit. Tu devrais écrire des scénarios pour les Simpsons.

— J'y penserai. Alors, Katherine Heaton ?

— L'empreinte est notre seul indice. Après, je n'ai plus d'idée.

— Donc, on dépend de Chance Claybourne.

Ben a hoché la tête.

— Génial.

— Pour un fils de famille, il n'est pas si désagréable, a dit Shelton.

Hi s'est levé.

— Bye ! Je vais pioncer avant de me sentir plus mal. Je suis déjà assez parano comme ça.

J'étais sur la même longueur d'ondes.

Les garçons ont caressé Coop avant de sortir un à un. Le chiot a gémi, mais il s'est roulé en boule sur son coussin. Quelques instants après, il dormait.

Il va bientôt nous falloir une porte, ai-je pensé. À tout

moment, maintenant, Coop pouvait s'en aller gambader dans les dunes. C'était un vrai problème.

— Fais de beaux rêves, petit bonhomme.

J'ai suivi les autres dans la nuit.

37

Avec le samedi sont arrivés de gros nuages. J'ai attendu le départ de Kit, puis je me suis extraite du lit.

Et j'ai découvert un petit mot scotché sur ma porte. Kit voulait que nous « bavardions » après son travail.

Joyeuse perspective.

Qu'importe. Aujourd'hui, j'allais passer du temps avec Coop. Bientôt, nous devrions nous séparer du chiot et j'avais bien l'intention de profiter de lui un maximum.

Un léger crachin tombait pendant que je pédalais jusqu'au bunker. J'ai abandonné mon vélo au détour de la dernière dune.

Au moment où je me hâtais vers l'entrée, une forme grise a jailli des buissons et m'a fait trébucher. J'ai atterri dans un carré de myrtes, tandis qu'elle disparaissait dans les hautes herbes.

Le cœur battant à tout rompre, j'ai regardé autour de moi. À travers les tiges soyeuses, un petit museau pointait dans ma direction. Des pattes frêles. Des oreilles tombantes.

Quelques instants plus tard, Coop bondissait sur ma cheville en grognant gentiment.

Je lui ai gratté la tête.

— Comment es-tu sorti ? Tu es censé te reposer, voyons !

Coop se frottait contre ma main, les yeux brillant d'intelligence. Puis, toujours par jeu, il a posé sa tête sur ses pattes de devant et a levé l'arrière-train dans un simulacre de menace.

— Est-ce que tonton Hiram t'a laissé partir ? Ou bien es-tu sorti tout seul ?

Je l'ai poussé doucement à l'intérieur du bunker. Hi n'était pas là. Pourtant, il avait promis d'aider à nettoyer.

— Bon, on dirait qu'on n'est que tous les deux.

Coop s'est mis sur le dos. Je lui ai caressé le ventre, ravie de constater que toute trace de la maladie semblait avoir disparu.

— Il est temps de désinfecter cet endroit.

Le chiot serait contagieux pendant une semaine encore et nous devions veiller à ce que le virus ne se répande pas.

J'ai passé les murs et le mobilier à l'eau de Javel, puis j'ai fourré les couvertures de Coop dans un sac pour les mettre au lavage.

Au-dehors, j'ai javellisé l'endroit où Coop faisait ses besoins. Ce n'était pas très respectueux de l'environnement, mais le parvovirus peut survivre dans la terre pendant six mois. Je n'avais pas envie qu'un autre chien, passant par là, l'attrape à son tour.

Pendant ce temps, Coop se reposait dans un coin, sans se préoccuper de moi.

J'avais tout juste fini de passer la serpillière sur le sol lorsque j'ai eu un étourdissement. Je me suis appuyée contre le mur, les yeux clos.

Mais le vertige s'est encore accentué.

Je me suis mise à tousser. Lentement, au début, puis en quintes rapprochées qui me déchiraient l'intérieur du crâne. J'avais des élancements jusque dans les yeux et des larmes brûlantes coulaient sur mes joues.

C'est sans doute les vapeurs de Javel. Il faut que j'aille respirer dehors.

J'ai tenté de sortir du bunker, mais la pièce tanguait comme un navire dans la tempête et je sentais que je perdais conscience. Tout tournait autour de moi. Quelque chose de dur m'a heurté le visage. J'ai vaguement compris que je venais de tomber à terre.

Des secondes se sont écoulées. À moins que ce ne soient des heures.

Quand j'ai repris contact avec la réalité, j'avais une énorme limace rose sur le nez.

— Beuh ! ai-je dit d'une voix faible. Assez !

Coop a retiré sa langue. A reculé. Aboyé.

Il avait faim.

— Une minute !

Je me sentais toujours vaseuse et j'avais un goût métallique dans la bouche.

Ignorant les règles du savoir-vivre, j'ai craché par terre. L'amertume n'a pas disparu.

J'ai essayé de me relever, l'esprit embrumé.

Je n'arrivais pas à respirer.

Une nouvelle fois, mes jambes se sont dérobées sous moi. Je suis tombée à genoux, la tête dans un étau. Couverte d'une sueur froide.

Je me suis retrouvée à nouveau face contre terre.

Au bout d'un moment, je me suis sentie mieux et j'ai retrouvé mes esprits.

Je m'attendais à un troisième assaut. Mais non.

Je me suis passé la main sur le front, puis j'ai fait l'inventaire des dégâts dans mon corps.

Rien de cassé.

Je me sentais soudain en pleine forme. Pétant d'énergie. L'esprit affûté. Comme si j'avais avalé un double expresso.

Mince, c'est le même truc que sur le bateau.

Coop s'est dressé sur ses pattes postérieures en jappant et en me donnant des petits coups de patte dans les côtes.

— Je sais, Coop. Tu veux ta pâtée.

Comme il était moins pénible de le nourrir que de réfléchir, j'ai ouvert une boîte et versé le contenu dans son écuelle. J'étais sur le point de déposer la nourriture sur le sol quand mon détecteur de bizarreries m'a envoyé un message.

J'ai regardé Coop.

Coop me regardait.

Impossible.

— Tu m'as parlé ?

J'avais à peine articulé ces paroles que je me suis sentie ridicule. Coop ne parlait pas, évidemment. Et les cordes vocales du chien sont incapables de prononcer les mots du langage humain.

Pourtant, le chiot avait fait… *quelque chose.*

D'accord, j'avais la cervelle comme du fromage blanc. Mais j'en étais certaine, d'une manière ou d'une autre, Coop et moi venions de communiquer.

Il a incliné la tête avec un petit gémissement et a poussé son museau contre ma main. Visiblement, il trouvait l'attente de son repas un peu longue.

J'ai poussé l'écuelle de côté et, prenant la tête de Coop entre mes mains, j'ai articulé lentement :

— Est-ce que tu as passé commande de ton déjeuner ? Dans ma tête ?

Un gémissement. Un coup de langue.

Arrête de te comporter comme une débile. Tu t'es évanouie. Tu as rêvé.

J'ai secoué la tête et tendu l'écuelle à Coop, qui s'est jeté sur sa pâtée et l'a avalée goulûment.

— Désolée, baby, ai-je murmuré en lui caressant l'échine. Maman hallucine.

*

* *

L'absence de Hi m'inquiétait. Ce n'était pas son genre de ne pas se montrer. Et s'il avait été de nouveau malade, lui aussi ?

Le ventre plein, Coop s'est endormi. Quelques minutes plus tard, j'étais devant la porte d'entrée des Stolowitski.

J'ai frappé. Une fois, deux fois. Pas de réaction.

Connaissant les habitudes de Ruth, qui prenait mille précautions avant d'ouvrir, j'ai attendu.

Un rideau a bougé. Puis des cliquetis de chaînes ont retenti. Enfin des bruits de verrous que l'on tire.

Ruth m'a accueillie en me serrant dans ses bras à m'étouffer.

— Bubbala ! Tu veux manger quelque chose ?

Je me suis raidie. Cela me faisait penser à ma mère. Depuis quand ne m'avait-on pas étreinte affectueusement ? Kit et moi n'en étions pas encore là.

J'ai écarté ces pensées. Ce n'était pas le moment.

— Non, merci.

Je me suis dégagée.

— Hiram est là ?

— Pff ! Il traînasse au lit, ce grand paresseux.

Se tournant vers l'escalier, elle a lancé de manière à être entendue à l'étage :

— Essaie qu'il soit un peu *productif* pour un samedi, ça nous changerait un peu !

— Entendu.

La porte de la chambre de Hi s'est ouverte avant que j'aie eu le temps de frapper. Avec de grands gestes, Hi m'a fait signe d'entrer, puis il a refermé et s'est affalé sur son gros fauteuil de cuir, blême et essoufflé.

En voyant son état, j'ai eu l'estomac noué.

— Tu as une tête épouvantable, ai-je dit.

— Je *suis* dans un état épouvantable. Ça cogne sous mon crâne comme si Lady Gaga y donnait un concert.

— Moi aussi.

Je lui ai raconté ce qui venait de m'arriver, en laissant de côté l'aspect télépathie canine. J'avais besoin de réponses, pas de coups d'œil inquiets.

— Tu t'es encore évanoui ? ai-je demandé pour finir.

— Non.

Hi a esquivé mon regard.

— J'ai eu... d'autres problèmes.

Je lui ai fait signe de poursuivre.

— Disons que c'est une question de tuyauterie, d'accord ? Ne dis rien à ma mère. Tu la connais !

— Entendu. Mais je me demande si on n'a pas attrapé une saleté.

— Tu en as parlé à Shelton ?

J'ai fait « non » de la tête.

— C'est mon prochain arrêt.

— On a sans doute été contaminés. Est-ce qu'on ne devrait pas prendre le taureau par les cornes et consulter un docteur ?

— Voyons d'abord comment vont les autres. Ne bouge pas.

Il a tendu l'index vers sa salle de bains.

— Je serai là. Mon univers tourne autour des toi-lettes.

Merci pour les détails.

Deux maisons plus loin, j'ai sonné chez les Devers.

Pas de réponse.

J'ai sonné de nouveau.

Personne.

J'étais en train d'envoyer un texto à Shelton lorsque j'ai aperçu Ben sur le quai, en train d'attacher le *Sewee*.

— Hello ! ai-je lancé en me dirigeant vers lui. Tu te sens toujours en forme ?

— Ouais. Pourquoi ? Je ne devrais pas ?

Je lui ai raconté mon évanouissement et les ennuis intestinaux de Hi. Il a réagi en reculant et en mettant sa main devant sa bouche comme un masque de pro-tection.

— Ouh là ! Je vais me tenir à distance. J'ai déjà assez de problèmes.

— Merci. Ta sympathie me va droit au cœur, Ben.

Mais son absence de symptômes était rassurante. S'il n'avait rien, Hi et moi devions souffrir de bobos ordi-naires.

— Envoie-moi un twit si tu te sens mal, ai-je dit.

— D'accord. Maintenant, dégage, singe porteur. Je n'ai pas envie d'attraper la grippe porcine.

— Je te souhaite d'avoir ce qu'a Hi ! ai-je rétorqué.

J'ai repris la direction de la maison.

Une petite sieste ne me ferait pas de mal.

38

Pour ma sieste, je devrais attendre. Finalement, Kit ne s'était pas rendu à Loggerhead et quand je suis arrivée à la maison, il m'a accueillie dans le séjour, impatient de me poser des questions.

— Tory, assieds-toi.

Petits tapotements sur le canapé à côté de lui.

Ce n'était pas le moment de lui parler de ma santé. Kit, connaissant ses carences en matière de paternité, était capable de surcompenser en me soignant. Je n'avais absolument pas l'intention de me laisser emmener chez un toubib aujourd'hui. Trop crevée pour ça.

Sans répondre à son invitation, je suis allée m'asseoir en tailleur dans un fauteuil club.

Kit a laissé filer.

— Ces derniers jours ont été complètement dingues, a-t-il dit. Bon, maintenant, j'exige la vérité. Que se passe-t-il ?

La question m'a énervée. Pourquoi ce soudain intérêt pour mon existence ?

— Je te l'ai déjà expliqué. Si tu veux des détails, demande à ton pote Karsten.

C'était un coup bas, mais je m'en fichais.

— Ce qui est arrivé ne me plaît pas plus qu'à toi.

Son visage s'est empourpré. Colère ? Gêne ? Comment savoir ?

Un silence embarrassé, puis :

— J'essaie d'aider.

— Pourquoi ?

224

— Je suis ton père.

— Merci, Kit – j'ai appuyé exprès sur son prénom –, mais tu arrives après la bataille. L'interrogatoire avait lieu *hier*. C'est un peu tard pour jouer au super-papa.

À son expression, on aurait pu croire qu'il avait reçu une gifle. J'avais honte de moi. Pourquoi étais-je aussi méchante ?

— Tory, je suis désolé.

Il semblait sincère.

— Je n'aurais jamais pensé qu'on te mettrait sur le gril comme un suspect. Je ne l'aurais pas permis, d'ailleurs.

Cette affirmation n'attendait pas de réponse, donc je me suis tue.

— Je sais que je ne peux remplacer ta mère, mais je fais de mon mieux.

Silence prudent de ma part.

— Je me plaindrai lundi, a poursuivi Kit. Le Dr Karsten a agi de manière inappropriée.

— Non !

Avec mes âneries, je vais mettre Kit dans une situation impossible.

— Ça ne va pas bien loin, je t'assure.

Je me suis levée et l'ai rejoint sur le canapé, avec un sourire forcé.

— J'ai exagéré. Je t'en prie, ne fais pas de vagues au boulot.

— Tu avais pourtant l'air pétrifiée dans cette salle de réunion. Karsten n'aurait pas dû t'interroger sans les autres.

— J'ai mal réagi.

Haussement d'épaules nonchalant.

— Il en a fini avec nous, de toute façon.

— C'est comme tu veux, Tory.

— On n'en parle plus, je préfère.

Le visage de Kit s'est détendu, et il a retrouvé son sens de l'autodérision.

— C'est sans doute mieux comme ça. J'aurais encore été capable de poser plus de problèmes que je n'en aurais résolu.

J'ai souri, spontanément, cette fois. Kit était vraiment

sympa quand il était lui-même. Et honnêtement, je devais avouer que c'était à cause de *moi* si cela ne lui arrivait pas souvent.

— Bon. Cela ne te dispense pas de m'expliquer ce que tu as fait ces jours derniers.

Kit a pris un ton très père de famille.

— Vas-y. Commençons par ce festival canin.

Sur la pointe des pieds, j'ai détaillé les événements du week-end, en m'en tenant à la version mise au point par le groupe. J'avais du mal à croire que sept jours plus tôt, j'ignorais l'existence de Katherine Heaton.

Kit m'a écoutée. Il a posé quelques questions. Apparemment, mon histoire lui paraissait crédible. À la fin, il a hoché la tête.

— Tu as été pas mal secouée, semble-t-il. Et pendant ce temps, j'étais pris par mon travail. Je m'en veux de t'avoir laissée tomber. Je te promets d'être plus disponible à l'avenir.

— Pas de problème.

— Dès que j'aurai terminé ces tests de salinité, on fera quelque chose ensemble. On est d'accord ?

— On est d'accord.

Sur quoi ?

— Si ça ne t'ennuie pas, je vais me reposer un peu. Je suis fatiguée.

— Très bien. Whitney vient dîner. Ne disparais pas.

Il ne manquait plus que ça.

— Ce soir n'est peut-être pas le meilleur…

Kit a balayé mon objection d'un revers de main.

— Je l'ai déjà invitée, impossible de revenir là-dessus.

Il m'a lancé un regard presque suppliant.

— Elle n'est pas terrible à ce point, non ?

— Au moins, elle n'essaie pas de *te* transformer en ours dansant.

Kit a pouffé.

— Je vois que tu as fait le tour de la question !

*
* *

226

Mis à part le cliquetis des couverts, le dîner se déroulait en silence. Je ne faisais aucun effort pour parler, sachant que Madame ne tarderait pas à me tomber dessus de toute façon.

Je me demandais comment elle allait s'y prendre. Indirectement, en mentionnant de nouvelles robes qu'elle avait vues ? Ou sans détours ?

Une chose était certaine : Whitney ne me lâcherait pas. J'étais sa nouvelle poupée Barbie. Elle tenait à m'affubler de fringues chicos pour que je brille dans ses petits jeux.

Et j'étais malade comme un cochon. Mal de tête. Fièvre. Nez qui coulait. Nausée.

Survis au repas, c'est tout.

Whitney avait préparé le repas à l'avance chez elle. Tout en mangeant, je l'imaginais en train de venir en voiture depuis Tradd Street. Il aurait suffi d'un malencontreux coup de frein pour que les traditionnelles crevettes façon Caroline du Sud valdinguent sur les coussins de sa Mercedes immaculée et sur sa robe Laura Ashley, semoule de maïs, oignons et tout…

Pas très charitable ? Effectivement. Mais l'image m'amusait.

D'habitude, j'ai un appétit féroce. Pourtant, ce soir, l'idée même d'avaler quoi que ce soit me soulevait l'estomac.

Mon petit somme s'était mal passé. Dès que j'avais posé ma tête sur l'oreiller, la pièce s'était mise à tourner. Mes intestins étaient en pleine débâcle. Toutes les cinq minutes, je m'étais précipitée aux toilettes. Après la purge finale, je m'étais roulée en boule dans le lit jusqu'à ce que Kit m'appelle pour le dîner.

Je réarrangeais la nourriture dans mon assiette sans y toucher, en espérant que Whitney m'épargnerait.

Le miracle n'a pas eu lieu.

— Tory, j'ai de bonnes nouvelles ! s'est-elle exclamée avec son accent du Sud. Le comité est d'accord pour examiner ta demande d'admission au bal de la saison prochaine. Autant dire que tu es presque acceptée.

Le comité était *déjà* d'accord ? Elle ne m'avait même pas demandé la permission !

Sans tenir compte de mon expression déconcertée, Whitney a poursuivi :

— Mieux, tu peux participer aux activités de cette année en tant que débutante junior. Ce n'est pas merveilleux ?

On ne retrouvera jamais son cadavre.

— Excellent, a approuvé Kit. Tu pourras fréquenter tes camarades de classe.

Puis, très vite :

— J'ai pris les devants et je t'ai inscrite.

Il m'a inscrite ? Mais à quoi pensait-il ? J'ai ouvert la bouche pour protester. Malheureusement, mon corps avait d'autres projets.

Des points lumineux ont explosé sous mes paupières. Des petites bêtes invisibles grouillaient sur ma peau. J'avais les muscles en feu. J'ai senti que je basculais et que ma tête heurtait le plancher.

Kit s'est précipité.

— Tory, que se passe-t-il ? Parle-moi !

J'étais dans une sorte de brouillard. Surtout ne pas perdre conscience.

— Ça va.

J'ai repoussé Kit et me suis mise debout.

— Quelle empotée ! J'ai glissé de ma chaise. C'est nul, non ?

Kit ouvrait des yeux ronds. Whitney des yeux plus ronds encore.

— Tu veux que j'appelle un médecin ? Ou Lorelei ?

— Non ! Je crois que le soleil m'a tapé sur la tête, c'est tout. Je vais m'allonger un peu, ça me fera du bien.

Whitney a lancé à Kit un coup d'œil du genre « Je te l'avais bien dit ».

— La pauvre enfant a besoin d'activités féminines, a-t-elle déclaré. Elle court trop dans les dunes avec les garçons.

Kit a levé la main pour l'interrompre.

— Ce n'est pas le moment de…

Mais personne ne peut arrêter Whitney quand elle est en mission.

Contournant Kit, elle s'est emparée de ma main.

228

— Va au bal de mercredi soir, mon chou. Sans engagement. Je suis sûre et certaine que tu adoreras.

Sa voix dégoulinait de miel.

— Ça te fera un bien fou.

Je n'avais pas la force de la contredire.

— On verra. Là, j'ai besoin de dormir.

— D'accord, fifille, monte te reposer.

Dans une de ses rares manifestations d'affection, Kit m'a ébouriffé les cheveux.

— Je passerai te voir un peu plus tard.

— J'espère que tu vas te sentir mieux, chérie, a lancé Whitney avec un sourire de triomphe. La soirée te plaira, je te le promets.

J'ai monté l'escalier, les jambes flageolantes, impatiente de me retrouver seule.

39

J'essayais de m'enfuir, mais j'avais des pieds de plomb.

Les pas de mes poursuivants, des monstres sans visage bien déterminés à faire de moi leur repas, se rapprochaient. Mes jambes s'agitaient en vain sur place.

Désespérée, je tombais à quatre pattes. Mes hanches et mon épine dorsale se réalignaient. Des os s'incurvaient, se modifiaient. Mes bras et mes jambes se musclaient.

Toujours à quatre pattes, je prenais un départ fulgurant, laissant les démons loin derrière. Je courais dans l'herbe, le vent sifflant à mes oreilles.

Le pur plaisir de la vitesse faisait naître un son au fond de ma gorge.

Je me suis réveillée en sursaut.

Avais-je hurlé dans mon sommeil ?

Je me suis frotté les yeux en m'étirant. Petit à petit, les images ont disparu.

Même mes rêves sont dingues.

Mon réveil indiquait onze heures du matin.

Impossible. J'ai vérifié l'heure sur mon téléphone. Pourtant si, j'avais dormi toute la nuit et une grande partie de la matinée.

Je me suis livrée à un check-up. Mon état s'était aggravé. Rien n'allait.

Crâne : dans un étau.

Estomac : retourné.

Poumons : congestionnés.

230

C'était donc officiel : j'avais attrapé une saleté.

Repoussant les couvertures, je me suis glissée à bas du lit.

SNAP.

Un éclair lumineux dans ma tête. Mes genoux se sont dérobés sous moi.

Et puis plus rien.

Plus de douleur. Plus de flashes.

Une odeur prenante m'a assaillie. Décontenancée, j'ai regardé autour de moi.

Elle arrivait par vagues de ma salle de bains. Pas une senteur pure, mais un mélange de graisse, de lavande, de menthe et de rose.

Bizarre. Je n'avais encore jamais remarqué ce cocktail désagréable. Je n'avais pas acheté de nouveaux produits, ni changé mes habitudes et pourtant il me sautait aux narines. J'ai fermé la porte en me promettant de nettoyer la salle de bains de fond en comble.

Mais pas du tout de suite.

Mon café d'abord.

J'ai descendu l'escalier d'un pas traînant.

Au moment où je traversais le séjour, une autre odeur écœurante m'a agressée. Ça venait de dessous la table basse. Avec un frisson, je me suis couvert le nez.

Était-ce un petit animal mort ? C'était suffisamment violent, en tout cas, pour que je le remarque de l'autre bout de la pièce. En retenant mon souffle, j'ai légèrement déplacé la table.

Il y avait une feuille de laitue brunâtre sur le sol. Je l'ai ramassée, l'ai reniflée. L'odeur de pourriture, écœurante, m'a fait venir les larmes aux yeux.

Cela n'avait aucun sens. Comment une feuille de laitue pouvait-elle dégager une puanteur pareille ?

SNUP.

Une explosion d'étincelles dans mon cerveau. J'ai vacillé, me suis rattrapée.

— Mon Dieu !

L'odeur de pourriture a disparu.

C'est quoi, ce truc ?

J'ai porté la feuille de salade à mon nez. Rien. Sur une impulsion, je suis montée à ma chambre. L'odeur de savonnette-produit nettoyant-arôme floral avait disparu elle aussi.

Perplexe, je suis redescendue au rez-de-chaussée et me suis affalée sur le canapé du séjour. J'avais de nouveau des sifflements dans la tête. Fermant les yeux, j'ai laissé mon esprit vagabonder.

SNAP.

Une lumière aveuglante.

Une douleur fulgurante.

Expiration brutale.

J'entendais des tapotements, auxquels s'est bientôt joint un bourdonnement lancinant, comme une tondeuse à gazon qu'on met en marche.

J'ai tourné la tête de tous côtés, cherchant l'origine du bruit. Il venait de la cuisine.

Les yeux me piquaient. Au bout du couloir, j'ai soudain distingué chaque détail avec une incroyable précision.

Sidérée, j'avais l'impression de voir la cuisine à travers un téléobjectif. À plus de cinq mètres de distance, je pouvais lire la liste des ingrédients sur un paquet de céréales.

Les sons se sont amplifiés. Puis j'en ai entendu un autre, une espèce de suçotement.

Les yeux écarquillés, j'ai balayé la cuisine du regard. Les bruits provenaient de la fenêtre.

Ma vision est devenue encore plus précise.

J'ai repéré une mouche en train de se promener sur le rebord. Des traits sombres ornaient ses ailes transparentes. Ses yeux étaient constitués d'un millier de minuscules bosses rouges.

L'insecte se déplaçait sur ses pattes velues. Il se servait de sa trompe pour explorer. Ses ailes vibraient tandis qu'il essayait de résoudre l'énigme de la vitre.

J'en suis restée bouche bée.

J'entends une mouche depuis l'autre bout de la maison. J'arrive à voir les grains de poussière collés à ses antennes.

SNUP.

Ma vue s'est brouillée, puis est redevenue normale. À côté de l'extraordinaire acuité visuelle que je venais de connaître, mon « vingt sur vingt » habituel m'a semblé vague et imprécis.

J'ai tendu l'oreille. Ni bourdonnement, ni tapotements.

Je me suis précipitée vers la fenêtre de la cuisine. La mouche était toujours là, mais je l'entendais à peine. Ses ailes et ses yeux avaient l'air tout à fait ordinaires.

Complètement sonnée, j'ai relevé le châssis. L'insecte a filé sans demander son reste.

Ne flippe pas. Tu es malade, c'est clair.

Odorat. Vue. Ouïe. Complètement déréglés.

Qu'est-ce qui pouvait bien créer des hallucinations dans ce genre ?

Mon système opératoire s'était crashé et j'ignorais comment le rebooter. J'ai décidé de contacter le groupe. En urgence.

Baignée de sueur et toussant à fendre l'âme, j'ai regagné ma chambre et j'ai allumé mon Mac. Deux icônes étaient éclairées. Hi et Shelton, en ligne.

Mes doigts ont volé sur le clavier : **Vous vous sentez bizarres ? Suis subclaquante.**

Shelton a répondu le premier : **Malade comme un chien. Gerbe et compagnie.**

L'icône de Hi est apparue : **J'agonise. Donnez mes affaires aux pauvres.**

Horreur. Je n'étais donc pas la seule.

J'ai tapé : **Passez en iFollow. Mode conférence.**

J'ai changé de programme et j'ai attendu. Au bout de plusieurs minutes, j'ai cliqué de nouveau. J'avais deux messages non lus.

Shelton : **Trop crevé, retourne au lit. Plus tard peut-être.**

Hi : **Coincé aux chiottes. Ça craint. Bye.**

J'ai refermé mon ordinateur. Peut-être qu'une douche me ferait du bien. C'était apparemment quelque chose de normal. De sûr.

Je n'y suis pas arrivée.

Des picotements dans tout le corps. Une grimace. Un gémissement primitif. Puis, comme avant, les symptômes ont disparu.

Je me suis assise sur le sol de ma chambre, la tête entre les genoux. Dégoulinante de sueur.

Qu'est-ce qui se passe ?

Un soupçon a germé dans mon esprit. S'est épanoui selon une logique implacable, sans tenir compte du malaise qu'il créait.

Tu sais, chuchotait-il à mon oreille. *C'est toi qui as déclenché ça.*

L'intrusion dans le labo de Karsten. L'expérience du parvovirus.

Cooper.

Non. Le parvovirus canin ne se transmet pas aux humains. Le chien ne représentait pas un danger pour nous.

Coop était le sujet d'une expérience secrète, poursuivait le soupçon. *Qui sait de quoi il était porteur ?*

Était-ce cela ? Le virus avait-il muté ? L'infection de Coop était-elle plus sinistre que je ne l'avais pensé ?

— Stop ! me suis-je ordonné à voix haute. Arrête avec ta parano. C'est une coïncidence.

Oui, mais voilà, je ne crois pas aux coïncidences.

Pourquoi est-ce qu'on se sentait mal tous ensemble ? Coop était-il le seul dénominateur commun ? C'était quoi, ces réactions aberrantes ?

Pourtant, Ben, lui, n'était pas malade et il s'était exposé comme les autres en emportant Coop hors du labo.

Arrête avec ton cinéma. Tu as mieux à faire.

Surgie de nulle part, une autre idée est venue me déstabiliser.

Le groupe d'études. Je devais retrouver Jason et Hannah à midi.

Il était onze heures quarante-cinq. Je n'y arriverais pas. Pire, je n'avais pas fait le travail. Ça m'était sorti de la tête.

Aucune importance, finalement. Je n'étais pas en état de voir qui que ce soit. Je devais annuler.

J'ai préparé un texto, en insistant sur les regrets :

Jason, désolée, suis terrassée par la grippe. Impossible te voir aujourd'hui. Excuse-moi auprès

d'Hannah. Te donnerai mon travail lundi. Pardon d'avoir tardé. Tory.

Envoyé. Les minutes ont passé. Enfin, un message en retour est arrivé. **OK, remets-toi. À plus. J.**

Après avoir tourné et retourné le texto, en quête de la moindre nuance, mon cerveau a fermé boutique.

Je me suis endormie.

*
* *

Quatorze heures quarante-cinq.

Génial. Une demi-heure d'éveil depuis le début de la journée. Ce n'était pas mon dimanche le plus productif.

Je suis descendue, consciente que je mourais de faim. Pas de petit-déjeuner. Pas de déjeuner. Rien de surprenant.

Dans la cuisine, j'ai farfouillé dans le réfrigérateur. Mais ni les yaourts, ni les fruits et les légumes qui me plaisaient d'habitude ne me faisaient envie. Comme mues par leur propre volonté, mes mains se sont emparées d'un steak haché préemballé.

SNAP.

Une décharge électrique. Un gong a retenti dans ma tête.

Sans réfléchir, j'ai déchiré l'emballage plastique et j'ai plongé les doigts dans la viande. Mes glandes salivaires fonctionnaient à plein. J'ai pris une poignée de chair sanguinolente et l'ai fourrée dans ma bouche.

Pendant quelques instants, l'extase. Puis mes papilles se sont manifestées.

— Beurk !

J'ai recraché la pâtée à moitié mâchée dans l'évier.

De la viande crue ? Dégoûtant !

N'empêche que j'avais eu brièvement l'envie de dévorer la demi-livre. Une envie féroce.

Bon. Admets-le, c'est un fait.

Telle une créature de l'ombre, mon idée noire me narguait, tapie dans mon esprit. J'ai essayé de reprendre le contrôle en respirant à fond.

Du calme. Du calme.

Quand j'ai fini par lever les yeux, j'ai vu mon visage reflété par le robinet comme par l'un de ces miroirs déformants qu'il y a dans les foires.

Sauf qu'il n'y avait rien d'amusant dans ce cas. Le regard que j'apercevais était d'un or profond, un or primitif.

— Non !

Je me suis laissée tomber sur le sol, les yeux clos. Les larmes coulaient sur mes joues.

C'est impossible, ai-je murmuré silencieusement.

SNUP.

Une secousse dans tout le corps, puis l'onde de choc s'est apaisée.

J'ai ouvert les yeux et j'ai foncé dans la salle de bains.

Dans le miroir, des iris verts me regardaient. Des iris normaux. J'ai soufflé un bon coup.

Mais mon soulagement a été de courte durée.

Quelque chose n'allait pas. Quelque chose de sérieux. De mortel, peut-être.

J'ai repensé au lien bizarre que j'avais éprouvé avec Coop. À cet instant de familiarité et de compréhension. De communion.

— Qu'est-ce qui m'arrive ? ai-je murmuré.

Seul le silence m'a répondu.

40

La matinée du lundi a commencé de bonne heure. Je suis arrivée au premier cours à moitié morte.

Hannah et Jason m'attendaient déjà près de notre station de travail, les ordinateurs portables branchés. J'allais devoir leur annoncer la mauvaise nouvelle.

— Désolée, je n'ai pas les infos.

Je me suis effondrée sur ma chaise.

— Je sais que je les ai promises pour aujourd'hui, mais j'ai été malade pendant tout le week-end.

Hannah a simplement froncé les sourcils.

Jason a fait semblant de me menacer avec les deux poings.

— C'est un scandale ! On compte sur toi pour avoir l'air intelligent.

— Je ferai le boulot dès que possible, promis.

J'ai repoussé une mèche rebelle de mon front.

— Si vous aviez passé un week-end comme le mien, vous me comprendriez.

— Ne t'inquiète pas, a dit Jason. La présentation n'est que vendredi. On mettra ta partie en dernier et tu pourras présenter ce que tu as trouvé comme tu le voudras.

— Le plus important, c'est que tu ailles mieux.

La sollicitude d'Hannah paraissait sincère.

Je l'ai remerciée d'un sourire. Le laisser-aller scolaire n'est pas mon genre. La culpabilité, si. Elle me rongeait depuis mon réveil.

— Qu'est-ce qu'il y a au programme, aujourd'hui ? ai-je demandé.

— On observe les effets des indices olfactifs sur l'activité des gerbilles, a répondu Jason. On a deux odeurs à disposition.

Hannah a lu les instructions :

— Un : placez la cartouche d'arôme dans la cage. Deux : attendez cinq minutes. Trois : chronométrez le temps passé par la gerbille dans sa roue. Ça paraît facile.

— Apporte notre rongeur.

J'ai placé la première odeur dans la cage. De la lavande. Une senteur apaisante s'est répandue dans l'atmosphère.

Notre sujet, que nous avons surnommé Herbie, a reniflé la cartouche, puis s'est roulé en boule et s'est endormi.

— La lavande agit comme du Stilnox sur notre Herbie, a déclaré Jason.

On a consulté nos montres. Plusieurs fois.

— Terminé, a dit Jason. Nouvel arôme, s'il vous plaît.

C'est Hannah qui a changé la cartouche. Du pamplemousse, cette fois.

— Les huiles essentielles d'agrumes sont censées exercer une action stimulante, ai-je dit.

— Jusqu'à maintenant, notre rongeur n'a pas l'air de déborder d'énergie, a constaté Jason. Allez, Herbie, remue-toi un peu les fesses.

Herbie et moi étions sur la même longueur d'ondes. Je n'avais pas dormi correctement depuis plusieurs jours. Mes paupières étaient lourdes. J'ai failli fermer les yeux.

Erreur. La pièce s'est mise à tourner d'une façon qui m'était maintenant familière.

Oh non, pas ici !

SNAP !

La douleur a traversé le lobe frontal de mon cerveau. Partant de mon torse, une vague de chaleur a irradié vers mes membres. Ma vue s'est brouillée.

J'ai passé les mains sur mes tempes, dans un effort désespéré pour tenir le coup. Des gouttes de sueur perlaient à mon front.

— Tory ? Ça va ?

Hannah plissait le front, l'air inquiet.

Petit rire bête. J'avais du mal à parler.

— Juste un peu de fatigue post-grippale.

Je me suis levée, mais j'avais l'impression que mon cerveau flottait dans ma boîte crânienne.

L'odeur du pamplemousse m'envahissait, bombardant mon nez et m'irritant la gorge.

J'avais envie de vomir. Pas le temps de m'excuser. Fallait foncer.

J'étais en train de me précipiter vers les toilettes lorsqu'un mouvement a attiré mon attention. Herbie était en train de faire tourner sa roue.

Mes symptômes ont disparu.

Soudain, je ne voyais plus que la gerbille.

Je me suis accroupie près de la cage, le regard braqué sur le petit corps qui se démenait. Je sentais l'odeur de la fourrure, des copeaux de bois, et d'une sécrétion qui ressemblait à du musc.

Un flot de salive a baigné mes gencives et ma langue.

— Tory ?

Jason me mettait la main sur l'épaule.

— Qu'est-ce qui ne va pas ? Tu veux aller à l'infirmerie ?

Tous mes sens étaient concentrés sur le petit rongeur.

Qui m'a brusquement découverte. Alarmé.

Abandonnant sa roue, il a filé dans son nid.

Ma main est partie toute seule et la cage, déséquilibrée, a failli tomber. Jason l'a rattrapée avant qu'elle ne s'écrase au sol.

— Mais enfin, Tory, qu'est-ce que tu fais ?

SNUP.

Une porte s'est refermée dans mon cerveau.

Les odeurs se sont atténuées.

J'ai secoué la tête pour m'éclaircir les idées et j'ai repris contact avec la réalité.

Les autres élèves nous regardaient, certains ouvertement, d'autres en douce. Puis le canardage a commencé.

— La *boat girl*. En pleine panique, a chuchoté

Madison, ce qui a provoqué les ricanements de son entourage.

— Elle a peur des souris, a déclaré Ashley. Il doit y avoir des armées de rongeurs sur son île crasseuse.

C'est une gerbille, espèce de tarée.

— Faut grandir, gogolita, a conclu Courtney.

Là-dessus, le Trio des Bimbos a éclaté de rire, ravi de son humour.

J'avais les joues brûlantes d'humiliation.

La chaleur s'est répandue sous mon crâne, déclenchant un nouvel accès de haut-le-cœur. J'ai mis ma main sur ma bouche, prête à redécorer le sol avec le contenu de mon estomac. J'étais trop fatiguée pour bouger.

Hannah est venue à mon secours. Prenant ma main, elle a entouré mes épaules d'un bras protecteur.

— Viens. Tu vas te passer la figure sous l'eau froide.

Les yeux fermés, je l'ai laissée me guider.

— Madame Davis, Tory ne se sent pas bien, a-t-elle déclaré au passage au professeur. Je l'accompagne aux toilettes.

Sans s'arrêter, elle m'a entraînée hors du labo de biologie. Une fois dans les toilettes, elle s'est discrètement tenue à l'écart pendant que je hoquetais dans une cabine. À un moment, elle m'a passé un paquet de mouchoirs en papier sous la porte.

Quand je suis enfin sortie en reniflant, les yeux larmoyants, elle m'attendait près du lavabo, un petit flacon de bain de bouche à la main.

— Ça va mieux ? m'a-t-elle demandé.

— Beaucoup mieux. Je ne te remercierai jamais assez. Sans toi, je n'y serais jamais arrivée.

Elle m'a gentiment tapoté la main.

— Voyons, c'est tout naturel. Tu n'es pas bien et ces filles sont déjà assez mauvaise langue comme ça. Inutile de leur offrir un spectacle.

Elle m'a tendu un autre mouchoir en papier tandis que je me rinçais la bouche.

— Elles ne m'aiment pas beaucoup, n'est-ce pas, Hannah ?

— Laisse tomber. La jalousie peut provoquer le pire chez les gens.

— La jalousie ?

Je n'en revenais pas qu'elle ait utilisé ce mot.

Elle a eu un petit rire.

— Elles n'apprécient pas beaucoup que Jason s'intéresse à toi. Elles préfèreraient que tu ne sois pas sa favorite.

Allons bon ! Jason était un sac de nœuds que j'allais devoir défaire. Je l'intéressais, mais mon cœur battait pour Chance. Embêtant. Doublement embêtant. Hannah n'aurait sans doute pas été aussi gentille avec moi si elle avait su que je craquais pour son chéri.

Elle a senti ma gêne. Sans en connaître le motif. Heureusement.

— Ignore-les, m'a-t-elle conseillé. Ces trois-là ont l'esprit étroit et elles ne sortent pratiquement jamais de leur petit cercle de privilégiées. Elles sont *abominablement* immatures.

— Mais pas toi. Tu as été formidable, et crois-moi, je l'apprécie.

J'ai hésité. Brièvement.

— Cette année a été pénible.

— J'espère bien que je ne suis pas comme elles !

Hannah a éclaté de rire, révélant une dentition parfaite.

— Mais pour moi, c'est plus facile, parce que j'ai Chance dans ma vie.

— Il a l'air très bien.

Neutre comme la Suisse.

— On s'aime, lui et moi. Un jour, on se mariera.

Nouveau sourire étincelant.

— Chance et moi sommes faits pour être ensemble.

— Je suis heureuse pour vous deux.

J'étais sincère à quatre-vingt-dix pour cent. Bon, disons soixante-quinze.

La sonnerie a retenti.

J'ai passé encore un peu d'eau sur mon visage et mes mains.

— Je suis comment ?

— Belle.

Hannah m'a prise par le bras.

— Sortons ensemble, comme ça, l'affreux trio te lais-
sera tranquille.

On a quitté les toilettes bras dessus, bras dessous.

Pour se retrouver nez à nez avec Chance et Jason.

Jason s'est écarté du mur.

— Tory, tu te sens mieux ?

J'avais déjà eu mon compte. J'étais incapable de maîtriser mon corps et je me demandais à quel moment il
allait de nouveau me trahir. Autant dire que Jason était
bien la dernière chose dont j'avais besoin.

— Tout va bien, Jason. Merci.

J'ai pressé la main d'Hannah pour la remercier
encore, puis j'ai foncé tête baissée dans le couloir.

Je n'ai pas levé les yeux jusqu'à l'infirmerie.

41

L'infirmière, Mme Riley, a examiné ma langue. Vérifié mes pupilles. Fourré un thermomètre dans ma
bouche.

Malgré tout, aucun de mes symptômes n'est réap-
paru. Mes organes vitaux fonctionnaient parfaitement.
Perplexe, elle m'a donné deux Tylenol avant de me ren-
voyer en classe.

Pas étonnant qu'elle n'ait rien compris, puisque je
ne lui avais pas dit la vérité. Je ne pouvais lui expliquer
ce qui s'était vraiment passé. Comment j'avais perdu le
contrôle.

Le deuxième cours était commencé depuis longtemps. Littérature. Je me suis installée entre Hi et
Shelton, qui ont paru soulagés de me voir l'un et l'autre.

M. Edde, un grand hispanique avec une coupe afro
d'une vingtaine de centimètres d'épaisseur, était en
train d'exposer les mérites du pentamètre iambique. J'ai
tenté de me concentrer sur la leçon.

— Tory !

À voix basse.

J'ai glissé un regard sur la droite. Le nouveau téléphone de Hi était posé entre les pages de son bouquin.
Sans baisser les yeux, il a tapé un message.

Avec un naturel parfait, j'ai sorti le mien de mon sac
et je l'ai allumé.

Le texto de Hi contenait un lien.

Clic. Un forum de discussion est apparu sur mon
écran.

M. Edde avait horreur des téléphones. Il en avait déjà confisqué une douzaine depuis le début de l'année. Mais les dieux étaient avec moi. Après nous avoir demandé de lire un chapitre sur la poésie du XVIIe siècle, le prof a fait le tour de son bureau. Il a scruté la salle du regard pendant quelques instants, puis il s'est assis, a incliné sa chaise en arrière et s'est attaqué à une grille de mots croisés.

Tout était calme. Feignant de m'absorber dans la lecture de John Milton, j'ai reporté mon attention sur le cyberespace.

Deux avatars étaient présents. L'image de Napoleon Dynamite représentait Hi. Shelton était l'Abominable Homme des Neiges en train de dévorer un robot géant. Qu'on ne me demande pas pourquoi.

Il y avait aussi mon avatar, un loup gris en noir et blanc.

Hi avait déjà envoyé son message.

Napoleon : T'étais où ? Tu m'as fichu une trouille bleue !!!

Avec mille précautions, j'ai tapé ma réponse.

Loup : Infirmerie. Quelque chose ne va pas. Moche !

Napoleon : Moi aussi. Autre chose que grippe. Trucs nazes.

Abominable : Moi c'est pire. J'hallucine.

J'ai jeté un coup d'œil sur ma gauche. Shelton tapait nerveusement du pied comme s'il jouait à Rock Band sur Expert.

À droite, maintenant. Hi avait ôté sa veste. Sa respiration était sifflante et il se grattait les bras.

L'espoir a fait sa valise. Je n'étais pas seule à être malade. Nous avions attrapé quelque chose ensemble. Quelque chose de vraiment vilain.

Tout en gardant un œil sur M. Edde, j'ai répondu.

Loup : Faut se voir. Aujourd'hui. Bunker. D'ici là pas un mot.

À ma droite comme à ma gauche, les doigts se sont agités sur les claviers. Espérant que M. Edde allait rester plongé dans ses mots croisés, j'ai consulté mon écran.

Abominable : Trop malade. Je trouille. Peut-être en parler ma mère.

Napoleon : Pas de toilettes dans bunker. Pro-blemo.

Cela m'a irrité. Ils ne se rendaient donc pas compte de la nature de la maladie ? On ne pouvait *pas* en parler à nos parents. Pas avec Karsten dans les environs.

Loup : Devons parler d'abord, mal fichus ou non. En privé. Bunker. Après la classe. Super-important.

Loup : Ne dites RIEN. Même pas l'un à l'autre !

M. Edde a reposé les quatre pieds de sa chaise au sol, signe qu'il arrêtait les mots croisés. Conversation over.

J'ai replacé mon téléphone dans mon sac. Hi a glissé le sien dans sa poche. J'ai haussé un sourcil interrogateur. *Alors ?*

Hi a fait semblant de s'arracher les cheveux. Puis il a hoché la tête en signe d'approbation.

Shelton a grimacé, plissé le front et abaissé le menton.

Tout le monde à bord.

Maintenant, il fallait aller au bout de la journée. Un cours après l'autre.

*
* *

Une brise légère parcourait la marina, apportant avec elle les odeurs mêlées de l'eau salée, des hortensias et du fuel. Dans le port, les voiles étaient éblouissantes de blancheur sous le soleil de l'après-midi.

Il faisait bien trente-deux degrés, avec quatre-vingt-dix pour cent d'humidité. Ce n'était pas un jour pour les grandes sorties.

En embarquant sur la navette, Hi et Shelton avaient foncé droit vers la cabine, où il y avait l'air conditionné. On n'avait pas communiqué depuis le cours et on attendrait d'être arrivés au bunker pour se parler.

Les deux garçons n'avaient pas l'air ravis, mais ils ne s'étaient pas révoltés. Du moins pas encore. Malgré tout, j'allais me faire sonner les cloches plus tard, c'était certain.

Je parcourais le quai du regard tout en me rongeant un ongle. Où était Ben ? Je ne l'avais pas vu depuis le cours de biologie. Il avait manqué les deux cours de l'après-midi que nous avions en commun.

Sa bonne santé persistante était mon atout. S'il tombait malade lui aussi, bonjour la panique.

Comme s'il avait lu dans mes pensées, il a déboulé sur le quai. M. Blue a démarré le ferry dès que son fils a posé le pied sur le pont.

— Bienvenue à bord, monsieur, ai-je déclaré. Puis-je vous conduire à votre cabine ?

Ignorant ma plaisanterie, Ben s'est affalé sur le banc de poupe. Puis il s'est étiré et s'est appuyé au dossier.

J'ai attendu. Inutile de presser Ben.

Finalement, il a ouvert la bouche.

— Je me sens comme un crachat de trois jours.

Et merde.

— Qu'est-ce qui ne va pas ?

— Rien ne va. La tête, les poumons, les pieds, et même les *dents*, tout me fait mal. Ça n'a pas de sens.

Oh, mais si. Un sens terrifiant.

— Et ce n'est pas encore ça le pire.

Tout en parlant, Ben contemplait le sillage du ferry. Des mouettes nous suivaient, dans l'espoir de grappiller quelque chose à manger.

— C'est panique à bord. Par moments, je suis dans une espèce de transe. Hier, dans mon garage, j'avais les veines en feu et mon cœur a pété les plombs. Je me suis senti tomber, mais j'ai pu me raccrocher à un rayonnage métallique cloué au mur.

Ben évitait mon regard. Il a poursuivi :

— Mon père a un vieux moteur de Z28 dont il se sert pour remettre en état une Camaro. Bref, le rayonnage a basculé et le moteur avec. Sur moi.

Il m'a finalement regardée dans les yeux.

— Ce truc pèse une tonne. J'aurais pu être tué.

— Et alors ?

— Et alors ? Je l'ai rattrapé ! La bouffée de chaleur

est devenue intense, j'ai levé les bras et j'ai attrapé ce foutu moteur. Je l'ai même replacé sur l'étagère.

Au son de sa voix, on comprenait qu'il avait rejoué la scène plusieurs fois dans sa tête. Et qu'il n'arrivait pas à y croire.

— C'est impossible, n'est-ce pas ?

— Non, ai-je répondu d'une voix douce. J'ai *beaucoup* de choses à te dire, moi aussi.

42

Coop me mordillait les doigts, prêt à jouer. Mais ce n'était pas le moment. Je venais de tout raconter aux autres.

Enfin, presque tout.

— Donc, voilà ce qui s'est passé. Du moins ce dont je me souviens.

— Tu pouvais voir les motifs sur les ailes de la mouche ? a demandé Shelton. De l'autre bout de la maison ?

— Oui et les milliers de facettes qui formaient ses yeux.

— C'est plus fort que ce qui m'est arrivé. Ma vue s'est brouillée, donc j'ai ôté mes lunettes. Et là, vlan ! vingt sur vingt. Du moins, pendant quelques secondes.

Ben a renchéri.

— Moi, je me sentais normal jusqu'à hier. Et puis ça m'est tombé dessus. Pas une ouïe ou un odorat hyper-aiguisés, mais des envies bizarres. Des pulsions. Et j'ai de la bouillie à la place du cerveau.

— Quoi d'autre ? ai-je demandé.

— Parfois, j'ai les muscles en feu et quand l'inflammation s'atténue, j'ai une force incroyable. Je me sens capable de passer à travers un mur. Et puis tout part en sucette, je vomis, j'ai un malaise.

— J'ai ces symptômes, plus d'autres, a déclaré Hi. Je passe mon temps sur le trône, et j'ai bien dû m'évanouir vingt fois. Tu parles d'odeurs, Tory ? J'ai pris le choc pendant que je mangeais du fromage blanc. Je t'assure que je ne risque pas d'y toucher de sitôt.

Pas de doute. De nous tous, c'est Hi qui avait le plus encaissé. Il avait eu tous les maux possibles et imaginables.

— C'est comme si j'avais eu une intoxication alimentaire tout en ayant attrapé la malaria et en étant tombé dans les orties, a-t-il grommelé. Plus une méningite. Et écoutez ça. De ma terrasse, j'ai pu voir une souris crapahuter sur la pelouse à plus de cinquante mètres de distance. Je distinguais même l'intérieur de ses oreilles.

Hi a passé sa main sur son front.

— Et le pire, c'est que j'avais envie de la manger. Ça n'a duré qu'un instant, mais quand même !

Un frisson m'a parcourue.

— Je comprends, Hi. Tu te souviens, pour moi, c'était du steak haché cru. Et tu m'as vue prête à sauter sur ce pauvre Herbie.

J'essayais de ne rien laisser paraître, mais intérieurement, j'étais glacée. Le récit de Hi me rappelait le seul élément que je n'avais *pas* révélé à mes amis.

Je n'étais pas prête à parler des yeux d'or.

— Parfois, je perçois les bruits les plus infimes.

Shelton tirait sur le lobe de son oreille.

— Hier matin, j'ai été réveillé par le grésillement des lignes à haute tension. Et c'est par épisodes. Ça se produit et ça s'arrête sans prévenir. Juste un « pop » dans ma tête et paf ! Je commence à être fatigué de tourner de l'œil.

On aurait entendu une mouche voler dans le bunker.

Je me suis levée, décidée à dire les choses.

— On a attrapé une maladie.

Hi et Shelton se sont tassés sur eux-mêmes. Ben s'est tendu, les poings serrés.

— Inutile de nous cacher la vérité, ai-je poursuivi. Il ne nous est pas arrivé à tous exactement la même chose, mais nos symptômes se ressemblent trop.

Je les ai énumérés en comptant sur mes doigts.

— Fatigue. Maux de tête. Nausées. Fièvre. Congestion. Bouffées de chaleur. Sueurs froides. Douleurs aiguës.

— Et évanouissements, a conclu Hi. On en revient toujours là.

Ben et Shelton ont approuvé de la tête.

— Évanouissements, ai-je répété.

J'avais encore un symptôme en réserve.

— Et ce qu'ils déclenchent. Tous nos sens sont exacerbés. C'est comme si notre esprit lâchait brièvement, avant de devenir… confus.

Je ne pouvais dire « dingue ». Ou primitif. Pas encore.

— Je n'ai jamais entendu parler de quelque chose dans ce genre, a déclaré Ben.

— Quelque chose qu'on ne maîtrise pas, en plus, a ajouté Hi.

J'hésitais. Les mots qui allaient franchir mes lèvres auraient un caractère définitif. Impossible de revenir en arrière.

— Je crois que c'est Coop qui nous a contaminés.

Un silence, puis tous les trois ont parlé en même temps.

— Comment est-ce possible ?

Ben.

— Tu as dit qu'on ne pouvait *pas* attraper le parvo !

Shelton.

— On est baisés.

Hi.

— J'ignore ce qui s'est passé, mais Coop est forcément le vecteur. Il est notre seul dénominateur commun.

Je me suis tournée vers Shelton.

— Le parvovirus canin ne se transmet pas aux humains. J'ai vérifié et revérifié. Ce doit être autre chose. Mais il ne faut pas s'affoler.

J'essayais de paraître sûre de moi.

— Ça ne peut pas être bien sérieux.

— Tu n'as pas une idée ? a demandé Shelton.

— Non. Je vais être franche : je n'ai jamais entendu parler d'une maladie de ce genre. Ce qu'on a attrapé doit être particulièrement rare.

— Génial, un virus mystère ! s'est exclamé Hi. Quelle chance ! On est les premiers Viraux.

Ben plissait le front.

250

— L'expérience que faisait Karsten. Ses tests secrets. On ignore ce qu'il trafiquait.

— Mais on va trouver.

J'avais pris un ton déterminé.

— On doit garder profil bas quelques jours encore, le temps de reprendre des forces. Et ne pas révéler notre état. À mon avis, nous ne sommes pas contagieux. Personne d'autre n'est tombé malade, ni chez nous, ni à l'école. Mais par précaution, mieux vaut rester entre nous.

— Ne pas révéler notre état !

La voix de Shelton montait dans les aigus.

— Mais on risque notre vie !

Attention. Le passage délicat.

— Karsten sait qu'on a volé Coop.

« Quoi ? » Tous en chœur.

J'ai raconté mon interrogatoire dans le détail. Les accusations de Karsten. Pourquoi il nous avait questionnés sur notre état de santé.

Trois expressions choquées.

— C'est pourquoi on ne peut consulter un médecin, ai-je conclu. Karsten nous attend au tournant.

— Pourquoi ne nous as-tu rien dit ? a demandé Ben, furieux.

— Je suis désolée. Je ne voulais pas vous affoler. De plus, Karsten n'a aucune preuve.

C'était nul. Je le savais.

Hi a baissé la tête.

Shelton a ouvert la bouche.

Je l'ai coupé dans son élan.

— Tenez simplement quelques jours de plus. Si on ne va pas mieux, on fonce se faire soigner. Promis, juré.

Shelton a levé la main en signe de paix.

— D'accord. Deux jours. Ensuite, j'en parle à ma mère.

— Ça me va, a dit Ben.

— Admettons qu'on guérisse.

Le regard de Hi allait de Ben à Shelton et à moi.

— Qu'est-ce qu'on fait après ?

— Après, on découvre ce que mijote Karsten, ai-je affirmé avec une détermination farouche.

43

J'ai claqué la porte de mon casier.

Pause-déjeuner.

Shelton et Hi m'ont interceptée sur le chemin de la cafétéria et nous avons traversé le hall, gais comme un groupe de pénitents.

La matinée avait commencé par une conférence sur les économies d'énergie devant l'ensemble des élèves. Particulièrement nerveux, on s'était mis tous les quatre au dernier rang, craignant presque de respirer, de peur de contaminer nos camarades.

À cause du thème de la journée, les deux pauses-déjeuner avaient été regroupées et un buffet spécial était dressé. Au menu, des légumes bio et du poulet élevé en libre parcours. C'était la première fois de l'année que je n'apportais pas mon repas.

Shelton se sentait toujours mal. Hi aussi. Aucun nouveau symptôme, mais ce malaise permanent ne faisait rien pour leur remonter le moral.

J'étais moi-même vaseuse, mais je le gardais pour moi. Au moins, je n'avais pas sauté sur un autre petit rongeur.

Ben attendait à l'entrée de la cafétéria et nous sommes rentrés tous ensemble.

La file, quoique longue, avançait vite. Après avoir rempli notre plateau, nous avons pris d'assaut une table dans un angle, près d'une sortie de secours.

J'ai attaqué les légumes. Carottes. Pois gourmands.

Asperges. Si cette option devenait la règle, finies les préparations maison.

J'étais en train de pourchasser un petit pois récalcitrant dans mon assiette lorsqu'un gémissement étouffé a interrompu le cours de mes pensées. Levant les yeux, j'ai vu que Shelton laissait tomber sa fourchette. Il a porté les mains à son front, paupières closes.

— Oh non, a-t-il murmuré, pas ici !

— Shelton, es-tu…

Le cliquetis de la fourchette que Ben reposait brutalement m'a forcée à me retourner.

Ben avait le regard vague et des bulles de salive se formaient à un coin de sa bouche.

— Ben ?

À voix basse.

Pas de réponse.

— Ben Blue !

Plus fort.

En face de moi, Hi a également lâché ses couverts.

— Du poulet, a-t-il chuchoté, avant de balayer ses légumes d'un revers de main, répandant courge et courgettes sur la table.

— Hi ? Hiram ?

Pour toute réponse, Hi s'est emparé d'une cuisse de poulet. Il a ôté la peau avec les mains et a mordu à belles dents dans la chair.

À côté de moi, Ben déchiquetait un pilon, le jus coulant sur son menton et imprégnant sa chemise.

Horrifiée, j'ai fait le tour de la salle du regard. Jusqu'à maintenant, personne ne semblait avoir remarqué le drame qui se jouait à notre table. Ça n'allait pas durer. Hi et Ben salopaient tout.

J'étais en train de me demander ce que je devais faire lorsque Shelton a saisi entre ses dents une aile de poulet et l'a violemment secouée.

J'ai baissé les yeux vers mon assiette.

SNAP.

Une huile brûlante a parcouru mes veines. Mon cerveau a déraillé.

Oh non !

L'arôme de la volaille supplantait tout le reste.

D'instinct, j'ai porté un morceau de poulet à ma bouche. Le goût était fabuleux. Je salivais comme une folle.

Arrête ! ARRÊTE !

Les yeux fermés, j'ai planté mes ongles dans mes paumes. Jusqu'à ce que ça me fasse mal. J'ai ordonné à mes facultés supérieures de prendre le dessus.

Puis j'ai à nouveau regardé autour de moi.

Toutes bonnes manières oubliées, les garçons déchiraient la viande avec leurs mains et leurs dents. C'est alors que je les ai vus.

Les iris de Shelton. Ils étaient d'un jaune safran phosphorescent.

J'ai regardé Hi, puis Ben. Mon cœur tambourinait dans ma poitrine.

Leurs yeux avaient la même couleur dorée. Et ils luisaient.

Les garçons continuaient à se repaître, sans se préoccuper du spectacle qu'ils donnaient. On se serait cru dans *Le Roi Lion*. Je devais agir. Notre table était un vrai ravage : couverts en désordre, os brisés, légumes répandus. D'un instant à l'autre, quelqu'un allait nous remarquer. Et nous serions la risée de l'école à jamais.

Comment sortir de cette situation ? Le truc des ongles plantés dans ma paume avait marché pour moi, mais je ne savais que faire pour les autres.

Je n'ai trouvé qu'une idée pour vider la salle en un temps record.

C'était mal, je ne l'ignorais pas, mais je n'avais pas d'autre solution.

J'ai déclenché l'alarme incendie.

Une sirène s'est mise à hurler.

J'ai sauté sur ma chaise. Je me sentais déjà coupable.

Le bruit strident continuait, brutal et répétitif.

J'avais encore les oreilles ultrasensibles et la douleur était insoutenable. Je me suis mise à gémir, tandis que les garçons se bouchaient les oreilles avec leurs mains, sans plus penser à la nourriture. Shelton s'est jeté à terre, où il s'est roulé en boule.

Les autres élèves ont bondi. Connaissant la routine de la Bolton School, ils savaient que ce n'était pas un simple exercice. Dans un vacarme de plateaux renversés, ils se sont rués vers la porte principale. Certains criaient. Personne n'a regardé dans notre direction.

En quelques instants, nous nous sommes retrouvés seuls dans la cafétéria.

— Sortons d'ici !

Je me suis ruée vers la sortie de secours, incapable de supporter un instant de plus les hurlements aigus de la sirène.

SNUP.

J'avais parcouru quelques mètres au-dehors lorsque mes jambes se sont dérobées sous moi. Je me suis effondrée sur le gazon. J'ai roulé sur moi-même, puis je me suis immobilisée.

Lentement, j'ai repris conscience de ce qui m'entourait. Les professeurs qui couraient. Mes amis allongés non loin de moi, muets et haletants.

Mon corps retrouvait peu à peu un état normal. Pendant un long moment, aucun de nous n'a bougé.

J'ai été la première à parler.

— Dites, vous avez aimé le poulet ? ai-je demandé. Le mien était un peu sec.

Silence de mort.

Puis des rires nerveux.

Une vraie musique pour mes oreilles maltraitées.

44

Le lendemain, pas question d'aller en classe.

J'ai laissé couler la douche, remué des flacons, bref, fait du bruit comme si je me préparais. Kit est tombé dans le panneau. Il est parti travailler de bonne heure sans se rendre compte de rien. Quand la porte d'entrée s'est refermée derrière lui, je suis retournée au lit.

Les garçons n'avaient pas cette chance. Désolée, mes potes.

On avait décidé d'attendre encore un jour avant de se précipiter aux urgences. Ou dans un service psychiatrique, au choix.

Mais l'école était le dernier de mes soucis.

Un bal avait lieu ce soir. Mes tout débuts dans le monde. Et avec l'importance qu'y attachaient Kit et Whitney, je ne pouvais y couper. Je crois que je n'avais jamais autant redouté d'assister à un événement public.

J'ai dormi une grande partie de la matinée et de l'après-midi. Au réveil j'étais encore vaseuse, mais je n'étais plus submergée de fatigue. Peut-être étais-je en train de me remettre.

J'ai essayé de me changer les idées. Je suis même allée voir Coop dans le bunker. Mais je pensais sans cesse à la soirée. Comment étais-je censée m'habiller à ce genre de truc ?

Les autres filles porteraient des robes de créateurs, le genre qui fait de l'effet sur un tapis rouge. Et moi, je n'avais rien de chez rien. Un détail que Madison et les

deux autres affreuses ne manqueraient pas de remarquer.

À 15 h 27, j'ai ouvert mon placard. Et je me suis aperçue que j'avais sous-estimé Whitney.

Accrochée à son cintre, la robe m'a sauté aux yeux.
Une robe de marquise, rose poudré, sans bretelles, avec
des broderies dorées. Elle coûtait bien dans les cent
dollars.

Et – horreur – elle était à ma taille. Sous la robe
était posé un coffret à bijoux contenant un solitaire en
pendentif et un bracelet câble de chez David Yurman
orné de perles aux extrémités.

J'en suis restée bouche bée.

Whitney m'habillait vraiment comme une poupée. Et
avec un goût discutable, par-dessus le marché.

Du rose ! J'ai jeté un coup d'œil dans le miroir à mes
cheveux roux, mes yeux verts et mon teint pâle. Est-ce
qu'elle m'avait bien regardée ?

Ce n'était pas une tenue pour se fondre dans la masse,
mais pour dire : « Regardez-moi ! » Exactement ce que
je ne voulais *pas*.

Dilemme, dilemme. Je n'avais rien d'autre à me
mettre. Et j'allais vexer Whitney si je ne portais pas
cette robe.

Je n'avais pas le choix.

*
* *

Le trajet en voiture à partir de Morris Island a été
une torture. Les instructions permanentes de Whitney.
Les compliments maladroits de Kit. Il me tardait d'arriver au bal rien que pour leur échapper.

— Les bijoux m'appartiennent, bien sûr. Quant à la
robe, je l'ai empruntée à une amie qui tient une boutique dans King Street.

Whitney était dans son élément.

— Nous la lui rapporterons la semaine prochaine.
En fait, Daisy est tout à fait disposée à nous prêter
autant de robes que notre adorable petite débutante
voudra. Peut-on imaginer plus généreuse proposition ?

J'ai fermé mes oreilles à son bavardage excité. C'était un vrai cauchemar. Un énorme cauchemar rose.

Fentworth House est dans le style traditionnel des demeures de Charleston, avec plein de volets, de piazzas et de fer forgé. La vieille dame est située sur Queen Street, près du musée Gibbes. Sur mon insistance, Kit m'a laissée devant. Pas question que j'entre à son bras.

J'ai franchi les portes de chêne aux battants sculptés avec un trac monstre. Vacillant sur mes talons hauts, tandis que la quincaillerie grand luxe de Whitney cliquetait, j'avais l'impression d'être un cupcake à la fraise géant.

Un moment de panique. Et si tout le monde était en jean ?

J'avais tort de m'inquiéter. Les débutantes étaient parées comme pour accueillir Brad Pitt qui aurait cherché la partenaire idéale pour l'accompagner aux Oscars.

Mais personne d'autre ne portait du rose.

Alléluia !

La salle de bal semblait sortie d'*Autant en emporte le vent*. Des rideaux de brocart ornaient les hautes fenêtres et de gigantesques lustres éclairaient des kilomètres de planchers de chêne impeccablement cirés. Autour de la piste de danse étaient disposées des petites tables recouvertes de lin blanc.

Sur une scène installée à une extrémité de la salle, les musiciens accordaient leurs instruments. Saxo, trompette, trombone. On entendait des claquements de cymbales et des vibrations de cuivres.

Contre le mur de droite, il y avait une longue table avec des vases de fleurs, de la porcelaine de Limoges, des jattes de punch et des monceaux d'appétissants petits fours sur d'élégants plateaux d'argent.

— Tory ?

Jason se tenait près du buffet. Dans son smoking noir, il ressemblait à James Bond. Version Daniel Craig.

— Bonsoir, ai-je dit.

Tout dans la sobriété.

— Waouh ! Tu as l'air ridicule.

J'avais les joues en feu.

Stupide robe ! Stupide Whitney !

Il a émis un sifflement.

— Fantastique ! Je t'en prie, habille-toi plus souvent. Je suis ébloui.

Puis il a lancé :

— Chance, viens voir qui est là !

— Tory, je n'en reviens pas !

Chance, lui, portait un smoking blanc. Il s'est emparé d'une croquette au crabe tout en me considérant comme un collectionneur qui estime une œuvre d'art.

— Tu es courageuse, a-t-il poursuivi. Car il faut du cran pour entrer ici comme ça.

— Comme quoi ?

— Comme la plus jolie fille de la soirée, et de loin. Ce qui ne manquera pas d'énerver les autres.

J'attendais le clin d'œil. Il est arrivé.

— Pourvu qu'Hannah ne t'entende pas ! ai-je dit sans réfléchir. Ton cœur est pris.

J'étais folle, ou quoi ? Voilà que je flirtais avec Chance ! Pourquoi ne pas m'emparer du micro et chanter *La Macarena*, tant que j'y étais ?

Chance a haussé les sourcils. Puis il a eu un sourire amusé.

— Heureusement pour moi, ma princesse n'est pas encore arrivée. D'ailleurs, je ferais bien d'aller accueillir son carrosse au-dehors. Excuse-moi.

Là-dessus, il a filé.

— J'ignorais que tu faisais partie des débutantes, a déclaré Jason.

— Débutante junior, ai-je corrigé. C'est ma première sortie. Je n'ai aucune idée de ce que je dois faire.

Jason s'est incliné très bas devant moi.

— Dans ce cas, mademoiselle, permets-moi d'être ton guide pour la soirée.

La confusion a dû se lire sur mon visage, car il a poursuivi :

— Ce soir, on répète les pas de danse pour le grand bal. Il te faut un partenaire. Me feras-tu le plaisir de m'accepter comme cavalier ?

Très conventionnel, Jason.

— J'accepte bien volontiers votre proposition, mon-sieur.

Ça allait me conduire où, tout ça ? Je n'avais jamais pris le moindre cours de danse de ma vie. La cata-strophe menaçait.

À ce moment, j'ai entendu un murmure derrière moi.

— Maddy, regarde, c'est la *boat girl*.

Aïe ! Courtney Holt. Et quand l'une des trois Bimbos était à l'approche, les deux autres ne pouvaient être loin.

— Qu'est-ce qu'elle fiche avec Jason ? a chuchoté Ashley.

J'ai fait comme si je n'avais pas entendu. Je ne me suis pas retournée. Jason, occupé à remplir une assiette de petits fours, ne s'apercevait de rien.

— Le pauvre, on devrait voler à son secours !

Madison a ricané méchamment.

— Qu'est-ce qu'elle fabrique ici, d'ailleurs ?

— Aussi incroyable que ça paraisse, elle fait mainte-nant partie des débutantes, a répondu Ashley. Ma mère est membre du comité. Elle m'a dit que Whitney Dubois l'avait introduite. Comment, je l'ignore.

— Elle est plutôt… jolie.

Il y avait de l'étonnement dans la voix de Courtney.

— Très jolie, même. Je ne m'en étais pas aperçue jus-qu'à maintenant.

— Donc, la petite a une robe. Mais où allons-nous ?
Madison.

— Il faut un certain culot pour porter du rose.
Ashley.

— Elle assure. Et son bracelet est hype.
Courtney.

Je n'en revenais pas. Le trio infernal appréciait mon allure ? C'était vraiment le monde à l'envers.

Mais cela n'a pas duré.

— Si cette petite traînée essaie de séduire Jason, elle sera pulvérisée. Elle ne joue pas dans la même cour.

Le ressentiment de Madison était perceptible.

J'ai promené un regard nonchalant autour de la salle. Le Trio des Bimbos ne se trouvait pas du tout juste der-rière moi, mais au moins à vingt mètres, près de la scène.

Oh non, pas ici !

J'ai cherché les signes d'une attaque imminente, prête à me ruer dehors.

Curieusement, je me sentais bien. Même très bien. Mon ouïe était infiniment plus fine que celle d'un être humain, mais à part ça, rien n'avait changé. Pour le moment.

L'orchestre a attaqué *I've Got You Under My Skin*, la chanson de Sinatra. Ironie du sort.

Dans la salle, les jeunes filles et leurs cavaliers se sont rapprochés.

Jason m'a offert son bras.

— Prête pour le fox-trot ?

Diable !

— Oui.

Non, bien évidemment.

À ce moment, Hannah a fait son entrée dans une élégante robe blanche ceinturée de bleu. Je lui ai aussitôt concédé le titre de plus jolie fille de la soirée.

Madison s'est approchée, les seins prêts à s'échapper de sa robe Vera Wang à chaque pas.

— On danse, Jason ?

— Désolée, Maddy, a-t-il répondu en m'entraînant sur la piste. Tory est nouvelle et je lui ai promis de la guider.

Surprise, elle a battu des cils, lourdement chargés en mascara.

— Pas de problème.

Mais il y avait un problème, évidemment. Le mien.

Jason et moi avons fait une pause, histoire de prendre le rythme. Puis nous nous sommes lancés.

Au début, je n'ai pas arrêté de lui marcher sur les pieds. J'allais à droite quand il allait à gauche, piétinais quand il tentait de me faire tourner. Madison rigolait de ma maladresse en me lorgnant par-dessus l'épaule de son cavalier de deuxième choix.

Mais très vite, mon sens inné du rythme a pris le dessus et je me suis laissé conduire par Jason.

Et même, contre toute attente, j'ai commencé à m'amuser.

Au milieu de la troisième danse, Jason m'a fait

virevolter plus rapidement. Je suis revenue contre lui, puis il a inversé le mouvement et nous nous sommes retrouvés côte à côte, bras tendus.

Comme si c'était prévu, Chance s'approchait de nous avec sa cavalière. D'un geste fluide, Jason a lâché ma main et pris celle d'Hannah, tandis que mon élan me projetait dans les bras de Chance.

D'instinct, j'ai trouvé le bon tempo avec mon nouveau cavalier.

— La prochaine fois, il faudra prévenir ! ai-je dit en riant.

— Et gâcher le plaisir ? Pas question.

Chance était encore meilleur danseur que Jason. Et il me serrait de beaucoup plus près. Ce qui n'était pas pour me déplaire.

Au milieu de la chanson, il m'a entraînée dans une nouvelle séquence de pas.

— Celle-là, je ne la connaissais pas, ai-je balbutié.

Mais il avait une grande aisance et je le suivais sans difficulté. J'ai même improvisé une variation.

— Tu es la meilleure danseuse dans cette salle, m'a-t-il dit.

Nouvelle rotation. Nos corps se sont rapprochés.

— Et toujours la plus jolie.

Cela allait un peu au-delà du flirt amical, non ? Je manquais de références, mais quand même.

La musique a atteint un crescendo, puis s'est arrêtée.

Chance s'est incliné, m'a fait un clin d'œil, puis il est allé chercher Hannah.

Je me suis précipitée vers le buffet et j'ai avalé cul-sec un verre de punch. Melon-pamplemousse. Beurk. Mais j'avais besoin d'un remontant. Les joues me brûlaient et mon cœur battait à tout rompre.

— Tu es sûre que tu n'avais encore jamais dansé le fox-trot ?

Jason s'était approché de moi.

Incapable de dire un mot, je me suis contentée d'approuver de la tête.

— Tu sais que tu es quelqu'un, toi !

Il a fourré un chocolat dans sa bouche, tandis que

l'orchestre commençait à jouer *My Favorite Things*.
Les couples se sont formés de nouveau.

— Voyons comment tu valses.

Prenant ma main, il m'a entraînée sur la piste.

Un peu trop vite.

Un peu trop fort.

SNAP.

Des langues de feu m'ont parcourue. Se sont transformées en milliards d'aiguilles de glace. La douleur était intense.

Je me suis libérée brutalement. J'ai pris ma tête entre mes mains. Mes joues étaient brûlantes.

— Ça va ? Tu veux un peu d'eau ? a demandé Jason.

— Ne me touche pas !

Je l'ai repoussé avec une force inouïe, incontrôlable. Il a basculé en arrière et sa tête a heurté le mur. Affolée, je l'ai vu s'effondrer sur le sol.

SNUP.

J'ai repris mes esprits.

L'estomac noué, je me suis précipitée vers Jason.

— Je suis affreusement désolée !

Il s'est frotté l'arrière du crâne, l'air égaré.

— Que s'est-il passé ?

— Je t'ai poussé.

Réfléchis vite, Tory.

— Un mal de tête soudain. C'était un réflexe.

Échappe-toi !

— Excuse-moi, Jason, je dois partir.

— Mais non, reste.

Il avait du mal à parler.

— Tu es drôlement forte, a-t-il ajouté en se relevant avec difficulté.

J'ai jeté un coup d'œil autour de moi. Tous les autres couples dansaient et personne ne m'avait vue faire valdinguer à cinq mètres un athlète de quatre-vingts kilos. Comme une plume.

— Non, il faut vraiment que je m'en aille.

— Dans ce cas, je te raccompagne chez toi en voiture.

Le morceau était terminé. Chance, Hannah et Madison nous regardaient, maintenant. Impossible de partir avec Jason, sous peine d'alimenter les rumeurs.

— C'est gentil, mais ce ne sera pas nécessaire. À plus tard.

Avant qu'il ne puisse protester, j'ai filé comme une flèche.

Une fois sur le pas de la porte, j'ai réfléchi. Comment rentrer à Morris Island ? Pas de voiture. Pas de ferry. Et un taxi me coûterait cinquante dollars.

J'ai consulté ma montre. Neuf heures vingt.

Kit et Whitney étaient au cinéma et ils devaient venir me chercher vers onze heures. Ils avaient dû couper leur téléphone.

Formidable. J'étais coincée pendant un bon moment.

Une limousine attendait sur le trottoir, au bas des marches. Pendant que je ruminais ainsi, la portière côté chauffeur s'est ouverte et un homme vêtu d'un costume noir est descendu, un téléphone collé à l'oreille.

Nos regards se sont croisés.

À la lueur du lampadaire, je pouvais voir qu'il était trapu, avec des yeux bleu clair et des cheveux gris coupés à la tondeuse. Une cicatrice blanchâtre courait sur son menton, du côté droit.

Il a terminé sa conversation et refermé son téléphone d'un geste sec.

— Mademoiselle Brennan ?

— Oui.

Stupéfaite.

— M. Claybourne m'a demandé de vous venir en aide.

— M. Claybourne ?

— Le jeune M. Claybourne.

Cheveux Ras a ouvert l'une des portières à l'arrière de la limousine et s'est effacé. Un instant, j'ai cru qu'il allait claquer des talons.

Chance avait dû lui téléphoner au moment où j'avais quitté la salle. Conclusion : il pensait à moi.

— Je peux connaître votre nom, monsieur ?

— Tony Baravetto. Je suis le chauffeur particulier de M. Chance Claybourne.

J'ai hésité. Je ne connaissais pas cet homme et je suis d'une nature soupçonneuse. Pas question de sauter

264

dans cette limousine sans avoir la confirmation de son identité.

— Excusez-moi. Pouvez-vous me confier un instant votre téléphone ?

Étonné, Baravetto s'est exécuté. J'ai vérifié quel était le dernier appel reçu. Chance Claybourne.

Que faire ?

Tu as un autre moyen de rentrer chez toi, ma pauvre ?

— Merci, monsieur Baravetto. J'accepte avec plaisir.

*
* *

Une fois arrivée chez moi, je me suis dirigée vers ma chambre après avoir verrouillé la porte d'entrée.

Kit et Whitney étaient enlacés sur le canapé du séjour. En m'entendant entrer, ils se sont séparés précipitamment, l'air égaré.

C'est naze. Qui est l'ado, dans cette maison ?

— Et le cinéma ? ai-je demandé tandis qu'ils se rajustaient un peu.

— Il n'y avait plus de place.

Kit était visiblement très embarrassé, mais il la jouait cool.

— Tu rentres bien tôt. Quelqu'un t'a raccompagnée ?

J'ai fait signe que oui.

— Alors, comment était-ce ? a pépié Whitney. Je tiens à entendre tous les détails.

— C'était très bien. Maintenant, je vais me coucher. Bonne nuit.

Je les ai plantés là malgré leurs protestations et j'ai monté l'escalier aussi vite que ma robe me le permettait. Puis je me suis jetée sur mon lit et pour la première fois depuis des heures, j'ai lâché prise.

La tête dans l'oreiller, j'ai poussé un cri muet. Quelle soirée !

Pendant le long trajet de retour, j'avais disséqué l'attaque du bal. Car c'est ainsi que j'appelais désormais ce qui m'arrivait, en fonction du contexte. L'attaque du bateau. L'attaque de la mouche. L'attaque de la cafétéria. L'attaque du bal.

Quelle était la cause de ces attaques ? Se produisaient-elles au hasard ou y avait-il un élément déclencheur ?

En fait, l'épisode de ce soir avait quelque chose de différent.

J'avais bien senti le claquement dans mon cerveau, mais je ne m'étais pas évanouie. Il n'y avait eu qu'un symptôme sensoriel, l'hypersensibilité de mon ouïe. Et cette manifestation de force brute, comme lorsque Ben avait rattrapé un moteur dans son garage.

Tout bien considéré, le changement de ce soir était relativement mineur. Gérable. Et même utile.

Le schéma était-il en train de se modifier ? Comment ? Pourquoi ?

Quelque chose d'incroyable se passait dans nos corps. Quelque chose d'inédit, c'était pratiquement certain. Ce que nous avions attrapé avait introduit une modification en nous.

Dans notre cerveau ? Dans notre ADN ?

Je l'ignorais, mais je savais que nous étions déformés.

Dénaturés.

Viraux.

J'ai décidé de comprendre. Pour avoir les réponses.

D'une manière ou d'une autre.

45

Dans la nuit, l'orage qui s'était déchaîné en moi s'est calmé.

Mes rêves étaient paisibles, dépourvus d'images perturbantes.

Pour la première fois depuis une semaine, je me suis éveillée pleine d'énergie. Pas de mal de tête, ni de congestion, de fièvre ou de douleur. Tout fonctionnait.

Youpi !

Avec la bande, nous étions convenus de nous retrouver avant la classe.

Pourvu que les autres aussi aient de bonnes nouvelles.

Vingt minutes après avoir mis le pied par terre, j'étais dans le bunker. Côté ambiance, c'était le jour et la nuit par rapport à notre dernière réunion.

Hi et Shelton se tenaient à des coins opposés de la salle, et ils se lançaient une balle de tennis. Cooper courait de l'un à l'autre, essayant de l'attraper. Quant à Ben, il observait les acrobaties du chiot, assis sur la table.

— Salut les poteaux !

— C'est bien que tu aies pu venir, a déclaré Hi. Tu n'as que cinq minutes de retard.

Shelton a laissé tomber la balle et Coop a bondi dessus, avant de rouler sur le dos en mordillant sa proie, tout content. En bonne santé.

— Vous vous sentez comment ? ai-je demandé.

— En pleine forme !

Shelton n'avait plus son air angoissé.

— Et vous deux ?

— Solide, a dit Ben. J'ai eu la peau de cette saleté, quelle qu'elle soit.

— Je pète le feu, a annoncé Hi.

— Même notre Cooper est tip-top.

Shelton a chatouillé le ventre du chiot.

— Pas vrai, petit fugitif ?

Coop s'est relevé et a chargé Shelton. Tous deux se sont mis à lutter.

Hi, redevenu lui-même, s'est lancé dans un commentaire en termes imagés du match Humain-Chien qui se déroulait sur le sol. Même Ben, jovial, s'est fendu d'un demi-sourire.

J'étais désolée de les faire descendre de leur petit nuage, mais il fallait prendre quelques décisions.

— Contente que tout le monde aille mieux, ai-je affirmé. Je crois que le pire est derrière nous.

— Heureusement, a dit Hi. Mes pauvres fesses n'auraient pas supporté de faire des heures sup sur le trône.

Shelton a remonté ses lunettes sur son nez.

— Le pire ? C'est quoi, le reste ?

— Il faut s'assurer de notre guérison. Et pour ça, on va devoir comprendre ce qui nous est arrivé.

— Mais pourquoi ? a demandé Ben. Ce qui est fait est fait, non ?

— Ce n'est peut-être pas terminé.

Je leur ai alors parlé de l'attaque du bal. Ils m'ont écoutée sans m'interrompre.

— Le claquement s'est produit sans prévenir, ai-je conclu. Mais je n'ai pas perdu connaissance.

— Et alors ? a interrogé Hi.

— Alors nous ignorons si ces crises vont ou non se poursuivre.

J'ai cherché les mots justes.

— Les effets secondaires. Les réactions, quoi. Je ne sais pas comment ça s'appelle.

— Chez moi, ça démarre toujours par une secousse dans ma tête, a déclaré Shelton.

— Oui, ai-je approuvé, quelque chose claque dans mon cerveau. Tout de suite après, je me sens bizarre.

Ensuite, un autre claquement et je retrouve mon état normal.

Hi a hoché la tête.

— C'est ça. Hier soir, j'ai encore eu un épisode délirant, côté vision. Et il a débuté exactement comme chez toi.

— Ces flambées doivent avoir un déclencheur, a dit Ben.

Des flambées. Bonne description.

— Résultat des courses, il nous faut la réponse. Et il n'y a qu'un endroit où nous pouvons la chercher.

Hi a fermé les yeux.

— Putain, ne me dis pas qu'on y retourne ?

— Juste Ben et moi. Sinon, on se ferait remarquer.

— D'accord.

Shelton et Hi à l'unisson.

— On va où ? a interrogé Ben.

— À Loggerhead. Après l'école.

J'ai agité la main d'un geste évasif.

— Ce ne sera pas long. Le temps de s'introduire dans le bureau de Karsten et de fouiller ses dossiers.

Ben a poussé un soupir.

— Ah bon, je pensais que tu envisageais quelque chose de risqué.

— Tu es folle. C'est suicidaire ! s'est exclamé Shelton en tirant plus que jamais sur le lobe de son oreille.

— Peut-être. J'ai aussi une mission pour Hi et toi.

— Quoi encore ?

Hi semblait résigné.

— Voler une voiture ? Envahir la Russie ?

— Le Net ne nous renseigne pas suffisamment sur le parvovirus. Tous les articles disaient qu'on ne pouvait pas l'attraper. On a besoin d'en savoir plus. Vous deux, vous allez récolter un max d'infos à la bibliothèque médicale de la fac.

Hi et Shelton ont eu l'air soulagé d'apprendre que leur tâche n'avait rien d'illégal.

— On va fouiller tous les rayons, a promis Shelton.

— Et je n'abandonne pas les recherches sur Katherine Heaton, ai-je ajouté. J'attends toujours que Chance me fournisse les renseignements sur l'empreinte.

Les autres ont approuvé, visiblement toujours motivés pour poursuivre l'enquête.

— Garde à vous, les Viraux ! a aboyé Hi, sur le ton d'un sergent s'adressant à de nouvelles recrues. Nous avons des missions à accomplir !

46

Une heure plus tard, j'étais sur les marches de la Bolton School, pleine d'appréhension à l'idée de ce qui m'attendait à l'intérieur.

J'avais cours avec Jason. Que j'avais bousculé devant tous ses amis la veille au soir. Que dis-je, bousculé ? Je l'avais assommé.

Serait-il furax ? Qu'allait-il dire ? La confrontation promettait d'être super-gênante.

Les couloirs de l'école bruissent toujours de potins. Généralement, j'évite de m'exposer, mais cette fois, j'étais en première ligne. L'histoire du Monstre Rose fait toujours recette.

Coup de chance : en biologie, on avait un exposé. Je n'aurais pas à retrouver le groupe au labo. Compte tenu de l'attitude flirt de Chance, j'avais encore moins envie de voir Hannah que Jason.

Et je n'avais toujours *pas* terminé mes comparaisons d'ADN que je devais remettre le lendemain.

Plusieurs fois, pendant le cours, Jason a coulé des regards en direction de mon bureau, mais je gardais la tête basse, les yeux rivés sur mon ordi. Je prenais tellement de notes que j'aurais pu en faire un bouquin.

Quand la sonnerie a retenti, j'ai filé comme un bolide et j'ai gardé profil bas toute la matinée.

Pendant la pause-déjeuner, j'ai travaillé sur notre présentation dans le labo d'informatique. J'ai passé presque toute l'heure à comparer les séquences. Puis j'ai envoyé les résultats par e-mail à Jason et à Hannah.

Vous voyez, je ne cherche pas à vous éviter !

Dans les couloirs, j'ai entendu qu'on chuchotait sur mon passage. Aperçu quelques sourires furtifs. Ma fuite de la soirée n'était pas passée inaperçue.

Comme on pouvait s'y attendre, la chance a tourné. Après le dernier cours, Jason m'a repérée à la sortie, au moment où je m'esquivais.

— Tory, attends !

Pas le choix. J'ai obéi, en m'efforçant d'avoir l'air dégagé.

— Mais où étais-tu passée ? Je t'ai cherchée partout.

— Excuse-moi. Je devais finir le travail sur l'ADN. Je t'ai envoyé les résultats sur Gmail.

— Super.

Jason s'est massé la nuque.

— Mais j'avais quelque chose à te dire.

Nous y voilà.

— Chance veut te voir. C'est à propos de l'empreinte que tu lui as confiée.

Rien d'autre ? Je ne savais si je devais être soulagée ou offensée.

Devant mon silence, Jason semblait perplexe.

— Tu as toujours besoin de l'empreinte, n'est-ce pas ?

— Oui, bien sûr. Merci.

Je n'ai pu m'empêcher d'ajouter :

— Je pensais que tu voulais me parler de la soirée.

Mais qu'est-ce que je croyais ?

— Effectivement, tu es partie très tôt.

Il a ri.

— Désolé d'être aussi plouc.

De quoi parlait-il ?

— Tu n'as pas à être désolé de quoi que ce soit. C'est moi. Je t'ai poussé.

— Ça s'explique. J'ignorais que tu avais des migraines. Des trucs à te rendre fou. Je n'arrive pas à croire que j'aie trébuché. Tu sais que j'ai une bosse grosse comme un kiwi ?

Avec un sourire moqueur, il a ajouté :

— Je vais devoir raconter que je me suis fait ça à l'entraînement de lacrosse, sinon de quoi aurais-je l'air ?

Je n'en revenais pas. Jason n'avait pas conscience de

ce qui s'était vraiment passé. Si personne d'autre ne l'avait vu, j'étais tranquille.

— Bon, a-t-il poursuivi. Chance te donnera l'info demain avant les travaux pratiques. Ça te va ?

— Très bien. Dis-lui que je le remercie beaucoup pour son aide. Et pour m'avoir fait raccompagner hier soir.

— Entendu. Surtout, ne t'inquiète pas pour les Gossip Girls.

Tiens, tiens ! Je n'y avais donc pas coupé.

J'ai feint l'indifférence.

— C'est quoi, le buzz ?

— Aucun intérêt.

Jason avait cru que j'étais au courant.

— Ces filles adorent raconter des potins sur les gens. C'est leur anti-déprime.

— Dis-moi. Je peux encaisser.

Faux.

— Aucun intérêt, je t'assure.

Mal à l'aise, Jason a poussé un soupir.

— Bon. Certaines racontent que tu t'es enfuie comme Cendrillon. Que tu devais rapporter ta robe avant la fermeture des magasins.

J'ai senti mes joues devenir brûlantes. Quelle humiliation ! D'autant plus que ce n'était pas très loin de la vérité.

J'avais envie de disparaître sous terre. De mourir. Mais la colère a pris le dessus.

— Qui a dit ça ?

— Oublie. Tu étais superbe. Elles sont jalouses.

— Jason, s'il te plaît. Qui ?

— Madison et compagnie. Courtney et Ashley.

Le Trio, bien sûr. Les trois affreuses ne me lâchaient pas.

Celle-là, je ne vais pas la laisser passer.

— Elles font feu de tout bois.

Je me suis forcée à sourire.

— Dis à Chance que je le retrouverai ici, si ça lui va.

— Entendu. Prends soin de toi.

Jason a fait quelques pas, puis il s'est retourné.

— Et ne t'en fais pas pour Maddy and Co. Personne ne les croit.

— Merci, Jason.

Tout en me dirigeant vers la marina, je me suis juré de faire ravaler son venin au Trio des Bimbos. J'en avais assez d'entendre dire du mal de moi.

Mais pas aujourd'hui.

Aujourd'hui, je devais commettre une infraction.

47

Hi et Shelton se hâtaient dans Beaufain Street. Sur la vaste pièce d'eau artificielle de Colonial Lake, des équipes de rameurs filaient sur l'eau, tandis que les canards s'ébattaient bruyamment par petits groupes. Concentrés sur leur tâche, les deux garçons ne voyaient rien.

À l'approche du quartier commerçant, les maisons individuelles laissèrent la place aux immeubles d'habitation sagement alignés. Aux fenêtres, les jardinières débordaient de pétunias, de soucis et de viburnum. Les abeilles continuaient à butiner sous le chaud soleil de l'après-midi, indifférentes à la beauté de la journée.

Tournant à gauche dans King Street, les deux garçons finirent par atteindre le campus de l'université, trois bâtiments carrés où se mêlaient la pierre gothique, le lierre, les briques modernes et le verre. Sous les vieux chênes et les magnolias, des chiens couraient après des Frisbees lancés par des étudiants.

Hi et Shelton suivirent la direction indiquée par un panneau jusqu'à un bâtiment massif qui se dressait dans la partie est du campus.

— Tu es tombé dans les pommes aujourd'hui? demanda Shelton tandis qu'ils se hâtaient sur le chemin.

— Non, mais j'ai eu une flambée. Pendant quelques instants, j'ai pu lire le barème de notation sur le bureau de M. Hallmark. Et j'étais au dernier rang.

— Moi, j'ai eu un truc auditif. Dans les toilettes, j'ai entendu un bruit strident, comme une scie électrique.

Et devine ce que c'était ? Kelvin Grace en train d'ouvrir sa braguette. À trois mètres de moi. Dingue, non ?

Quand ils arrivèrent à la bibliothèque, ils se renseignèrent sur l'endroit où ils pouvaient faire leurs recherches et on leur indiqua l'aile vétérinaire. Une fois sur place, ils se répartirent la tâche et se mirent au travail.

Deux heures plus tard, ils comparaient leurs découvertes.

— J'ai parcouru un million de revues médicales, annonça Shelton. Aucune maladie ne correspond à nos symptômes. Certains ne semblent même pas exister.

— Voilà ce que j'ai trouvé sur le parvo, dit Hi en parcourant ses notes. C'est l'un des virus les plus petits qui soient, avec juste un brin d'ADN. En latin, *parvus* signifie d'ailleurs « petit ».

— Fascinant. En quoi est-ce que ça nous aide ?

— Il existe une souche différente pour une espèce différente. Chiens, chats, cochons et même visons. Et écoute ça.

Hi se pencha sur ses papiers.

— Les parvovirus sont spécifiques des formes de vie qu'ils infectent, lut-il, mais c'est une caractéristique relativement flexible.

— C'est-à-dire ?

— C'est-à-dire que ces virus ne sont pas *totalement* spécifiques à l'espèce. Le parvovirus canin s'attaque en général uniquement au chien, au loup et au renard, mais certaines souches peuvent infecter d'autres animaux, par exemple les chats.

— Si la forme canine peut se transmettre au chat, pourquoi pas aux gens ?

Hi haussa les épaules.

— Ça me dépasse. Mais Tory a raison. Le parvovirus canin n'est pas censé infecter les humains.

— Donc, on est dans l'impasse. Il va falloir continuer les recherches.

Le temps passa. Les ombres s'allongèrent, gagnèrent les tables en bois placées au centre de la salle. Shelton était sur le point d'abandonner lorsqu'il tomba sur une nouvelle piste.

— Hi, regarde !

Hi se pencha sur la page que désignait son ami.

— L'être humain ne peut être contaminé par le parvovirus, lut Shelton d'un ton excité, mais il peut être infecté par des virus de la même famille. Ceux-ci sont de trois types : les dépendovirus, les bocavirus et les érythrovirus. Parmi ces derniers, on trouve le parvovirus B19.

— Le parvo 19... Ça me dit quelque chose.

— Découvert en 1975. C'est le premier parvovirus à avoir contaminé l'être humain. On n'a toujours pas trouvé de vaccin. La dernière épidémie aux États-Unis date de 1998.

Shelton leva les yeux de la revue.

— Les enfants sont ses principales victimes et les crèches et les écoles les foyers principaux.

— Quels sont les symptômes ?

Shelton consulta de nouveau ses sources.

— On parle de « cinquième maladie ». En fait, il cause surtout une éruption sévère sur la peau, qui dure quelques semaines. D'où son autre nom de « syndrome de la joue giflée », à cause de la rougeur sur la peau.

— Cela ne ressemble pas du tout à notre cas.

— Voyons, qu'est-ce qu'ils disent d'autre ? Le B19 se propage par les gouttelettes respiratoires infectées, toux, éternuement, et autres. Les individus contaminés peuvent avoir de la fièvre et être fatigués.

— *Là*, on est en terrain familier, déclara Hi.

— Une fois chez son hôte, le B19 envahit les précurseurs des globules rouges dans la moelle osseuse. Les symptômes apparaissent quelques jours après l'exposition au virus et durent une semaine. Les personnes contaminées sont contagieuses seulement *avant* l'apparition des symptômes.

— C'est Coop qui nous a transmis le virus. Est-ce que les chiens peuvent attraper le B19 ?

Shelton se pencha de nouveau sur la page.

— Non. Le B19 n'infecte que les humains.

— Nous voilà à nouveau dans l'impasse, se lamenta Hi.

— On ne sait jamais. Peut-être qu'on passe à côté de quelque chose.

— Faisons une photocopie de l'article et vérifions les références citées.

Au-dehors, la nuit commençait à tomber. Les deux garçons poursuivirent leurs recherches. Mais ils tournaient en rond. Aucun élément marquant ne leur sauta aux yeux.

À vingt-deux heures, une voix polie informa par l'interphone les usagers que la bibliothèque allait fermer.

— Je crois qu'on est sur quelque chose, dit Hi, mais je ne sais pas quoi exactement. Discutons-en avec les autres.

— Bonne idée.

Une seconde annonce retentit, sur un ton plus pressant.

Les deux garçons se dirigèrent vers la sortie.

48

Ben et moi étions devant la porte du LIRI. On a pris une profonde inspiration, pour calmer nos nerfs mis à rude épreuve.

Car une flambée était bien la dernière chose souhaitable.

Il y avait beaucoup de risques, mais je ne voyais pas d'autres possibilités. Karsten avait les réponses. Et il nous les fallait.

— Si le vieux schnock est encore là, on est cuits.

Ben, toujours optimiste.

— Karsten sera parti. Il devrait être arrivé à l'aquarium. Et sinon, on sort notre excuse et on file.

J'affichais une assurance que j'étais loin d'éprouver. Car Ben avait raison. On ne pourrait s'introduire dans le bureau de Karsten s'il était à l'intérieur.

En principe, on avait tout prévu.

— Et si Karsten reconnaît ma voix ?

Ben avait refusé de passer le coup de fil.

— Il faut qu'il ait l'impression de parler à un adulte. En plus, tu ouvres si rarement la bouche qu'il n'a certainement aucune idée du son de ta voix.

J'avais beaucoup réfléchi à la phase un du plan. Si nous voulions mettre toutes les chances de notre côté, il fallait utiliser la ruse pour éloigner Karsten de l'île.

C'est en lisant sa biographie sur le Net que l'inspiration m'était venue.

Le Dr Marcus Karsten était directeur émérite et vétérinaire consultant de l'Aquarium de Caroline du Sud.

Sachant cela, mettre au point un piège avait été un jeu d'enfant.

Malgré sa nervosité, Ben a souri.

— Karsten va être furax quand il s'apercevra qu'il n'y a aucune urgence chez les pingouins.

Effectivement, il fallait faire vite. Avec sa parano, Karsten se doutait peut-être qu'on l'avait éloigné et dans ce cas, il reviendrait au galop à Loggerhead. Il faudrait alors qu'on soit repartis depuis longtemps.

— Prêt, Ben ?

— Prêt.

Nous sommes entrés dans le bâtiment principal et nous nous sommes dirigés vers le centre de sécurité. Sam était aux manettes. Côté caractère, il était plus cool que Carl. Et côté physique, c'était son contraire : maigre à faire peur, le crâne chauve, il ressemblait plus à un cadavre qu'à un vigile.

Sam a levé à regret les yeux de son magazine.

— Génial ! s'est-il exclamé. Les perturbateurs. Vous êtes venus mettre le feu à l'institut ?

— Bonjour.

Je lui ai offert mon plus charmant sourire.

— Nous sommes venus apporter des documents à mon père.

— Laissez-les dans la boîte.

Il s'est replongé dans la lecture de sa revue sur les armes.

— Impossible. Ils vont devoir être faxés dans la demi-heure. Sinon, on ne peut pas partir.

En soupirant, il a tendu la main. Je lui ai remis les formulaires.

— Un stage de maths pour les vacances ? a-t-il gloussé. Vous avez besoin d'une autorisation pour un stage de *maths* ? Je dirais plutôt : pourquoi y aller ?

— Ha, ha ! Vous pouvez nous laisser passer ? On n'en a pas pour longtemps.

Sam a hésité, redoutant sans doute la colère de Karsten.

— Vous avez de la chance, a-t-il dit enfin. Le Dr K est sorti. Ne vous enregistrez pas. Je n'ai pas envie d'avoir d'histoires à cause de ça.

— Merci.

On a filé avant qu'il ne revienne sur sa décision.

— Super, pas besoin de nous identifier, a chuchoté Ben tandis qu'on traversait le hall. Le débilos vient de nous rendre un drôle de service !

On a monté les quatre étages jusqu'au bureau de Karsten. Kit est du genre à prendre l'ascenseur. Pas question de courir le risque de tomber sur mon cher papa.

En haut de l'escalier, il y avait un petit couloir, au bout duquel se trouvaient les bureaux du directeur de l'institut et de sa secrétaire, derrière une double porte en verre dépoli.

Là, nous allions devoir franchir le dernier obstacle : le Dragon.

Tout le monde sait que Karsten ne supporte pas le bruit. Sa secrétaire, Cordelia Hoke, est la seule à travailler dans le saint des saints. Si nous parvenions à esquiver le Dragon, nous avions une chance de réussir.

Pour le moment, il fallait trouver un endroit où se cacher.

Ben m'a donné un petit coup de coude en pointant l'index en direction d'un placard à fournitures. On est entrés à l'intérieur et on a observé ce qui se passait au-dehors par une minuscule ouverture vitrée.

Une minute, puis cinq, puis dix se sont écoulées. Je commençais à transpirer.

Finalement, la secrétaire a poussé les doubles portes et s'est dirigée vers l'ascenseur. C'était prévisible. Le Dragon est une fumeuse invétérée et elle va s'en griller une, ou plutôt deux, toutes les heures. Très exactement à dix. Et elle en profite pour passer un coup de fil à son petit copain camionneur. Nous avions un bon quart d'heure devant nous.

Le plus drôle, c'est que tout le monde au LIRI connaissait les habitudes du Dragon, sauf son patron.

Dès que les portes se sont refermées sur elle, on s'est précipités dans le bureau de Karsten, qui succédait au sien.

Le compte à rebours avait débuté. Nous avions douze minutes, maintenant.

— Par où commence-t-on ? a murmuré Ben.

— On va regarder les dossiers, les registres, tout ce qui mentionne des projets.

L'endroit était spartiate. Une bibliothèque d'angle bourrée d'outils de référence. Un bureau. Un classeur métallique. Un porte-manteau.

Visiblement, Karsten stockait ailleurs ses documents. Mais nous ne pouvions avoir accès au laboratoire secret. Il fallait à tout prix découvrir quelque chose ici. Et vite.

Je me suis assise à son bureau et j'ai commencé par l'ordinateur. Quand j'ai cliqué avec la souris de droite, une demande de mot de passe est apparue sur l'écran. J'aurais dû m'en douter.

J'ai donc essayé le classeur métallique. Fermé à clé.

— Reste dix minutes, a prévenu Ben.

J'ai ouvert les tiroirs du bureau. Trois d'entre eux contenaient des fournitures. Stylos, Post-it, perforateur à trois trous. Dans un autre, j'ai trouvé des câbles d'ordinateurs et des cordons d'alimentation.

Ben, lui, fouillait les rayonnages.

— Toujours rien, a-t-il annoncé. Plus que huit minutes.

— Il nous faut la clé du classeur. C'est là qu'il doit garder ses papiers.

Ignorant son geste d'impuissance, j'ai fait l'inventaire du dessus du bureau. Écran. Souris. Imprimante. Petite horloge de bureau. Vide-poche rempli de trombones et de stylos.

Crâne de chimpanzé.

Crâne de chimpanzé ?

J'ai soulevé l'objet, puis je l'ai secoué. Il y avait quelque chose à l'intérieur. Je l'ai incliné d'un côté, puis de l'autre, et une petite clé est tombée du trou situé à la base du crâne.

Victoire !

Posant le crâne, j'ai inséré et tourné la clé dans la serrure du classeur, qui s'est ouvert.

Ben s'est agenouillé à côté de moi et nous avons commencé à examiner en hâte les dossiers.

— Six minutes.

Ben était si tendu qu'il pouvait à peine parler.

J'ai vérifié une chemise après l'autre.

Dépenses. Équipement. Fiches d'évaluation du personnel.

— Intéressant !

Ben brandissait un dossier intitulé « Projets actifs – LIRI ». À l'intérieur se trouvait un tableur, dont la dernière entrée datait de cette semaine.

J'ai survolé le contenu. Le labo 6 avait sa propre colonne et dans cette section se trouvait la mention : « Fermé – hors service ». La fermeture remontait à la mi-février.

— Je le savais ! me suis-je exclamée. Le projet de Karsten n'est pas enregistré. L'université n'est pas au courant de l'expérience du parvo.

À quoi jouait donc Karsten ?

Ben a ouvert le dernier tiroir. Les dossiers qu'il contenait n'étaient pas identifiés. Tout en guettant les bruits du retour du Dragon, on les a feuilletés.

— Trois minutes, a craché Ben. Faut se tirer.

— Qu'est-ce que c'est que ça ?

Je tenais à la main une chemise contenant des bordereaux de remise bancaire. Le propriétaire du compte était le Dr Marcus Karsten.

— Waouh ! Celui-ci, c'est pour cinquante mille dollars !

J'ai parcouru rapidement la pile. Il y avait des dizaines de bordereaux, tous concernant le même montant.

— Chaque chèque est émis par la même compagnie, Candela Pharmaceuticals.

— Regarde !

Ben soulevait le dernier bordereau.

— Le premier dépôt a été fait il y a six mois.

— Les chèques ne sont pas faits à l'ordre de l'université, mais de Karsten, ai-je remarqué. Il doit y avoir un lien entre eux.

La porte extérieure des deux bureaux s'est ouverte, puis refermée avec un bruit sec. Cordelia Hoke s'est installée dans le sien en chantonnant.

J'ai fourré un bordereau dans ma poche, puis sans

faire de bruit, j'ai refermé le classeur et remis la clé dans le crâne.

Ben et moi nous sommes glissés jusqu'à la porte de séparation entre les deux bureaux. Là, nous avons jeté un coup d'œil.

Le Dragon était assise à son bureau, situé juste entre nous et la double porte. Elle déballait une boîte de chocolats Godiva.

Nous étions pris au piège.

Impossible d'attendre une heure. Karsten allait revenir. Nous surprendre. Appeler la police. À cette perspective, mon rythme cardiaque s'est accéléré.

Je me suis sentie brûlante et j'ai eu l'impression de tomber dans un trou noir.

SNAP.

Des éclairs lumineux dans ma tête.

Un vacarme épouvantable. Cordelia Hoke ôtait le papier qui enveloppait un chocolat. L'arôme de celui-ci se mêlait à des odeurs de noix, de caramel, de polyester humide de transpiration et d'eau de Cologne.

Mon regard devenait un rayon laser. Je distinguais parfaitement les grains de poussière qui flottaient dans l'air. Les acariens sur le bois du bureau. Les minuscules sillons sur le crâne du chimpanzé.

Ben ouvrait et fermait les poings. Nous nous sommes regardés. Il avait les iris dorés. Comme moi.

Soudain, j'ai su ce que nous devions faire. Sans que j'aie eu besoin d'ouvrir la bouche, Ben a approuvé de la tête.

J'ai entrouvert la porte. Me suis accroupie.

Derrière moi, Ben était prêt à bondir.

Finalement, la secrétaire s'est penchée pour attraper quelque chose derrière sa table.

Jaillissant du bureau de Karsten, nous avons traversé le bureau de Cordelia Hoke comme deux bolides. Et en silence.

Le couloir.

L'escalier.

La liberté.

284

*
* *

Étonnée en sentant le déplacement d'air, la secrétaire regarda en direction des doubles portes. Elles étaient en train de se refermer doucement.

Bizarre.

Le Dragon se leva et alla passer la tête au-dehors.

Le couloir était désert.

Elle haussa les épaules et regagna son bureau. Puis elle reporta toute son attention sur la boîte de chocolats.

49

Après avoir quitté la bibliothèque, Hi et Shelton entamèrent le trajet de retour vers la marina. Un quart d'heure de marche à pied.

— J'ai horreur de traverser la ville la nuit, déclara Shelton. Il n'y a pas un chat dans les rues.

— Il est à peine dix heures du soir et nous sommes dans le quartier touristique, répliqua Hi. Tu as peur de te faire attaquer par une mamie ?

— Je disais ça comme ça.

— Je ne suis pas inquiet.

Hi désigna d'un geste les devantures de magasins.

— On n'a rien à craindre entre la boutique Abercrombie et Lacoste.

Quelques centaines de mètres plus loin, la rue était moins éclairée.

— Et maintenant ? chuchota Shelton.

— Avance, poule mouillée.

Hi pressa le pas. Quelques instants plus tard, il repéra deux hommes vêtus de noir qui attendaient, immobiles, à l'angle de King Street et de Hansel.

Les garçons s'arrêtèrent.

— Shelton, quelque chose ne va pas, murmura Hi, alarmé. Prenons un autre chemin.

— Excellente idée.

Ils traversèrent King Street et remontèrent Hasell Street. Cela les rallongeait, mais l'un comme l'autre s'en moquaient.

— Ma synagogue est plus haut, déclara Hi. On pourra couper par là.

Arrivés à la K.K. Beth Elohim, ils tournèrent et scrutèrent l'obscurité derrière eux. La rue était déserte.

— Voici ce qui arrive quand je me moque de toi, déclara Hi. Maintenant, j'ai la trouille sans raison.

Shelton se mit à rire.

— Eh oui, on n'est pas Jason Bourne, que veux-tu !

Ils prirent ensuite sur la droite, avec l'impression de s'être comportés comme des idiots. Quelques centaines de mètres plus loin, ils atteignirent le vieux marché. Dans l'obscurité, le bâtiment ressemblait à un gigantesque serpent de mer déployé vers le centre de Market Street.

Hi poussa une exclamation.

Les deux hommes se tenaient maintenant de l'autre côté de la rue et les observaient. L'un des deux fumait.

— On dégage ! ordonna Shelton.

Les garçons se ruèrent dans une ruelle qui conduisait vers le nord du marché. Le bâtiment leur cachait maintenant le sinistre duo.

— On a pris la mauvaise direction !

Shelton, hors d'haleine, avait la voix qui tremblotait.

— Pas question de passer devant ces types.

Ils continuèrent vers l'est, dépassant la partie la plus ancienne du marché, qui était plongée dans le silence et l'obscurité. Au carrefour suivant, ils s'arrêtèrent pour jeter un coup d'œil par-dessus leur épaule.

Et faillirent pisser dans leur froc.

Les deux hommes se trouvaient dans la ruelle qui longeait la partie sud du marché. On aurait dit des carnassiers en train de traquer leur proie.

— Continue à marcher, murmura Shelton.

— Bay Street. On va contourner.

Des bruits de pas résonnèrent sur les pavés. Hi et Shelton se retournèrent. Les hommes avaient emprunté la ruelle côté nord et se dirigeaient vers eux.

Hi et Shelton échangèrent un regard. Affronter ces brutes ? La réponse était évidente.

Une seule solution : la fuite.

Ils se concentrèrent.

SNAP.

Une décharge électrique les parcourut. Leur environnement devint incroyablement net.

Les pas s'accélérèrent. Leurs poursuivants se rapprochaient, prêts à la curée.

— Cours ! s'écria Shelton.

Les garçons s'élancèrent tels des lévriers.

Hi voyait maintenant dans l'obscurité comme avec des jumelles à infrarouges. Il repéra un endroit plus sombre à l'intérieur du marché.

Il obliqua sur la droite, entraînant Shelton qui modifia sans difficulté sa trajectoire. Tous deux pénétrèrent dans le bâtiment plongé dans le noir. Ils s'accroupirent derrière une table renversée, retenant leur souffle.

Leurs poursuivants s'immobilisèrent devant l'ouverture, haletants. Pour Hi et Shelton, ce bruit ressemblait aux rugissements d'une tempête, tandis qu'une odeur de sueur leur montait aux narines.

— Où sont-ils passés, bon sang ?

Le ton était rageur.

— Je m'occupe de couvrir la rue. Toi, fouille par ici. Et ne les laisse pas s'enfuir !

L'homme s'éloigna. L'autre se dirigea vers eux. À leurs oreilles, le crissement du gravier sous ses semelles de cuir ressemblait à du pop-corn qui éclate.

Puis plus rien.

Hi et Shelton virent leur poursuivant s'arrêter. Était-ce pour laisser ses yeux s'habituer à l'obscurité ?

— Sortez de là ! lança l'homme d'une voix nasillarde. On veut juste parler.

Il avança prudemment. De quelques centimètres.

Un léger clic perça le silence.

L'ouïe hyperhumaine des garçons l'enregistra.

Ils se regardèrent. Leur pupille était cernée d'or.

Ils avaient compris.

C'était le son d'un pistolet que l'on arme.

— Je ne vais pas vous faire de mal.

La voix provenait maintenant de la droite. Ils distinguaient parfaitement son propriétaire dans l'obscurité. Grand, des membres noueux sous le tissu noir.

L'homme progressait très lentement, ignorant à

quelle distance ils se trouvaient. D'une main il tâtonnait, de l'autre il tenait une arme à feu.

Shelton et Hi pensaient la même chose. *Notre ennemi ne peut nous voir. Nous, nous le voyons.* Ils regardèrent autour d'eux. En quête de ce qui pourrait leur servir d'arme.

Là.

Derrière eux, deux balais étaient posés contre le mur. Chacun avait un solide manche en bois.

Les garçons s'en emparèrent en silence.

Attends.

Attends.

Finalement, le voyou arriva au niveau de leur cachette, balayant l'obscurité de son arme. Du travail d'amateur.

Shelton se rapprocha de leur assaillant et décrivit un arc avec le manche du balai. Fauché au niveau des jambes, l'homme trébucha, mais réussit à conserver son équilibre.

Vif comme l'éclair, Hi intervint à son tour. Il abattit son arme improvisée sur la main qui tenait le pistolet. Celui-ci tomba et ricocha sur les pavés.

Shelton n'hésita pas. Il s'avança et, se servant du manche comme d'une lance, il percuta la cage thoracique de l'homme, qui se plia en deux, le souffle coupé.

Inversant sa prise, Hi imprima une rotation à trois cent soixante degrés à son balai et donna un coup violent sur l'arrière du crâne de l'intrus.

Celui-ci s'effondra et ne bougea plus.

Il fallait faire vite.

Les guerriers jaillirent de leur cachette et piquèrent un sprint à travers les rues sombres.

Ils ne ralentirent leur course qu'en arrivant au bord de l'eau.

50

— Mais où étiez-vous ? On vous attend depuis des heures !

Cela faisait du bien d'exploser. J'avais de l'adrénaline jusqu'au trognon.

— Désolé, a dit Hi. Les recherches nous ont pris plus de temps que prévu. Et les tueurs à gages nous ont ralentis.

J'ai levé les yeux au ciel.

— On a failli se faire descendre par deux mecs !

Shelton était encore plus nerveux que moi.

— On en a mis un hors d'état de nuire et on a échappé à l'autre.

Les deux garçons se sont mutuellement tapé dans les poings pour se féliciter.

Ben a levé la main.

— Bon, ça suffit. Maintenant, vous allez nous expliquer.

Ils ont raconté ce qui s'était passé, en se coupant à qui mieux mieux la parole.

— Qui peut bien être après vous ? a demandé Ben quand ils ont eu terminé.

— La bande d'allumés de Loggerhead, a répondu Shelton.

— Pourquoi ?

— Comme on est au courant du meurtre de Katherine Heaton, ils veulent nous tuer.

— Peut-être.

Je n'en étais pas certaine.

— C'est beaucoup d'histoires pour un crime vieux de quarante ans.

— Tory, on s'est *servis* de la flambée cette fois, a déclaré Hi. La modification nous a donné des pouvoirs. Des super-sens et une super-force.

— C'était stupéfiant, a conclu Shelton.

— Vous n'êtes pas les seuls.

Ben leur a alors raconté notre aventure du LIRI.

— Donc, Karsten en palpe pour faire des expériences secrètes.

Shelton a sifflé entre ses dents.

— Et nous, on est arrivés là-dedans comme un éléphant dans un jeu de quilles.

— En tout cas, il ne garde pas les dossiers concernant le projet dans son bureau, ai-je dit. Ils doivent être dans le labo. Et vous, les garçons, vous avez trouvé quelque chose d'intéressant ?

— Peut-être.

Hi et Shelton nous ont alors exposé le résultat de leurs recherches en bibliothèque.

— Donc, a résumé Hi, certains parvovirus franchissent bien la barrière des espèces, et il existe des souches qui infectent l'être humain. Mais la forme humaine n'infecte pas les chiens, et la forme canine n'infecte pas l'être humain.

Quelque chose me titillait, mais je n'arrivais pas à déterminer quoi.

— Comment s'appelle la forme humaine, déjà ?

— Le parvovirus B19, a répondu Hi. Le savant qui l'a baptisé ainsi a trouvé le premier exemplaire dans sa dix-neuvième boîte de Petri.

— B19, ai-je répété, plus pour moi-même que pour les autres.

Était-ce ce qui faisait écho ?

La réponse à ma question m'échappait toujours.

J'ai fermé les yeux.

Réfléchis bien.

Rien à faire.

À ce moment, Coop est entré en bondissant dans le bunker. Maintenant qu'il avait repris des forces, nous le laissions gambader dans les dunes.

Par jeu, il s'est mis à passer et à repasser entre mes jambes.

J'avais du mal à garder mon équilibre.

— Arrête, Coop !

La queue basse, le chiot est allé se réfugier sous la table en poussant des gémissements plaintifs.

Je lui ai caressé le dos en murmurant des paroles rassurantes. Je n'aimais pas le voir avoir peur. Il avait suffisamment souffert entre les mains de Karsten.

J'étais en train de le gratter entre les oreilles lorsque le message subliminal a enfin surgi.

B19.

Mais oui, bien sûr !

— Hé, je sais ce qui est arrivé. Karsten doit avoir...

Soudain, les poils se sont hérissés sur l'échine de Coop. Il s'est mis à gronder, les yeux fixés sur l'entrée du bunker.

Je me suis retournée.

De l'extérieur nous parvenait un frottement, suivi du bruit caractéristique d'un corps se glissant par le passage.

Nous avons reculé dans un coin, choqués que quelqu'un ait découvert notre cachette secrète. Qui que ce soit, il nous tenait à sa merci.

Une forme a émergé. S'est redressée. Nous a lancé un regard mauvais.

C'était bien la dernière personne que je m'attendais à voir.

51

— Tory Brennan !

Karsten a craché mon nom comme quelque chose d'amer qu'il aurait eu sur la langue.

Je suis restée bouche bée. Tétanisée.

Notre bunker était pratiquement invisible de l'extérieur. Comment Karsten l'avait-il découvert ?

Les garçons le regardaient sans mot dire, dépités. Game over. On avait perdu la partie.

— C'est donc ici que vous complotez vos petits méfaits !

Karsten a ricané.

— L'endroit est charmant !

Il a écarquillé les yeux en découvrant Coop.

Planté devant moi, le chiot le fixait, pattes écartées, les oreilles couchées, le poil hérissé. Ses babines retroussées révélaient ses crocs blancs.

Un grondement sourd montait de sa gorge.

— Ainsi, c'était vrai ! Vous l'avez pris !

La voix de Karsten tremblait de fureur.

— Oui.

J'ai caressé la tête de Coop. Toujours tendu, il surveillait chaque mouvement de Karsten. Prêt à se jeter sur lui.

— Qui vous a demandé de le faire ?

Karsten a repéré une chaise et s'est lourdement assis dessus. Ses chaussures de toile jaunes étaient maculées de boue.

— Pour qui travaillez-vous ?

— De que-quoi pa-parlez-vous ?

Shelton bégayait sous le coup de l'émotion.

— On ne travaille pou-pour personne !

— Vous racontez des conneries ! a explosé Karsten.

Je ne l'avais encore jamais entendu employer de gros mots.

— Comment avez-vous pu ouvrir les portes, les serrures ? Vous faites insulte à mon intelligence en prétendant avoir agi seuls.

J'ai croisé les bras.

— Désolée, mais c'est la vérité. On n'était même pas venus pour le chien. Mais quand on l'a découvert, on n'a pas eu le choix.

— Alors pour quelle raison vous êtes-vous introduits dans le labo ? Et comment avez-vous fait ? Je veux le savoir. Tout de suite !

Nous n'avions pas le choix. Je le lui ai dit.

J'ai raconté l'histoire du singe qui nous avait bombardés, de la plaque d'identité militaire pleine de terre, du sonicateur. J'ai expliqué comment nous étions tombés sur le labo secret. Comment nous avions découvert l'histoire de Katherine Heaton. Mis au jour son squelette. Essuyé des tirs dans le noir.

Pendant un moment, Karsten est resté silencieux. Quand il a repris la parole, il était beaucoup plus calme.

— Vous avez vraiment trouvé un cadavre ?

— Vraiment, a dit Ben.

— Celui de Katherine Heaton. Mais on a été poursuivis par des hommes armés. Sur *votre* île.

Karsten a pris un air pensif.

— Katherine Heaton, a-t-il murmuré. Pendant toutes ces années que j'ai passées sur Loggerhead, elle était là.

À ma grande surprise, il paraissait authentiquement attristé.

— Vous étiez furieux qu'on en ait parlé à la police, ai-je repris. Et vous avez accès aux ossements de primates. Cela vous rend suspect.

— Idiote ! Katherine et moi étions ensemble au lycée de St. Andrew's. C'était une amie, une folle de science comme moi.

Il avait repris un ton acerbe.

— Sa disparition m'a anéanti, a-t-il ajouté en agitant un doigt osseux dans ma direction. Ne parlez pas de ce que vous ne connaissez pas !

— Je suis désolée.

J'étais sincère. Ses paroles sonnaient juste.

— Mais quelqu'un l'a enterrée sur Loggerhead Island et ce quelqu'un ne tenait pas à ce que nous parlions de notre découverte.

Pendant quelques instants, Karsten a paru en proie à un débat intérieur. Puis il s'est repris.

— J'ignore de qui il s'agit. La mort de Katherine est une affaire classée depuis longtemps. On ne saura sans doute jamais la vérité.

Karsten s'est levé.

— Vous, les jeunes, vous avez commis une grave infraction. Beaucoup plus grave que vous ne le pensez.

— Nous ne sommes pas les seuls, a rétorqué Hi. Votre expérience tordue n'était pas autorisée.

— On vient d'en avoir la preuve cet après-midi, ai-je ajouté. La visite à l'aquarium vous a plu ?

Karsten s'est raidi.

J'en ai remis une couche.

— Vos tests ne sont pas répertoriés sur le registre officiel. Et vous touchez de l'argent en sous-main.

J'ai sorti le bordereau de ma poche. Karsten était blême. Ses mains tremblaient. Il a serré les poings.

Pour la première fois, j'ai eu peur. Était-il fou ? Désespéré ? Nous étions seuls avec lui, loin de tout.

Mais au lieu de nous sauter dessus, Karsten a ôté ses lunettes et s'est frotté les yeux. Quand il a remis les verres épais, il n'était plus le même.

— Vous avez raison, a-t-il dit d'un ton calme. Mon projet était effectivement secret. Illégal. Je prie pour ne pas avoir provoqué de dommages irréparables.

— Comme torturer un chiot innocent ? ai-je demandé.

Karsten a regardé Coop, qui s'est remis à gronder.

— Pourquoi avoir fait ça ? a demandé à son tour Ben.

— Vous n'allez pas me croire, mais c'est pour éviter une mort précoce à des millions de canidés. Pour trouver un traitement contre le parvo, et pas seulement un vaccin.

Ses lèvres fines se sont étirées en un sourire sans joie.

— Et pour gagner beaucoup d'argent par la même occasion.

À nouveau, l'attitude de Karsten a changé sans prévenir. Il a serré les poings.

— J'avais pourtant pris toutes les précautions ! Et personne n'était au courant de ce labo, sauf moi.

— Si tel était votre but, pourquoi agir en douce ? a interrogé Shelton.

— Je sais pourquoi.

Tous les yeux se sont tournés vers moi.

— Le Dr Karsten a créé un nouveau virus. Une souche expérimentale très dangereuse. Un hybride du parvo canin et du parvovirus B19.

Karsten a semblé se recroqueviller.

— Comment pouvez-vous savoir ça ?

— On a vu le bloc-notes près de l'enclos de Coop. Vous avez infecté le chiot avec quelque chose du nom de Parvovirus XPB-19.

Je me suis tournée vers Shelton et Hi.

— Ce soir, on a appris qu'il existait une souche humaine baptisée Parvovirus B19. Pas besoin d'avoir le prix Nobel pour faire la déduction.

Vaincu, Karsten n'a même pas protesté.

— Il ne peut y avoir une coïncidence au niveau des noms, ai-je poursuivi. Mais ce n'est pas comme ça que je sais.

— Comment, alors ?

— Parce qu'on l'a attrapé, docteur Karsten. Nous sommes infectés.

J'ai ouvert les bras.

— Vous avez fait de nous des Viraux.

52

— Vous avez été malades ?

Karsten était blême.

— Décrivez-moi vos symptômes.

Il a fait mine de se lever de sa chaise, mais un grognement de Coop l'en a dissuadé.

— Qu'est-ce que vous avez ressenti ?

Il m'examinait comme un insecte épinglé.

— Dites-moi tout, sans rien omettre.

Silence de notre part.

— Je suis le seul qui puisse vous aider. Vous devez me croire. Je n'ai jamais voulu nuire à personne. Vous savez quel mal je me donne pour assurer la sécurité.

— Effectivement, a marmonné Hi. La prochaine fois, essayez de changer le code par défaut.

— Par défaut ? Ce code devait être déterminé au hasard !

Ignorant Karsten, je me suis tournée vers les autres, l'air interrogateur.

— Comment lui faire confiance ? a demandé Shelton.

— Vous êtes infectés par une dangereuse variante du parvovirus, a dit Karsten en ouvrant les mains. J'ai agi bêtement, je le reconnais. Mais ce qui est fait est fait. Maintenant, il faut s'assurer que votre vie n'est pas en danger.

Shelton n'avait toujours pas l'air convaincu. J'ignorais ce que pensaient Hi et Ben.

— Tory a vu juste, j'ai introduit de l'ADN du parvovirus canin dans le code génétique du B19, a commencé

Karsten sur le ton du conférencier. Je cherchais le moyen d'affaiblir la forme canine.

Il nous a dévisagés tour à tour avant de poursuivre.

— Je ne saurai jamais si c'était la bonne approche. J'ai détruit la souche dès que le chien a été volé. Et mes documents aussi, par la même occasion.

— Pourquoi ? ai-je demandé.

— Les tests montraient que le virus risquait d'infecter l'être humain. Je n'avais pas suivi les protocoles adéquats. Quand tout m'a échappé, j'ai paniqué. Ma réputation était en jeu.

— Votre réputation ! a explosé Hi.

— Laissez-moi réparer.

Karsten était presque suppliant.

— Racontons-lui, a proposé Shelton.

Un silence, puis Hi et Shelton ont fait signe qu'ils étaient d'accord.

J'ai décrit à Karsten les pertes de connaissance, les nausées, la fatigue, les frissons et les suées. Tout. À chaque détail, il se tassait un peu plus sur son siège.

— Et ces symptômes ont disparu ? a-t-il enfin demandé.

— Oui.

Il a poussé un soupir. Soulagé.

Pas pour longtemps.

— Il y a des effets secondaires, ai-je ajouté.

— Des effets secondaires ?

— Oui. Nous appelons ça des « flambées ».

Je lui ai alors parlé des pouvoirs. De la façon dont nos sens se dilataient, dont nos perceptions devenaient plus aiguës. Les flashes de vitesse et de force. Les yeux luisants, couleur d'or.

Il a failli tomber de sa chaise.

— C'est extraordinaire, extraordinaire, a-t-il répété en secouant la tête de droite à gauche. Est-ce que vous pouvez manifester ces capacités à la demande ?

— Non. Les flambées se produisent de manière aléatoire.

— Je pense que non. D'après votre description, il semble que ce soit un puissant input sensoriel qui déclenche ces épisodes. Le stress, aussi. Il est probable que vos pouvoirs sont activés par la stimulation de la partie limbique de votre cerveau.

— Vous pouvez traduire ? a demandé Ben.

— La neuro-anatomie est quelque chose de très complexe, vous savez.

— Moi aussi.

Sentant la menace dans la voix de Ben, Karsten s'est lancé dans une explication.

— Il y a dans le système limbique un organe qu'on appelle l'*hypothalamus*. Il régule le système nerveux autonome, ou SNA, par l'intermédiaire de la production et de la libération d'hormones. Le SNA affecte le rythme cardiaque, la digestion, la respiration, la salivation, la transpiration, la taille de la pupille. Entre autres choses.

— Et alors ? a interrogé Ben.

— Je soupçonne le virus d'avoir modifié votre ADN. Et cette modification a changé le fonctionnement de votre cerveau.

Ma gorge s'est serrée.

Sans se rendre compte de l'angoisse qu'il suscitait, Karsten a poursuivi son exposé.

— Les épisodes de stress importants provoquent des réactions hormonales à l'intérieur du corps humain. C'est normal. Mais il semble que chez vous, il existe un niveau entièrement nouveau. Lorsque vous êtes menacés ou effrayés, vos capacités physiques et sensorielles s'apparentent à celles du loup.

Karsten a dégluti avant de poursuivre :

— D'une manière ou d'une autre, ma souche hybride de parvovirus a introduit de l'ADN canin dans votre empreinte génétique.

Un grand silence a accueilli ces mots. Un calme surnaturel qui semblait monter du sol et venir du ciel, de la mer et des dunes. Nos cœurs battaient à tout rompre.

Au bout d'un moment, j'ai retrouvé l'usage de ma voix.

— Vous pouvez nous guérir ?

— Je n'en sais rien, a répondu calmement Karsten. Mais je vais tout faire pour. Vous avez ma parole.

Soudain, Coop a de nouveau grondé.

Cette fois, il avait les yeux rivés sur l'entrée du bunker.

Il a tourné la tête vers moi, puis vers l'ouverture, les
oreilles couchées, les muscles tendus, et il a aboyé par
trois fois, de manière agressive.

On s'est tous figés.

Des voix résonnaient à l'extérieur.

53

— Chut ! ai-je chuchoté. Retenez Coop.

Je me suis glissée par l'ouverture et j'ai rampé dans le boyau. Ce que j'ai aperçu dehors m'a glacé le sang.

Des silhouettes sombres. L'une tenait un pistolet. Le groupe se tenait à quelques mètres du bunker et discutait âprement.

Je suis rentrée en toute hâte.

— On a de la compagnie. Trois personnes. L'une au moins est armée.

— Des amis à vous ? a demandé Hi à Karsten.

— Non. Je vous ai suivis – il a pointé un doigt tremblant en direction de Hi et de Shelton – depuis le quai de Morris Island. J'ignore qui sont ces gens.

— Il n'y a pas d'autre issue.

Ben a serré les poings.

— Il faudra leur sauter dessus dès qu'ils se pointeront en rampant.

— Tu es malade ! s'est exclamé Shelton. Si ça se trouve, ils sont *tous* armés !

— On n'a pas le choix. On est pris au piège.

— La meurtrière ? a demandé Karsten.

— Le point de chute est trop loin, et il y a seulement des rochers en dessous.

Du menton, Karsten a désigné l'entrée de la salle du fond.

— Et là, qu'est-ce qu'il y a ?

— Une autre meurtrière et un tunnel effondré, a répondu Hi.

— Un tunnel ?

Sans hésitation, Karsten s'est engagé dans l'ouverture.

On l'a suivi.

Il a agité la main au-dessus des planches qui bloquaient grossièrement l'ouverture du passage abandonné.

— Je sens un courant d'air. Vous êtes déjà entrés dans ce boyau ?

— Évidemment pas, a répliqué Shelton. Ça risquait de s'effondrer à tout moment.

À l'extérieur, une voix rauque s'est élevée.

— Allez, les gosses ! Ne nous obligez pas à vous enfumer.

Coop a grondé. Je lui ai passé les bras autour du cou, inquiète à l'idée qu'il puisse bondir au-dehors.

— Il n'y a pas de réseau !

Shelton appuyait frénétiquement sur les touches de son téléphone. Ben s'est emparé d'une planche.

— En admettant qu'on ait une flambée, on peut les avoir !

— Ne faites pas l'imbécile, a protesté Karsten. Ces hommes sont peut-être des professionnels. On fonce dans le boyau. Tout de suite.

— Ils vont nous suivre, a objecté Ben. En revanche, l'entrée est un étranglement. Ils devront entrer l'un après l'autre. On devrait les attendre et leur sauter dessus.

— Pas question.

Karsten m'a poussée en avant.

— Je vais les retenir pendant que vous vous échapperez par le passage. Vite !

Je me demandais pour quelle raison les tueurs ne s'étaient pas encore précipités à l'intérieur. Peut-être avaient-ils eu la même idée que Ben. Mais cela n'allait pas durer.

Tandis que Shelton et Hi arrachaient les planches, Ben dégageait les rochers qui bloquaient le passage. Bientôt, une ouverture d'une cinquantaine de centimètres a été créée.

Au-delà, c'étaient les ténèbres.

Shelton semblait pétrifié.

— Pour rien au monde je ne vais là-dedans !

— C'est la seule issue, ai-je dit.

— Mais on ne sait pas où ça aboutit ! Si même ça aboutit ! Qui nous dit que ce n'est pas bouché ?

Devant l'entrée du bunker, la voix a repris.

— On vous prévient, nous sommes armés. Sortez *tout de suite*, petits cochonous, ou on va faire comme le grand méchant loup !

— Vite, dans le passage, a aboyé Karsten.

— Et vous ?

Il a évité mon regard.

— Ce n'est pas après moi qu'ils en ont. Tout ira bien.

— Merci.

Je ne l'ai pas contredit. C'était plus simple comme ça.

Ben est entré dans l'orifice en se tortillant, suivi par Hi, puis par Shelton. J'ai poussé Coop à l'intérieur, puis je les ai imités.

Le tunnel descendait brutalement. Au-dessus de nos têtes, il n'y avait qu'un petit espace.

J'ai jeté un coup d'œil derrière moi. Karsten rebouchait l'ouverture avec des débris.

— Pardonnez-moi, Tory.

L'entrée est devenue noire, nous plongeant dans la pénombre.

Au bout de quelques mètres, nous sommes tombés sur un bloc de pierre qui bloquait le passage. Ben s'est efforcé sans succès de le déplacer. Finalement, avec l'aide de Hi et de Shelton, il a réussi à le repousser de plusieurs centimètres sur le côté.

On entendait maintenant des voix à l'entrée du tunnel. Coop a grogné. J'ai maintenu sa gueule fermée avec mes mains.

Deux détonations.

Suivies d'un bruit mat.

J'ai failli hurler.

— Par ici ! a crié la voix rauque. Il y a une sorte de conduit !

Je me suis insinuée à côté du rocher. Derrière moi, les débris cédaient. J'ai commencé à paniquer.

SNAP.

L'obscurité s'est décomposée en particules qui se sont lentement séparées. Le sang battait à mes tempes.

Je me suis retournée. Deux silhouettes tentaient de soulever une lourde pierre à l'entrée du tunnel.

Mes oreilles ont perçu un son léger. Comme une déchirure. J'ai levé les yeux, cherchant son origine.

Ça venait d'en haut. Au-dessus de nos têtes.

Mon cœur a bondi dans ma poitrine.

Des fissures étaient en train d'étoiler la voûte.

Le léger craquement s'est amplifié, est devenu un grondement.

— Courez !

Devant moi, quatre paires d'yeux d'or luisaient dans l'obscurité. Ceux de Ben, de Shelton, de Hi et de Coop.

Ils avaient compris. Ensemble, nous nous sommes rués dans le tunnel, parmi les rochers et les poutrelles effondrées.

Le grondement s'est changé en rugissement.

Des mottes de terre nous tombaient sur la tête. La poussière m'aveuglait, entrait dans mes poumons. Les larmes ruisselaient sur mes joues.

La main sur ma bouche, j'ai avancé en titubant.

Quelque chose s'est écrasé derrière moi. Suffocante, je suis tombée à genoux. Un souffle d'air humide m'a balayée, tandis que le tunnel devenait noir.

54

Clignant des yeux, j'ai regardé derrière moi.

À quelques pas de l'endroit où j'étais agenouillée, un mur de terre bloquait le tunnel. À quelques instants près, nous le prenions sur la tête.

Nous étions dans une obscurité telle que même en pleine flambée, je ne voyais rien.

— Tout le monde va bien ? ai-je crié.

Les garçons m'ont répondu. Même Coop a brièvement aboyé.

— Continuons. On n'a plus rien à craindre derrière nous, maintenant.

On a avancé à tâtons, en se concentrant sur la marche et la respiration. Mieux valait éviter d'imaginer les choses horribles qui pouvaient nous arriver.

Et s'il n'y avait pas d'issue à l'autre bout ? Et si nos poursuivants nous attendaient à la sortie ? Quel était le bruit mat qui avait succédé aux coups de feu ? Qu'était-il arrivé à Karsten ?

Ne pense qu'à te tirer de là.

Nous sommes arrivés à une bifurcation.

— On prend de quel côté ?

La voix de Shelton, sur la gauche.

— Je sens de l'air frais qui vient de la droite, a annoncé Hi. Et même une odeur d'herbe.

J'ai reniflé.

Il avait raison. De nouveaux arômes s'étaient joints au mélange de poussière, de moisi et de bois pourri. Celui de l'herbe et du sable mouillé.

Le cœur battant, je m'apprêtais à parler lorsque j'ai perçu un mouvement, suivi d'un jappement.

— Coop vote pour la droite, lui aussi, a dit Hi. Du moins, je suppose que c'est pour ça qu'il m'a renversé.

— Alors on y va, a conclu Ben.

Nous avons progressé en butant dans le noir sur les rochers, les poutrelles et les innombrables objets inidentifiables qui jonchaient le sol.

Mon corps libérait des triples doses d'adrénaline. J'avais l'impression que ma boîte crânienne devenait trop petite pour contenir mon cerveau. J'avançais en me fiant à mes sens.

N'aurais jamais dû écouter... savais que le plafond allait s'effondrer... peux pas respirer...

C'était quoi, ce truc ?

— Shelton, tu m'as parlé ?

— Non.

Sa voix tremblait.

Pourtant, j'avais bien cru entendre Shelton. J'ai fait un effort pour retrouver le fil.

Respire.

Embuscade à l'entrée... aurais pu leur tomber dessus, à ces salauds...

Normalement, je ne devrais pas sentir autre chose que la poussière... L'herbe ? Je suis une curiosité de la nature...

Mon Dieu !

J'entendais les autres Viraux.

Dans ma tête.

Im-pos-si-ble.

J'ai tenté de me reconnecter, de capter leurs voix de nouveau. Rien. Bredouille.

Allez, un effort. Accroche-toi.

Mauvaise odeur... danger... déchirer... sauver meute...

Coop ! J'en étais certaine. Il voulait nous protéger.

En tâtonnant, j'ai attrapé le chiot et je l'ai serré contre mon cœur.

Chaleur... mère-amie... abri...

Avec toute la force de ma volonté, j'ai tenté de faire passer un message entre mon cerveau et le sien.

Je te protégerai, baby. On s'en sortira. Promis.

Le chiot a jappé et m'a léché le visage. J'ai déposé un baiser sur son crâne.

— Qu'est-ce que c'était ?

Ben s'était arrêté.

— Protéger qui ? a demandé Shelton.

— Tory, c'était bizarre.

Hi.

— Où es-tu ? Tu me parles ?

— Je suis ici, les garçons.

Est-ce que tout le monde m'aurait entendue ? J'ai envoyé un message-test.

Je suis ici aussi.

— Waouh !

Shelton et Hi.

— Tu es dans ma tête ! Sors-en !

Ben semblait bouleversé.

C'était incroyable. Ils m'entendaient. Les Viraux m'entendaient !

Et puis le feeling a disparu.

J'ai désespérément tenté de le retrouver. En vain. Autant essayer de revivre un rêve.

J'ai envoyé un autre message.

Pas de connexion. Échec.

— Qu'est-ce que tu viens de faire ? a demandé Hi.

— Je ne sais pas.

— Recommence.

— Je ne peux pas.

J'ai libéré Coop, qui a foncé dans le noir. Il a aboyé loin devant nous et on s'est faufilés dans cette direction, tels des rats dans un labyrinthe.

Quelques minutes plus tard, les ténèbres sont devenues moins épaisses. Pour nous, c'était comme un phare.

Ben a poussé un cri.

— Une échelle !

On s'est précipités.

Au-dessus de l'échelle, un carré de nuit étoilée apparaissait. Un peu de clarté lunaire tombait par l'ouverture.

Une issue ! J'ai failli crier de joie.

Shelton a testé un barreau, puis deux, avant de s'aventurer jusqu'en haut. Hi a suivi.

Mettant Coop sur son épaule, Ben a escaladé l'échelle à son tour. Je l'ai suivi de près, prête à rattraper le chiot s'il trébuchait.

L'échelle aboutissait à un bunker si petit que nous avons eu du mal à y tenir à cinq. La meurtrière donnait au nord sur le port.

La flambée ne s'était pas calmée.

J'ai respiré à fond l'air nocturne, tous mes sens exacerbés, tandis que la peur s'atténuait.

— On est où ? a demandé Hi.

— De l'autre côté de Morris Island, celui qui donne sur Schooner Creek.

Ben examinait les alentours.

— Sur l'une des dunes, certainement.

Nous dominions la pointe nord de l'île. La lune était pleine, et avec ma vision canine, je distinguais le paysage comme en plein jour.

Shelton a soudain pointé l'index en direction de notre refuge. À environ deux cents mètres, tout près du rivage, quatre hommes étaient en train d'embarquer un ballot à bord d'une yole.

— Oh, regardez ce qu'ils transportent !

La voix de Hi s'est brisée.

La forme. Le poids. La difficulté qu'ils avaient à le manipuler.

Je me suis mordu les lèvres.

Tandis que nous observions la scène, une vague a soulevé la yole et le ballot a basculé sur un côté. Les hommes ont lutté pour reprendre leur équilibre. À ce moment, un coin de la bâche s'est soulevé.

Révélant une chaussure de toile jaune.

Ma gorge s'est serrée.

Le Dr Marcus Karsten.

Les coups de feu.

Le bruit mat. Un corps tombant sur le sol.

Non, ce n'était pas possible !

Karsten était la seule personne à avoir compris. La seule personne capable d'inverser les modifications que nous avions subies.

J'ai manqué en pleurer de désespoir. La mort de Karsten refermait une porte. Notre seul espoir avait été assassiné.

Mais pourquoi ? Quelle menace représentait-il ? Et pour qui ?

Finalement, les hommes ont réussi à hisser leur sinistre fardeau à bord du bateau. Le moteur a démarré. Nos assaillants ont pris la mer.

Nous avons regardé la yole disparaître à l'horizon, nos yeux d'or luisant dans le noir.

Quatrième partie

COMPRÉHENSION

55

Je suis retournée à ma station de travail. Je nous avais plantés. Et en beauté.

Jason n'a rien dit, mais il avait la mâchoire serrée. Hannah évitait mon regard. À l'autre bout de la salle de classe, la bande de Madison ricanait et chuchotait.

Ma présentation avait été une catastrophe. J'avais bredouillé mes explications, confondu les chiffres, perdu de vue le sens de mes découvertes.

Mme Davis elle-même me regardait en coin.

C'était un ratage de première, mais je m'en fichais, à vrai dire. Après les événements de la nuit passée, le reste n'était que broutilles.

Karsten était mort. Assassiné. Il n'y avait maintenant plus personne pour nous aider.

Me concentrer sur le travail scolaire ? Allons donc. J'étais devenue une mutante. Et des hommes masqués me pourchassaient. Si j'étais allée à l'école, c'était uniquement parce que j'avais peur de rester seule chez moi.

Je n'avais pas dit un mot à Kit. Comment aurais-je pu ? Nous n'avions pas le cadavre de Karsten.

Comme nous n'avions pas celui de Katherine Heaton.

Les Viraux étaient d'accord pour ne pas reproduire notre précédente erreur. Nous en avions assez d'être considérés par les adultes comme des débiles mentaux. Ou comme des menteurs.

Il n'en restait pas moins que quelqu'un voulait notre mort.

Mon estomac s'est noué un peu plus.

Pourquoi ?

Tu sais pourquoi. Parce que tu as trouvé Katherine Heaton.

Mais pour quelle raison le tueur s'acharnait-il ? Le squelette avait disparu. Personne ne croyait à notre histoire. Nous n'avions aucune preuve. Nous ne pouvions pas identifier qui que ce soit.

Le meurtrier n'avait pas de souci à se faire. L'affaire Heaton ne risquait pas d'être résolue.

Pourtant nous étions visés.

Quelque chose m'échappe.

Qui prendrait le risque d'assassiner quatre ados ? C'était dingue. Un quadruple homicide sur des élèves de la Bolton Prep School ferait les gros titres des journaux pendant des mois. La police mettrait le paquet pour l'enquête. Le coupable n'aurait que peu de chances de passer à travers les mailles du filet.

Nous devions pousser notre adversaire dans ses retranchements. Ce qui signifiait qu'on était près du but.

Mais comment ? On n'avait rien. Nada.

J'ai repensé à la confrontation avec Karsten. Par ses réponses, il avait dévoilé le secret de notre maladie. J'avais enfin compris pourquoi je ne maîtrisais plus mon corps.

Un virus artificiel avait mutilé mon code génétique.

J'ai frissonné.

Au cœur de mes cellules, de l'ADN de loup se mêlait au mien. C'était une idée terrifiante. Qu'allait-il arriver ? Que se passerait-il si je perdais tout contrôle ?

Oui, mais j'ai des pouvoirs. Je peux faire des choses dont les autres sont incapables.

Avoir des *flambées*.

À ceci près que j'ignorais comment les déclencher et les arrêter. Comment les utiliser. Et Karsten ne pourrait jamais remplir sa promesse de nous aider. Il avait sacrifié sa vie pour sauver la nôtre.

Nous, les Viraux, nous étions désormais seuls.

Il n'y avait pas trente-six possibilités. Nous devions résoudre l'affaire Heaton. Découvrir les preuves. Dénoncer les assassins avant de devenir leurs prochaines victimes. Peut-être alors trouverions-nous les réponses qui avaient disparu avec Karsten.

Mais il fallait faire vite.

*
* *

Après la fin des cours, j'ai attendu Chance sur les marches devant l'entrée de l'école, comme convenu. Il était en retard.

J'ai fait les cent pas, les nerfs à vif. L'empreinte était notre seule piste. Si Chance me lâchait, je me demandais ce que j'allais faire.

C'était une impression très pénible. Nos poursuivants étaient dans la nature et ils pouvaient revenir à tout moment.

Les minutes passaient, sous le regard impassible des lions de pierre.

Finalement, Chance est sorti du bâtiment. Contrairement à son habitude, il ne souriait pas. Il était crispé.

— Tory, j'ai trouvé quelque chose. Allons parler là-bas.

D'un signe de tête, il a désigné un banc un peu plus loin, sur la pelouse.

Malgré mon inquiétude, je le trouvais toujours aussi séduisant. Sa tenue de lacrosse mettait merveilleusement en valeur sa musculature.

Ouvre l'œil et le bon. Ta vie dépend peut-être de cette information.

— J'ai eu la réponse de la SLED, a commencé Chance. Le service a identifié le propriétaire de l'empreinte.

— Qui est-ce ?

Je tenais mon stylo prêt à noter le nom sur un carnet. Mais j'avais les mains tellement moites qu'il a failli m'échapper.

— L'homme s'appelle James Newman. D'après la SLED, il s'agit d'un truand local lié au syndicat du crime pour tout le sud-est des États-Unis. C'est une mauvaise nouvelle, Tory, a-t-il conclu en posant sa paume sur ma main.

Ce contact m'a électrisée, mais je ne me suis pas écartée de mon sujet.

— Est-ce que le service de police sait où il vit ou ce qu'il a fait récemment ?

— Non, mais l'homme a un dossier épais comme un annuaire. Il est passé de la petite délinquance aux vols à main armée, au trafic de drogue et peut-être au meurtre.

Chance a pris mes doigts dans les siens.

— Ce n'est pas le genre de type à qui te frotter pour une question de vol d'ordinateur. Ni de quoi que ce soit, d'ailleurs.

— Je vais juste signaler le vol au commissariat.

J'étais déjà en train de chercher le moyen de mettre la main sur ce James Newman.

Chance a jeté un coup d'œil à mes notes.

— Je ne veux pas me mêler de ce qui ne me regarde pas, mais je te conseille de laisser tomber. D'après ce que je sais, ce mec n'est pas du tout le genre à traîner en quête d'un ordinateur portable. S'il était sur Morris Island, c'est qu'il avait une bonne raison pour cela.

Ce n'est que trop vrai, Chance. Mais je ne peux t'en parler.

— Tu as raison, ai-je dit. Ce n'est pas la peine de mettre la main dans un nid de guêpes.

Chance a plongé son regard dans le mien. Troublée, j'ai détourné les yeux.

L'air de rien, il s'est mis à me caresser la main. Ses caresses étaient autant de petites brûlures sur ma peau.

— Ne t'occupe pas de ce type, Tory. Je t'aime bien et ça me démolirait s'il t'arrivait quelque chose.

J'étais incapable de parler. Mon cœur battait à tout rompre.

Il s'est penché vers moi et a poursuivi d'un ton sérieux :

— Je sais que tu n'es pas du genre à lâcher prise, mais là, tu risquerais gros.

— Je vais abandonner. Promis.

Un sourire a illuminé son beau visage. Incroyable ce qu'il pouvait être craquant !

Avant que j'aie pu réagir, il m'a attirée à lui. Puis il a déposé un baiser sur ma joue.

— Intelligente, comme toujours, a-t-il murmuré à mon oreille.

Sur ces mots, il s'est levé et a filé.

Je suis restée scotchée à mon banc.

Chance Claybourne venait de m'embrasser.

Mince, alors !

56

J'ai jeté un coup d'œil autour de moi, histoire de vérifier les environs.

Et j'ai repéré Hi en train de remonter en douce les marches, sa veste enfilée à l'envers.

Il ne manquait plus que ça.

— Hep !

Hi s'est raidi, puis il s'est lentement retourné et a chaloupé jusqu'à mon banc.

— Oh, hello !

Faussement nonchalant.

— Je n'avais pas vu que tu étais là.

— Ça va, Hiram, ai-je lancé, les mains sur mes hanches. Pourquoi cet air gêné, dans ce cas ? Qu'est-ce que tu viens de voir, d'après toi ?

— Certainement pas Chance et toi en train de flirter.

Un sourire en coin.

— Honte à toi ! Une jeune fille comme il faut !

J'avais le visage en feu.

— Ce n'est pas ce que tu crois. Enfin, je n'en sais rien, après tout. C'est lui qui a commencé !

— Ça ne me regarde pas. Et ne t'inquiète pas, je suis une tombe.

— Merci. Je ne suis pas du genre à piquer le chéri d'une autre.

— Alors, quelle info Chouchou avait sur l'empreinte ?

J'ai consulté mes notes, trop contente de changer de sujet.

— Elle appartient à un certain James Newman, un truand de la région lié au syndicat du crime.

— Le syndicat du crime ?

Hi a froncé les sourcils.

— Réjouissante perspective ! Où est-ce qu'il crèche ?

— Il va falloir le découvrir.

— Mais comment donc ! Les flics sont incapables de le trouver, mais nous, on va y arriver.

— Pas le choix. Ce type nous a espionnés à la bibliothèque. Il est notre seule piste dans l'affaire Heaton.

Hi s'est assis à côté de moi sur le banc.

— J'y ai réfléchi. Peut-être qu'on fait fausse route. Ce Newman travaille certainement pour quelqu'un. C'est cette personne qu'il faut découvrir.

— D'accord, mais comment ?

— En cherchant le motif du crime. Pourquoi Katherine Heaton a été assassinée.

Cela paraissait juste. Et moins risqué que de courir après un dangereux malfaiteur dans Charleston et ses environs.

— Dans ce cas, il faut enquêter sur les circonstances de sa disparition, ai-je déclaré. Trouver un indice qui a échappé aux flics en 1969.

— On a déjà épluché les journaux. Qu'est-ce qu'on peut faire d'autre ?

Une idée m'est soudain venue.

— Et la famille de Katherine ?

— Son père était orphelin et sa mère est morte en la mettant au monde.

— Elle n'avait que seize ans quand Frankie Heaton a été tué au Vietnam. Elle devait bien vivre chez quelqu'un pendant qu'il était loin.

— Peut-être que sa mère avait de la famille ? a déclaré Hi sans grande conviction.

— Qui que ce soit, si cette personne est toujours vivante, elle peut peut-être se souvenir de certains détails sur le jour de la disparition de Katherine.

— On retourne à la bibliothèque publique ?

— J'ai une meilleure idée, Hi.

— C'est quoi, le réseau DOE ? a demandé Hi.

— Une organisation qui enquête sur les anciennes affaires de disparition.

Nous étions de nouveau dans la salle informatique de la Bolton School.

— Les affaires classées. Ils ont peut-être un dossier sur Katherine Heaton.

Après m'être connectée, je suis allée sur le site de la DOE et j'ai entré le nom de Katherine. Un lien est apparu sur l'écran.

— Yes ! On est bons.

J'ai double-cliqué pour ouvrir le fichier. Un rapport est apparu. Je l'ai lu en retenant mon souffle.

— C'est une certaine Sylvia Briggerman qui a signalé la disparition de la jeune fille.

Hi s'est installé à côté et a fait une recherche sur le terminal voisin.

— Il y a une Briggerman qui habite dans la région de Charleston. L'adresse est à James Island, dans le quartier de Centerville. Je l'appelle ?

J'ai fait signe que oui.

Hi a fait le numéro. Il a écouté, puis il a raccroché.

— C'est une maison de retraite. Je ne peux avoir sa chambre sans code d'accès.

J'ai consulté l'horloge. Il était 15 heures 45.

— Par le bus, on peut être là-bas en moins d'une demi-heure, ai-je dit.

— Je dois aider Shelton à s'occuper de Cooper, qui est tout seul dans le nouveau bunker.

— Shelton va se débrouiller. Notre affaire est plus importante. Mme Briggerman est sans doute la dernière personne à avoir vu Katherine Heaton vivante.

57

Le bus nous a laissés près de James Island Park, un entrelacs de chemins bordés d'arbres qui serpentaient entre des marais salants. Environ cinq cents mètres plus loin, nous avons tourné en direction de Riverland, avant d'emprunter une voie privée sur la gauche.

La route, bordée par des saules gigantesques, était ombragée et agréablement fraîche. Le long des criques et des rives couvertes de roseaux, on n'entendait pas un bruit, à part le gargouillis de l'eau et le bourdonnement des insectes.

Dissimulé dans ces herbes qu'on appelle les *spartines*, un couple de hérons nous regardait fixement, leurs pattes grêles enfoncées dans l'eau. Hi a tenté d'engager le dialogue avec eux, sans succès.

C'était un paysage marécageux typique : paisible et aussi chaud et humide qu'un sauna. Malgré l'odeur de ces eaux saumâtres, j'appréciais de faire un peu d'exercice. La folie des deux dernières semaines m'avait empêchée de faire mon jogging comme d'habitude et il me tardait de reprendre le rythme.

Si personne ne me tirait dessus d'ici là.

Quelques minutes plus tard, nous atteignions notre destination, un groupe de résidences bâties entre les marais et la Stono River. La maison de retraite « Les Jardins ombragés » méritait bien son nom. La barbe espagnole qui couvrait les arbres la maintenait dans la pénombre.

Les portes automatiques se sont ouvertes à notre

approche, et une odeur d'air conditionné et de désinfectant nous a assaillis.

À l'accueil, nous avons demandé à voir Sylvia Briggerman.

La femme qui se trouvait derrière le bureau portait une blouse blanche d'infirmière. Elle avait des cheveux orange et des faux cils accrochés à ses paupières comme des mille-pattes velus. Un badge signalait qu'elle s'appelait Roberta Parrish.

— Les heures de visite viennent de se terminer, a-t-elle dit en nous gratifiant d'un sourire forcé. Vous allez devoir revenir demain.

— On ne peut vraiment pas la voir ? ai-je demandé. Je ne voudrais pas abuser, mais on a fait le trajet en bus depuis le centre de Charleston.

Les lèvres toujours figées en position ascendante, elle a secoué négativement la tête.

— Comme vous le savez, Mme Briggerman est atteinte de démence. Nous ne pouvons pas perturber ses habitudes.

— Je comprends, madame.

Super-polie.

— Mais nous n'en aurons que pour cinq minutes.

— Vous êtes de la famille ?

Hi est intervenu.

— Oui, madame. On n'a jamais l'occasion de voir notre grand-tante Syl.

Se tournant vers moi, il a ajouté :

— J'ai dit à Papa qu'elle devrait être dans une maison moins éloignée de la ville. C'est tout un chantier de venir jusqu'ici.

Du coup, Roberta Parrish a réagi.

— Écoutez, je voulais simplement m'assurer que vous étiez des proches.

Elle a jeté un coup d'œil à l'horloge.

— Si vous promettez de ne pas être longs, on doit pouvoir s'arranger.

— Oh, merci ! s'est exclamé Hi. Je comprends maintenant pourquoi nos parents ont choisi votre établissement !

La femme nous a conduits jusqu'à une série de petits appartements qui faisaient face à la rivière.

— On va aller tout droit en enfer pour ce genre de choses ! ai-je soufflé à Hi. Et que va-t-il se passer si notre « Grand-Tante Syl » nous casse la baraque ?

— Elle est folle. Elle ne s'apercevra de rien.

— Mais c'est horrible !

— Je suis sûr qu'elle ne nous en voudrait pas. Dans ce genre d'endroits, les pensionnaires sont toujours ravis de voir des visiteurs, même de faux parents. On va être gentils avec elle, tapoter ses oreillers, je ne sais pas, moi. N'oublie pas qu'on est sur une affaire criminelle, bon sang !

— Nous y voici.

Roberta Parrish a frappé à une porte bleu vif.

— Chère Sylvia, vous avez de la visite !

La porte s'est ouverte.

Sylvia Briggerman était haute comme trois pommes et vêtue de façon pimpante. Elle devait avoir largement dépassé les quatre-vingts printemps.

— Des invités ? a-t-elle demandé en nous dévisageant derrière ses verres à double foyer.

— Votre petite-nièce et votre petit-neveu sont venus de la ville.

L'infirmière parlait fort, en détachant bien les mots.

— Je n'ai pas de neveu.

Ça commençait mal.

À ce moment-là, le visage de la vieille dame s'est illuminé.

— Katherine ?

Oh non !

C'était trop cruel. Je ne pouvais pas faire ça.

Hi m'a donné un coup de coude dans le dos. Assorti d'un coup de pied dans la cheville.

— Oui, tante Sylvia.

J'avais les joues brûlantes de honte.

— Tu te souviens de moi, n'est-ce pas ?

— Bien sûr, suis-je sotte !

Sylvia Briggerman s'est tournée vers l'infirmière.

— Ne laissez pas ma nièce sur le seuil. Faites-la entrer avec son ami.

Roberta Parrish a obéi.

— Je suis sûre qu'elle va vous reconnaître, a-t-elle chuchoté avant de s'éloigner. Sa mémoire est fluctuante. À tout à l'heure. Je reviens dans quelques minutes.

Le petit salon de Sylvia Briggerman était d'un étonnant jaune vif. Des rayonnages de bibliothèque couvraient tout un mur et une machine de lecture occupait un angle. Les meubles consistaient en un canapé et des fauteuils, une table basse et une antique télévision. Des fleurs artificielles étaient disposées sur chaque surface horizontale.

La vieille dame s'est installée sur le canapé en faux cuir et a tiré sa jupe sur ses genoux. Quand elle a levé les yeux, elle a eu l'air surpris.

— Bonjour. Que puis-je pour vous ?

— Bonjour, madame Briggerman.

Finis les mensonges.

— Je m'appelle Tory Brennan et voici mon ami Hiram. Nous voudrions vous parler de votre nièce, Katherine.

— Oh ! Comment va-t-elle ? Je ne l'ai pas vue aujourd'hui.

— Je ne sais pas. Nous la cherchons, nous aussi.

Jusque-là, ce n'était pas faux.

— Elle n'arrête jamais. Toujours sur la plage. Elle veut aller à la fac. Pour étudier l'écologie. Je ne sais pas trop ce que c'est, mais Frankie aurait été fier, j'en suis sûre.

— Frankie est votre frère ? a demandé Hi. Je croyais qu'il avait grandi à l'orphelinat ?

— Bien sûr qu'il y a été élevé, jeune homme. Comme moi, d'ailleurs.

Sylvia Briggerman a pointé l'index vers une photo en noir et blanc accrochée au-dessus de la bibliothèque. Un petit garçon et une petite fille se tenaient près d'un portique à balançoires, vêtus d'habits usés mais habilement rapiécés. La fille, légèrement plus âgée, tenait la main du garçon. Tous les deux avaient un sourire radieux.

— Frankie et moi n'avions aucun lien de parenté, mais on a été élevés ensemble. Katherine m'a *toujours* appelée Tante Syl.

— Que faisait-elle la dernière fois où vous l'avez vue ?

— Elle est sur ses travaux pratiques en sciences, ceux qu'elle prépare avec Abby.

La vieille dame a froncé les sourcils.

— J'espère qu'elle ne va pas tarder. Il ne faut pas qu'elle manque le dîner.

— Qui est Abby ? ai-je demandé, espérant que l'esprit de Sylvia Briggerman n'allait pas battre de nouveau la campagne.

— Abby Quimby est la meilleure amie de Katherine. Vous ne la connaissez pas ? Elles font *tout* ensemble.

Hi a tenté une autre approche.

— Sur quelle plage aimait-elle aller ? Est-ce qu'elle aurait pu s'y rendre pour ses T.P. ?

Les yeux bleus larmoyants se sont perdus dans le vague. Un silence, puis :

— Bonjour ? Que puis-je faire pour vous ?

— Bonjour, madame Briggerman. Nous étions en train de parler de Katherine.

— Katherine n'est pas ici.

J'ai jeté un coup d'œil à Hi. Il était temps de prendre congé. Il a hoché affirmativement la tête.

— Merci beaucoup de nous avoir consacré du temps, madame, ai-je dit. Pouvons-nous faire quelque chose pour vous avant de partir ?

Avec une agilité surprenante, la vieille dame s'est levée et s'est dirigée vers la pièce voisine, tandis que Hi et moi échangions un regard. Quelques instants plus tard, elle était de retour avec un pull-over bleu pâle.

— S'il vous plaît, remettez-lui son tricot quand vous la verrez. C'est son préféré. Je ne veux pas qu'elle prenne froid.

Que faire ? Je ne pouvais prendre le chandail. Mais comment le lui rendre ?

J'avais terriblement honte de mentir à cette femme qui ne se souvenait pas que sa nièce avait disparu depuis de nombreuses années. Tout cela me brisait le cœur.

L'estomac noué, j'étais au bord des larmes.

Il fallait partir.

Tout de suite.

SNAP.

Une décharge électrique m'a parcourue. Mes yeux larmoyaient, me brûlaient, jetaient des éclairs d'or. Mes sens sont passés en mode *hyperdrive*.

Voyant mon regard, Hi s'est avancé pour me dissimuler à la vue de notre interlocutrice.

— Madame Briggerman, avez-vous assez de glaçons ? a-t-il demandé. Venez, on va vérifier ça dans votre frigo.

Là-dessus, il a entraîné la vieille dame stupéfaite vers sa cuisine.

La pendule faisait un bruit de tonnerre. Le réfrigérateur rugissait.

Instinctivement, j'ai porté le pull de Katherine à mes narines et j'ai inspiré profondément.

Au début, je n'ai senti que la laine et la poussière. Puis, du fond des plis, est monté un délicat mélange d'arômes. Shampoing. Transpiration. Clearasil.

Une vague image s'est formée dans mon cerveau.

Puis s'est dissoute.

J'ai décidé de garder ces impressions pour plus tard.

L'infirmière frappait à la porte.

— Les enfants, il faut laisser Sylvia se reposer, maintenant.

SNUP.

La flambée s'apaisait. Mon esprit s'éclaircissait.

Mais l'odeur caractéristique du pull de Katherine était imprimée dans mon cerveau.

J'ai attiré l'attention de Hi et j'ai désigné la porte d'un signe de tête.

— Au revoir, Tante Syl ! a-t-il lancé d'une voix forte. On revient bientôt !

La vieille dame s'est rassise sur son siège en lissant sa longue jupe de satin. Puis elle a fermé les yeux et s'est mise à ronfler.

J'ai posé le chandail à côté d'elle.

*
* *

Pendant le trajet du retour en bus, j'ai cherché le numéro d'Abby Quimby sur mon iPhone. Il y en avait deux.

J'ai composé le premier. Il n'était plus attribué.

Une femme a décroché à la troisième sonnerie du second.

— Abby Quimby ?

— Oui.

Le ton était plus curieux que méfiant.

Je suis allée droit au but.

— Katherine Heaton ?

La personne semblait bouleversée.

— Ça fait quarante ans que je n'ai pas entendu prononcer ce nom. Est-ce qu'on l'aurait retrouvée, Seigneur ?

— Non, je regrette.

J'avais horreur de mentir, mais je devais être prudente.

— Je mets à jour des affaires classées pour le réseau DOE. Je pensais que vous auriez peut-être des informations utiles.

— J'aimerais bien vous aider, mais j'ai raconté tout ce que je savais à la police. Le jour de sa disparition, Katherine et moi devions déjeuner ensemble. Elle n'est pas venue.

— Sylvia Briggerman m'a dit que vous faisiez ensemble des travaux pratiques en sciences.

— Oui. Je ne crois pas l'avoir mentionné. Personne ne m'a interrogée là-dessus et je n'ai pas pensé que ce pouvait avoir une quelconque importance.

— Pouvez-vous me dire ce dont vous vous souvenez, madame Quimby ?

— On devait faire une enquête écologique. Un truc simple, en fait, mais Katherine et moi voulions étudier une espèce menacée. C'était en 1969 et le mouvement écologique commençait à mobiliser. Katherine écumait les plages à la recherche d'un sujet.

— Savez-vous où elle avait l'intention d'aller, le jour de sa disparition ?

— Oh, mon Dieu ! J'avais oublié.

La voix de mon interlocutrice montait dans les aigus.

— Le phare de Morris Island. Je m'en souviens parfaitement, maintenant. Je ne sais plus si je l'ai dit ou non au policier qui m'a interrogée. À l'époque, j'étais sous le choc.

Mon rythme cardiaque s'est accéléré. Il n'y avait aucune mention du phare de l'île dans le dossier des personnes disparues.

— N'a-t-on pas mis ce phare hors service en 1969 ? ai-je demandé.

— Si, on l'a remplacé par celui de Sullivan's Island. Katherine voulait voir quelles espèces d'oiseaux nichaient à cet endroit.

J'ai réfléchi quelques instants. Le phare de Morris se trouvait sur un banc de sable qui, même à marée basse, était à une certaine distance en mer.

— Comment Katherine avait-elle l'intention de gagner le phare ?

— Elle avait un petit kayak à l'arrière de sa camionnette. C'est ce qui rendait sa disparition suspecte. Si l'embarcation s'était renversée et qu'elle s'était noyée, le véhicule aurait été à l'endroit où elle l'avait garé.

— Il n'y était pas ?

— Non, et on ne l'a jamais retrouvé.

Je me suis tue pour la laisser réfléchir.

— Attendez ! Ça me revient, maintenant. La police a fouillé le phare.

L'excitation avait disparu de sa voix.

— Ils n'ont rien trouvé.

— Savez-vous si Katherine y est vraiment allée ?

— Non.

Un silence, puis :

— Katherine a effectivement trouvé une espèce menacée qui l'intéressait. Encore que cela n'ait plus d'importance, la pauvre.

— Quelle espèce ?

— Je l'ignore. Elle a laissé le message à ma mère, sans donner de détails. Puis elle s'est évanouie dans la nature.

— Est-ce que quelqu'un saurait ?

— Je ne vois pas qui.

Abby Quimby a eu un petit rire moqueur.

— Nous étions parties pour devenir de grandes biologistes et nous gardions nos idées géniales pour nous ! Après la disparition de Katherine, j'ai été dispensée de

328

classe pendant plusieurs semaines. Je n'ai plus pensé aux travaux pratiques.

Elle s'est tue à nouveau avant de reprendre :

— C'est dommage qu'on n'ait pas retrouvé son carnet.

J'ai dressé l'oreille.

— Son carnet ?

— Oui, elle y notait toutes ses pensées. Elle emportait ce journal partout. Si elle avait découvert quelque chose, elle l'aurait consigné dedans.

Je n'avais plus de questions.

— Merci, madame Quimby. Nous allons ajouter cette information dans le dossier de Katherine Heaton. Vous nous avez été très utile.

Avant de raccrocher, je lui ai laissé mon numéro de téléphone.

— Appelez-moi si vous vous souvenez de quelque chose.

— Entendu. Et vous, tenez-moi au courant si vous avez de nouvelles informations.

— Bien sûr.

J'ai résumé notre conversation à Hi.

— Les T.P. de sciences sont un élément nouveau, ai-je dit. À l'époque, en 69, la police n'en savait rien.

— C'est maigre.

Hi se frottait le menton.

— On sait que Katherine Heaton cherchait une espèce menacée sur les plages. La police l'ignorait peut-être, mais d'après les journaux, ils ont pourtant concentré leurs recherches sur le rivage et les marais.

— N'empêche que c'est la seule information qu'ils n'avaient pas. Ils ignoraient que Katherine cherchait quelque chose de particulier.

— Donc, quelle est notre prochaine destination ?

— Le phare. On va peut-être réveiller un fantôme.

58

— Pourquoi y aller maintenant ? Ce machin tombe en ruines.

Shelton était nerveux, comme d'habitude.

On s'était tous retrouvés à bord du *Sewee*, sur le quai de Morris Island. Pas question de nous réunir à notre bunker. C'était trop risqué. Ben et Shelton avaient installé Coop dans le bunker que nous avions découvert au bout de l'échelle, en attendant mieux. J'espérais qu'il ne vadrouillerait pas trop loin.

— Katherine est peut-être allée au phare, où l'on a pu l'attaquer, ai-je suggéré.

— Mais son corps a été enterré à Loggerhead, a argumenté Ben. Nous, nous le savons, même si personne ne nous croit. Qu'est-ce que ça peut faire si elle s'est arrêtée au phare ?

— Il faudrait récupérer le carnet où elle notait tout. Il contient peut-être les réponses à nos questions.

Ben a fait une moue dubitative.

— On cherche un journal vieux de quarante ans ? Ce n'est pas sérieux, Tory ! De toute façon, les policiers ont fouillé le phare.

— Ils ignoraient ce qu'elle avait en tête, ai-je répliqué. Qui nous dit qu'ils ne sont pas passés à côté d'un indice important ? Ils ont peut-être fait une fouille hâtive.

— Autant chercher une aiguille dans une botte de foin ! s'est exclamé Shelton.

— Je n'ai pas d'autre idée, ai-je dit. À moins que vous ne vouliez courir après un roi de la gâchette.

Shelton s'est obstiné.

— On devrait aller trouver les flics. Parler de l'assassinat de Karsten à nos parents. Ils seront bien obligés de nous croire en constatant qu'il a disparu.

— La police ne nous croit pas, a objecté Ben. On a crié au loup une fois, tu t'en souviens ? Et pendant qu'on est là à débattre comme des débiles, les tueurs sont peut-être à nos trousses.

— Il ne nous faut pas plus d'une heure aller-retour pour gagner le phare. Pourquoi ne pas y aller ? On n'en parlerait plus.

— Vendu.

Ben a fait démarrer le moteur.

*
* *

Le phare de Morris Island se dresse comme une vieille sentinelle décrépite au large de l'extrémité sud de l'île. Le banc de sable sur lequel il est bâti est souvent submergé, et la mer inonde le rez-de-chaussée. La pluie et le vent ont ôté pratiquement toute sa peinture.

Comme la marée était haute, Ben s'est dirigé directement vers la base de l'édifice.

J'ai levé les yeux vers cette tour de presque cinquante mètres de haut, sinistre et déglinguée, que l'océan entourait de tous côtés. Le phare, sombre et inhabité, semblait broyer du noir. Était-ce parce qu'on l'avait abandonné ? Parce qu'il était en train de perdre la bataille contre les éléments ?

Je n'ai rien vu de plus triste.

— C'est immense, ai-je dit. Original.

Hi a approuvé.

— Ce monstre date de quand ?

— 1876.

Shelton avait un bouquin sur les phares de la région.

— Il a été érigé à la place de celui qui a été détruit pendant la guerre de Sécession. Lequel remplaçait déjà un autre, bâti en 1673.

— Est-ce que la lanterne marche encore ?

— Non. Il a cessé de fonctionner en 1962. À l'origine, il était sur la terre ferme, mais le niveau de l'eau a monté depuis.

— Et maintenant, il est isolé en mer. Ça fiche la trouille, a dit Hi.

— Autrefois, il y avait un gardien à demeure, mais le phare a été automatisé dans les années trente.

— À qui appartient-il ? ai-je demandé.

— À la Caroline du Sud. Une association à but non lucratif espère pouvoir le restaurer, mais pour l'instant il est fermé au public.

— Traduction : il faut faire vite, a conclu Ben. Je n'ai pas envie d'avoir des ennuis pour y avoir pénétré sans autorisation.

Récemment, les écologistes avaient installé ce qu'on appelle un *batardeau*, un coffrage d'acier pour protéger le phare à la marée montante. Cette barrière circulaire ressemblait à un gigantesque filtre à café métallique qui se dressait à deux mètres cinquante au-dessus de la mer. À l'intérieur, l'eau était maintenant à son niveau antérieur.

Ben a amarré le *Sewee* le long du batardeau. On s'est hissés sur le bord et l'on a marché jusqu'à la base du phare. Quelques marches de briques à monter, et on s'est retrouvés devant l'entrer.

Un grand panneau annonçait : « Défense d'entrer. Danger ». En grosses lettres.

Fouettés par le vent, on a regardé Shelton crocheter le cadenas. Je regrettais de ne pas avoir emporté une veste.

Finalement, le cadenas s'est ouvert et on est entrés à la queue leu leu.

Le rez-de-chaussée ressemblait au fond d'une cage à oiseaux. Qui n'aurait pas été nettoyée depuis des années. Le sol était jonché de plumes et couvert de guano, tandis que l'odeur âcre de l'ammoniaque empuantissait l'atmosphère.

— Qu'est-ce que c'est ?

Shelton avait les yeux fixés sur deux boîtiers gris fixés au mur, d'où émergeaient des fils positionnés de façon à couvrir des fissures dans la maçonnerie.

— Des indicateurs de tension. Ils surveillent l'état des murs.

Hi a désigné deux autres boîtiers.

— Et l'inclinaison du phare. C'est une mesure de prévention au cas où l'édifice déciderait de piquer une tête dans la mer.

— Réconfortant ! a commenté Ben.

Un escalier métallique en colimaçon couvert de rouille conduisait vers le sommet du phare.

— On monte ! ai-je lancé.

— Tu crois que c'est sûr ?

Shelton poussait le mur des deux mains.

— J'ai l'impression que je pourrais le faire basculer avec le petit doigt !

Hi a rigolé.

— Il y a un siècle que ce phare existe. Ce ne sont pas quatre ados qui vont lui faire perdre l'équilibre. Même un poids lourd comme moi.

Ben était déjà en train de grimper. Sous ses pieds, des particules de rouille se détachaient des marches.

On l'a suivi en file indienne : moi, Shelton, puis Hi.

Les fenêtres étroites du phare n'avaient pas de vitres. Surpris par notre arrivée, des oiseaux s'enfuyaient à tire-d'aile du rebord usé par les intempéries.

Quand je suis arrivée au sommet, j'étais hors d'haleine.

L'escalier débouchait dans une petite salle en arrondi, au plancher recouvert de vieux nids d'oiseau, de coquilles d'œuf brisées, de débris divers apportés par le vent. Les quelques occupants, dérangés, ont manifesté bruyamment leur désapprobation avant de s'envoler par la fenêtre.

— Ça pue comme dans un poulailler, a rouspété Ben.

— C'est la chambre de veille.

Shelton se couvrait le nez de sa main.

— Il y avait ici la machinerie qui faisait tourner la lanterne, située au-dessus.

— Et ça, ça mène à quoi ?

Hi avait traversé la salle et s'était planté devant une autre volée de marches.

— Le fanal doit se trouver au niveau supérieur.

Shelton a pointé l'index vers une ouverture à mi-chemin de l'escalier.

— On peut atteindre par là la galerie principale. Mais sans moi, je vous préviens.

On l'a regardé, les yeux ronds.

— La galerie, c'est l'espèce de balcon d'acier qui encercle la tour, a-t-il expliqué.

— Cool ! J'y vais.

Aussitôt dit, aussitôt fait. J'ai monté les marches et mis le pied à l'extérieur.

Le spectacle m'a coupé le souffle.

Le soleil, bas sur l'horizon, projetait des rayons jaunes et roses sur l'océan. En dessous de moi, j'apercevais la côte et notre groupe de maisons sur Morris Island, entre Fort Sumter et Sullivan's Island.

À ma gauche, la petite ville de Folly Beach s'étirait le long de la plage. Ici et là, le soleil se reflétait sur une fenêtre.

J'ai jeté un coup d'œil par-dessus mon épaule. Le sommet du phare était surmonté d'une énorme cage métallique formant un dôme. L'intérieur était vide. Perchées sur l'ouvrage, des mouettes me regardaient d'un œil méfiant.

J'imaginais le rayon lumineux qui, à une époque, trouait les ténèbres et guidait les marins vers le port de Charleston. Ce devait être impressionnant.

Hi et Ben ont émergé.

— Incroyable !

Ben a baissé les yeux vers son runabout qui dansait sur l'eau, plusieurs dizaines de mètres plus bas. Et il est devenu tout blanc.

— Shelton, viens voir ça, a appelé Hi.

— Je te remercie, mais je n'ai pas l'intention de me suicider aujourd'hui.

J'ai fait le tour du phare, émerveillée. Infraction ou pas, je serais bien restée là.

— Allons-nous-en.

Le front moite, Ben évitait de regarder en bas.

— Il n'y a rien ici et un bateau peut passer à tout moment.

— Il reste un endroit à vérifier, ai-je dit.

Je suis rentrée à l'intérieur et je suis montée à la salle de la lanterne. C'était un endroit minuscule, où l'on avait à peine la place de se retourner. Au-dessus de moi, la structure métallique était à ciel ouvert.

Pas de mobilier. Pas d'équipement. Des mouettes furieuses en quantité.

Inutile de s'attarder.

— On s'en va ? a interrogé Hi.

J'ai fait signe que oui. Nous avions examiné consciencieusement les lieux. La tour était une coquille vide. Échec sur toute la ligne.

Les garçons ont entamé la longue descente en poussant des grognements exagérés.

Quel gâchis, pensais-je en m'engageant derrière eux. Nous n'étions pas plus avancés qu'au départ dans notre enquête sur la disparition de Katherine Heaton. Les meurtriers couraient toujours.

Je me suis arrêtée un instant.

C'était idiot de penser que nous, des ados, pouvions être plus malins qu'un assassin. Notre adversaire riait certainement dans sa barbe depuis le début.

Une fois de plus, le mal triomphait.

J'ai serré les poings, bouillant de colère.

SNAP.

L'odeur des excréments d'oiseaux m'a prise à la gorge, si violente que j'ai manqué m'étrangler.

Sans réfléchir, je suis remontée quatre à quatre jusqu'à la galerie, fuyant ces vapeurs nocives.

Une fois à l'extérieur, j'ai respiré l'air frais à grandes goulées. Trop vite. Des points lumineux dansaient devant mes yeux. Ma vision s'est élargie, puis j'ai vu un long tunnel noir.

Mourant de peur de tomber, je me suis assise sur la galerie, accrochée des deux mains à la rambarde.

Une profonde inspiration. Deux fois. Trois fois. Quatre.

Petit à petit, mon esprit s'est éclairci et l'obscurité s'est dissipée. Je me suis risquée à contempler le panorama.

— Fabuleux !

Je distinguais tout dans le plus infime détail, avec

une précision laser. Les particules de vapeur qui constituaient les nuages. Les gouttelettes d'eau au-dessus des vagues écumantes. Un ver se tortillant dans le bec d'un moineau. La fenêtre de ma propre chambre.

À Charleston, les lumières étaient maintenant allumées un peu partout. Le long de Battery Park, les fenêtres des maisons formaient des rectangles jaunes. Près du vieux marché, je distinguais des néons orange et bleus. Un feu rouge est passé au vert.

À travers l'odeur d'ammoniaque, mon odorat en percevait quantité d'autres. Celle du sel. Des algues. De la végétation en putréfaction. Du diesel.

Et quelque chose d'autre. À la fois nouveau et familier.

Levant la tête, j'ai reniflé.

Cela venait de là-bas. De la salle de veille.

À quatre pattes, je me suis approchée de l'ouverture et j'ai reniflé de nouveau. L'odeur, à peine perceptible parmi la puanteur des détritus, me parvenait par légères bouffées.

J'ai sursauté. Cette odeur, je la reconnaissais. Je l'avais déjà respirée. Une fois.

Tout excitée, j'ai continué à chercher d'où elle provenait, malgré les émanations de guano qui me piquaient les yeux et me faisaient pleurer.

Le plancher, à côté du petit escalier de la galerie. C'était de là qu'elle montait. Si je n'avais pas été à cet endroit, je ne l'aurais jamais remarquée.

Me précipitant à l'intérieur, je me suis mise à creuser frénétiquement la couche de guano et de débris. Très vite, j'en ai eu plein les doigts et sous les ongles. Je devais lutter pour ne pas vomir.

À une quinzaine de centimètres de profondeur, je suis tombée sur une grille métallique sur le sol, couverte de saletés.

Un bruit m'a fait sursauter.

— Tory, qu'est-ce que tu fabriques ?

Ben haletait, le visage écarlate.

— Tu m'as obligée à remonter !

SNUP.

J'ai battu des paupières. Secoué la tête.

336

— Zut ! La flambée a cessé.

— Tu avais une flambée ici ? Pour quelle raison ?

— C'est arrivé comme ça. Aide-moi à soulever ce truc. J'ai flairé quelque chose là-dessous.

Il n'a pas discuté et tous les deux, nous avons réussi à arracher la grille. Derrière, il y avait encore tout un tas de saletés. J'ai recommencé à creuser avec mes mains dans je ne sais trop quoi.

Mes doigts ont touché un objet dur. Le cœur battant, je l'ai ramené à la lumière.

C'étaient les restes d'un sac à dos. D'un vert fané. Maculé de sel et de vase séchée.

Une partie de la toile était pourrie, mais je distinguais des lettres brodées sur le rabat : K.A.H.

— Qu'est-ce que tu dis de ça, Blue ? ai-je demandé en m'adossant au mur.

— Je n'en reviens pas !

Ben hochait la tête, une lueur d'admiration dans le regard.

— Tu y es arrivée, Tory. Tu as trouvé le sac à dos de Katherine Heaton.

59

J'ai fait la traversée du retour sur un petit nuage.

J'avais réussi ! Contre toute attente, j'avais trouvé le sac à dos de Katherine Heaton.

Il avait suffi pour cela d'une petite flambée.

Futé, non ?

Ma découverte m'avait revigorée. C'était un peu comme si j'avais remonté le cours du temps. Une performance.

Le soleil se couchait tandis que le bateau fendait les vagues. Bientôt, le ciel a tourné à l'indigo et les étoiles ont pointé le bout de leur nez. Un pélican solitaire est passé, prêt à aller dormir. Ou en quête d'un dernier petit repas. Ce genre de soirées me fait adorer la Caroline.

Je buvais le paysage des yeux, pleine d'assurance. *C'est possible*, pensais-je, *on peut résoudre cette énigme*.

Malgré l'euphorie, je n'avais pas perdu mon sang-froid. Je n'avais même pas jeté un coup d'œil à l'intérieur du sac. Il fallait le manipuler avec précaution, car il n'avait pas été ouvert depuis plus de quarante ans. Qui sait dans quel état était le carnet à l'intérieur ?

S'il y avait bien un carnet.

Mais oui, il y serait. Je n'avais pas monté un million de marches, manqué étouffer, fouillé dans une couche de merde d'oiseaux et découvert un objet disparu depuis qu'on avait marché sur la lune pour revenir bredouille.

La nuit tombait quand nous avons accosté à Morris Island. J'ai attendu que les garçons amarrent le bateau en serrant le sac puant contre ma poitrine. Maintenant, il me tardait de l'ouvrir.

— On va où ? ai-je demandé.

— Chez moi, a répondu Shelton. Mon père a converti le garage en atelier. Il désosse des ordinateurs, donc on a des pinces, des gants, tout ce qu'il nous faut. En plus, mes parents sont allés voir *La Bohème* en ville. Ils ne seront pas de retour avant des heures.

Ben a coulé un regard oblique vers mes bras couverts de saleté.

— Il y a un évier ? Un jet d'eau ?

Ah, ah !

— Bon, allons-y, ai-je dit.

— Pas question, a décrété Shelton.

— Va te laver, a enchaîné Hi.

— On t'attend, a annoncé Ben.

J'ai rouspété, mais je me suis précipitée chez moi.

Sur Morris Island, chaque habitation possède un garage pour une voiture. Ni le père ni la mère de Shelton ne se garent dans le leur. Des étagères métalliques courent sur les murs et des boîtes de rangement en plastique sont partout, soigneusement étiquetées, et remplies de vis, de fil électrique, de prises, de câbles, d'adaptateurs et de cartes de circuit imprimé. L'atelier de Nelson Devers est plein jusqu'au plafond.

C'est là que j'ai rejoint les garçons après m'être douchée et changée. Ils étaient rassemblés autour d'une table à dessin. Fidèles à leur promesse, ils n'avaient pas touché au sac.

Mon apparition dans des vêtements propres a été accueillie par des applaudissements.

Ben a sifflé.

Shelton a lancé :

— C'est beaucoup mieux !

Quant à Hi, il a fait la moue en déclarant :

— Finalement, je me demande si le guano n'ajoutait pas un je-ne-sais-quoi…

— Très drôle ! me suis-je exclamée.

Shelton s'est incliné devant Hi.

— À vous l'honneur de l'ouverture, génie des sciences.

Hi a placé une lampe grossissante au-dessus du sac. Une lumière fluorescente a baigné le dessus de la table.

— Tu as vraiment senti ce sac alors qu'il était enfoui sous une grille et une tartine de merde d'oiseaux ? m'a demandé Shelton, qui n'en revenait toujours pas.

J'ai haussé les épaules.

— Mais oui. J'avais reniflé le chandail de Katherine Heaton chez la vieille dame, Sylvia Briggerman. J'ai de nouveau senti cette odeur dans le phare. Il faut dire qu'à chaque fois, j'étais en pleine flambée.

— Stupéfiant. Il faudra que j'essaie. Ça paraît fabuleux.

— Crois-moi, l'odeur, elle, n'avait rien de fabuleux.

Je devais toutefois reconnaître que cela m'excitait d'avoir joué les chiens de chasse. Après tout, ces flambées pouvaient être utiles. Vraiment très utiles.

Hi avait enfilé une paire de gants en latex. Avec mille précautions, il a glissé la main à l'intérieur du sac et en a lentement retiré un carnet en très mauvais état.

Victoire ! C'était incroyable. Nous avions découvert un indice qui avait échappé à la police.

Je l'avais découvert. Nuance.

La couverture était abîmée, les pages intérieures froissées. Quand Hi a tenté d'en tourner une, de la terre s'est échappée du dos du carnet.

— Fais attention ! ai-je ordonné. Le papier s'en va en poussière.

— Je le vois bien !

Hi a reposé le carnet, puis il a renversé avec soin le sac pour le vider. Un crayon et une barrette sont tombés. Rien d'autre.

Je me suis rapprochée, impatiente.

À l'aide d'une pince à épiler, Hi a ouvert le carnet et, avec un soin infini, il a tourné les pages, l'une après l'autre.

La nature avait terriblement abîmé l'objet. La pluie, l'écume de mer, les déjections d'oiseau étaient passées par là.

Il fallait se rendre à l'évidence. Les entrées du journal de Katherine Heaton étaient illisibles. C'était affreusement cruel pour nous.

— Attendez ! s'est exclamé Hi.

Il venait d'atteindre la fin du carnet.

Les deux derniers feuillets étaient mieux conservés que les autres.

Hi a pointé le doigt vers un croquis d'oiseau. Le texte de la légende était complètement délavé.

— C'est quoi ?

Shelton hochait la tête, perplexe.

— Un rouge-gorge, un pic-vert ?

— Un aigle, a affirmé Ben.

— Comment peux-tu en être sûr ?

J'avais beau loucher sur les lignes sinueuses, à peine visibles sur le papier souillé, je n'y voyais qu'une vague silhouette d'oiseau.

— Le corps est uniformément sombre, tandis que la tête et la queue sont blancs. Et regarde le bec. Les serres. C'est un aigle chauve.

— Pourquoi Katherine Heaton dessinait-elle des aigles ? a demandé Shelton.

— Par patriotisme, peut-être, a plaisanté Ben. C'est l'emblème américain.

— Il y a quelque chose d'écrit au dos, a dit Hi. Je pense que je vais pouvoir le déchiffrer.

À l'aide de la lampe grossissante, il s'est mis à lire à haute voix :

Je les ai trouvés ! Une colonie d'aigles chauves ! Trois énormes nids, dans un bouquet de pins des marais, au-delà de la Stono River. Qui eût cru que des aigles chauves vivaient sur Cole Island ? Une espèce en danger, à nos portes ! C'est parfait pour notre dossier. Abby va être ravie ! L'université va certainement envoyer du monde pour étudier...

La suite avait été effacée par les intempéries.

— Un aigle chauve, c'est bien ce que je disais ! s'est exclamé Ben.

Shelton plissait le front.

— Cole Island ? Il n'y a pas d'aigles chauves sur Cole Island. D'ailleurs, il n'y a même pas d'arbres. Juste une usine.

— Je te rappelle qu'elle a écrit ça en 1969, a répliqué Hi. Les choses ont changé depuis. Des abrutis ont sans doute coupé les arbres.

J'ai commencé à relier des informations entre elles.

— Oh non !

Les garçons m'ont dévisagée.

— Vous ne voyez pas ?

C'était clair. Brutal. Tragique.

— Voir quoi ? a demandé Ben.

— Je sais pourquoi Katherine Heaton a été assassinée.

On aurait entendu voler une mouche.

Pendant quelques instants, j'ai été trop bouleversée par la découverte de l'horrible vérité pour prononcer le moindre mot.

Hi a croisé les bras.

— Éclaire-nous, agent Scully !

— Katherine a découvert une espèce menacée sur Cole Island. Mais pas n'importe laquelle. L'aigle chauve, le symbole américain.

— Et alors ?

D'une seule voix.

— Sa découverte aurait fait du bruit. On était dans les années soixante, l'époque du mouvement hippie. D'un seul coup, tout le monde voulait sauver la planète. La protection de l'environnement était devenue un sujet brûlant.

— Je ne te suis pas, a dit Shelton. C'était une *bonne* chose, non ?

Je me suis mise à faire les cent pas.

— Peut-être que cela dérangeait des gens d'apprendre qu'une espèce en danger vivait sur Cole Island.

— Si les propriétaires de l'île voulaient développer l'endroit, une colonie d'aigles pouvait être gênante, a dit Ben. Et cela ferait tout un souk s'ils déplaçaient ou tuaient les oiseaux.

— Ou bien il s'agissait d'un élevage illégal, a suggéré Shelton. On n'a pas le droit de posséder ou de vendre un aigle chauve sans autorisation.

— Et tuer un aigle mène au tribunal, ai-je ajouté. Même les nids sont protégés par la loi.

Hi nous a interrompus.

— Il y a quelque chose d'écrit sur la dernière page. En haut. En bas aussi, mais on n'y voit plus grand-chose.

J'ai tapé sur l'épaule de Hi, qui a reculé en maugréant, et j'ai lu à haute voix :

J'ai juste encore deux sites à examiner. Peut-être que je vais y découvrir encore des aigles ? Ce serait génial ! Mais après c'est fini. Il y a un type qui se pointe partout où je vais. Je ne l'avais jamais vu. Il me fiche la trouille. Peut-être que j'ai passé trop de temps sur des plages isolées ! Kiawa Island, puis le phare de Morris. Ensuite, sayonara !

Hi a pâli.

— C'est affreux !

— Elle était suivie, ai-je murmuré. Pourquoi n'est-elle pas rentrée directement chez elle ?

— Et ce qu'il y a en dessous ? a interrogé Ben.

— On a du mal à le déchiffrer.

J'ai repositionné la lampe.

— C'est écrit d'une main tremblante.

J'ai lu la dernière entrée, une fois, deux fois. Pour moi-même. Les larmes se sont mises à couler sur mes joues.

— Alors ? a demandé Hi.

J'étais incapable de répondre.

— Tory ?

Shelton a posé la main sur mon épaule.

— Qu'est-ce que ça dit ?

Je me suis écartée. Les autres me regardaient, troublés. Puis Shelton s'est approché de la table et a lu à voix haute :

Je crois qu'il y a quelqu'un en bas. Je ne sais pas qui c'est, mais j'ai peur. Il ne devrait y avoir personne ici à part moi. Je vais dissimuler mon journal, au cas où. Peut-être que je peux me cacher.

J'ai fermé les yeux, tandis que ces dernières phrases résonnaient dans ma tête.

J'ai entendu Ben donner un coup de poing dans le mur. Hi passer d'un pied sur l'autre. Shelton lever la main pour se toucher le lobe de l'oreille. J'étais consciente de ce qui se passait, mais en même temps, j'étais ailleurs.

J'imaginais les derniers instants de Katherine. Elle griffonnait ces lignes, terrifiée, se précipitait pour mettre son journal à l'abri, puis faisait face à son meurtrier. Désespérée, elle se rendait compte qu'elle était prise au piège en haut d'un phare abandonné. Seule. Sans issue possible.

Katherine Heaton avait été tuée dans l'endroit le plus isolé qui soit.

Bouleversée, révoltée, je me suis essuyé les yeux. La scène que je revoyais en imagination était terriblement réelle.

La colère s'est emparée de moi. Une colère noire.

Vas-y, la fureur sera plus efficace que le chagrin !

Celui qui avait fait ça était un monstre. Un être impitoyable qui circulait en toute liberté, pensant s'en être tiré. Satisfait de lui-même. Dénué de culpabilité.

En silence, j'ai renouvelé ma promesse à Katherine. À moi-même. *J'attraperai cet assassin. Je le dénoncerai. Je l'amènerai devant ses juges.*

Pour qu'il paie.

60

Le lendemain, je me suis réveillée de bonne heure, une idée en tête.

Mais les urgences d'abord.

Cooper.

En dix minutes, j'ai gagné la côte ouest de Morris Island. J'ai repéré le petit bunker et me suis faufilée à l'intérieur.

Quand il m'a vue, Coop a jappé. Il s'est dressé sur les pattes de derrière et a tenté de me lécher le visage en remuant la queue comme un fou.

Je lui ai caressé la tête et j'ai respiré la bonne odeur de son pelage. Puis j'ai attrapé sa corde et je l'ai incité à jouer avec moi, chacun tirant sur une extrémité. Il ne s'est pas fait prier.

Pendant quelques minutes, je me suis détendue. Coop avait grandi et il était maintenant assez solide pour être laissé en liberté. Heureusement, il n'allait pas au-delà de la partie inhabitée de l'île. Dans le voisinage, personne n'avait signalé un chien-loup errant. Du moins pas encore. Il allait falloir lui trouver un foyer. Et vite.

— Bientôt, ai-je promis. Tu ne resteras pas coincé ici.

J'aurais bien aimé rester plus longtemps, mais je n'avais pas le temps. Je me suis éclipsée pendant que le chiot dévorait son petit-déjeuner.

Il allait encore faire chaud. Sur le chemin du retour, j'étais déjà en nage.

Dès que j'ai eu du réseau, j'ai passé un coup de fil aux

Viraux et on s'est retrouvés sur la pelouse autour de nos habitations.

— Qui a la maison pour lui tout seul ? ai-je demandé.

Hi a levé la main.

— Moi. Mes parents sont à la synagogue jusqu'à midi.

— Alors on va se servir de ton ordinateur.

— Qu'est-ce qu'on cherche ? a interrogé Shelton.

— À qui appartenait Cole Island en 1969. Peut-être que le propriétaire était au courant de la présence des aigles, ou du moins qu'il pourra nous dire qui avait accès à l'île. Ce serait un début.

— Bonne idée. On va passer par le PIS, le système d'information sur les propriétés du comté. On y trouve les documents relatifs aux terres. Les propriétaires de Cole Island doivent y être répertoriés.

Nous sommes tous montés à la chambre de Hi.

— Un instant.

Hi a essayé de nous faire de la place en repoussant les piles de bouquins, les vêtements sales et les assiettes qui encombraient la pièce.

— Installez-vous.

— Ma parole, tu vis dans une auge à cochons ! s'est exclamé Ben en brandissant une assiette graisseuse.

— Cette pizza date d'au moins deux mois !

— Justement, je me demandais où elle était passée.

Hi a jeté la tranche dans sa corbeille à papier.

— Elle doit être encore bonne, mais inutile de prendre des risques.

— C'est immonde.

Ben est allé se réfugier à l'autre bout de la chambre.

— Excusez-moi, messire. Je n'attendais pas votre visite ce matin en mon humble demeure.

— Accélère, ai-je dit. On n'a pas toute la journée.

— Bien, madame. Tout de suite, madame.

Accompagné d'une révérence jusqu'à terre.

Il a allumé son Mac et a laissé s'installer Shelton.

Shelton est allé sur la page d'accueil du comté de Charleston et a sélectionné : « Voir une parcelle. » Une carte en noir et blanc est apparue sur l'écran.

346

Je me sentais obligée de le défendre.

— Et nous n'avons aucune preuve que la vente de l'île soit liée à ce crime.

— J'espère bien que Chance ne sait rien, a déclaré Hi, car il a fait analyser l'empreinte pour nous. Cela pourrait nous retomber sur le nez.

Exact.

J'ai pris ma tête entre mes mains.

— Laissez-moi réfléchir.

Les garçons ont levé les yeux au ciel, mais ils l'ont bouclée. Ils m'avaient déjà vue me concentrer. Les yeux clos, je me suis coupée de tout, passant les informations au crible, ajustant les variables. Et lentement, mon cerveau m'a sorti le résultat.

Je ne l'aimais pas trop, mais il était d'une logique imparable.

— Ben n'a sans doute pas tort, ai-je annoncé.

Il a levé les bras en signe de victoire, mais je l'ai ignoré.

— Hollis Claybourne tue Katherine pour l'empêcher de faire état des aigles, ai-je poursuivi. Il vend ensuite Cole Island à Candela et se fait offrir au passage un poste dans l'entreprise. Sa victime est enterrée à un endroit où personne n'ira la chercher. Et l'on n'entend plus parler des aigles.

Je pouvais agiter la théorie dans tous les sens, elle tenait.

— N'oublie pas les chèques à Karsten, a ajouté Hi. Hollis Claybourne est un personnage important de la compagnie. Il est peut-être au courant de l'expérience secrète sur le parvo.

— D'après vous, c'est Hollis Claybourne qui essaie de nous tuer et qui aurait envoyé ses hommes dans le bunker ? a demandé Shelton.

— Tout le désigne, ai-je répondu.

Shelton a ôté ses lunettes et les a essuyés sur sa chemise.

— Mais c'est un milliardaire, un sénateur. Quel besoin aurait-il de tuer des gens ?

— Je n'en sais rien, ai-je dit, mais tout a commencé quand on a retrouvé les ossements de Katherine. Seul son meurtrier peut être à nos trousses. Et Hollis Claybourne a les moyens de payer des tueurs pour faire le sale boulot.

Je n'arrivais pas à le croire. Le père de Chance serait notre principal suspect ? C'était dingue. Pourtant, on retombait à chaque fois sur lui.

— Pourquoi aurait-il assassiné Karsten ? a demandé Shelton. S'il finançait l'expérience du parvovirus, il n'avait aucune raison de supprimer celui qui la pratiquait.

— L'expérience était illégale. Peut-être que Karsten a menacé de le dénoncer, a suggéré Ben.

— Ou alors Karsten s'est trouvé là au mauvais moment, a dit Hi. Dommage collatéral.

J'en avais assez.

— Bon, on a maintenant un suspect. On a besoin de preuves, pas de continuer à se racler le cerveau.

— Ça m'étonnerait qu'Hollis Claybourne avoue, a déclaré Ben. Il y a quarante ans qu'il surfe là-dessus.

— Alors on ira nous-mêmes les chercher, ces preuves. Et pas plus tard que maintenant.

61

Les garçons ont accepté de m'attendre à la marina de Charleston. Ça ne leur plaisait pas beaucoup, mais nous n'avions pas le choix. Ma couverture ne marcherait que si j'agissais seule.

— C'est beaucoup trop risqué, a maugréé Shelton. Que se passera-t-il si tu tombes sur Chance, ou pire, sur son père ?

— Je dirai que je suis venue bavarder. Chance pense que je l'aime bien, donc il ne se doutera de rien.

Hi a souri jusqu'aux oreilles, mais n'a pas fait de commentaire.

Je me suis hâtée de poursuivre :

— De toute façon, Chance passe le week-end à Greenville où a lieu la finale de lacrosse. Et comme le Congrès est en session, Hollis Claybourne devrait être à Washington. C'est le bon moment.

— On ignore si l'équipe de Bolton a gagné hier soir, a argumenté Hi, et si elle a perdu, Chance est peut-être déjà de retour.

J'ai lancé iFollow sur mon téléphone.

— Ils sont encore là-bas. D'après le GPS, l'équipe de lacrosse de Jason au grand complet est à Greenville. Elle n'a pas dû être éliminée.

— Chance ne fait pas partie de notre groupe sur iFollow, a remarqué Ben. Impossible de le repérer.

Exact. Avec son téléphone préhistorique, Chance n'aurait pu installer l'application, même s'il l'avait voulu, ce qui n'était certainement pas le cas.

J'ai tapoté mon écran.

— Hannah, elle, est toujours à Greenville. Et elle n'y serait pas sans Chance.

Ben a froncé les sourcils, mais il a approuvé de la tête.

— Il y aura forcément *quelqu'un* dans cette maison, a déclaré Hi. Des maîtres d'hôtel, je ne sais quoi. Il y a une quarantaine de pièces à Claybourne Manor.

J'y avais déjà pensé.

— Il paraît qu'Hollis Claybourne est radin. Une fois, Jason a dit qu'il n'y avait pas beaucoup de personnel le week-end. L'endroit devrait être presque vide.

— Presque ne veut pas dire totalement.

— Je dois prendre le risque. Nous n'avons pas d'autre possibilité.

J'ai enfilé mon sac à dos. À l'intérieur, j'avais glissé le carnet de Katherine Heaton et le bordereau de remise bancaire de Karsten. Si je devais me faire arrêter, je tenais à avoir les preuves sur moi. Je ne me faisais aucune illusion quant à mes chances de gagner la bataille de la crédibilité contre Claybourne. J'aurais besoin d'un max de preuves.

— Sois prudente, a prévenu Shelton. Si tu es repérée, raconte que tu croyais que la maison était un musée.

Hi m'a adressé un clin d'œil.

— Et si c'est Chance qui t'attrape, prétends être raide amoureuse. Ça marchera.

— Raide amoureuse, mais de quoi il parle ? a demandé Ben, le front plissé.

— Rien. Souhaite-moi bonne chance.

Quelle quiche, ce Hi !

J'ai pris Broad Street, puis j'ai tourné dans Meeting Street, en direction de Battery Park. D'imposantes demeures bordaient les trottoirs. Ça sentait la richesse établie, le sang bleu, les privilèges. J'avais l'impression d'être une intruse.

Tout en marchant, je passais mon plan en revue. Me glisser à l'intérieur, fouiner, me tirer. Fastoche. Et cette fois, si je tombais sur un élément qui mettait Claybourne en cause, je filerais droit chez les flics. Fini de jouer. C'était devenu trop sérieux.

Je n'arrêtais pas de penser aux entrées du journal de Katherine. C'était tout de même extraordinaire d'avoir découvert des aigles chauves ici, sur la côte de Caroline du Sud.

Oui mais voilà, elle n'avait pas eu le temps de le raconter. Quelqu'un l'avait fait taire. Définitivement. Peu de temps après, Cole Island avait été vendue et les arbres avaient été abattus. Bye bye, les aigles.

Quelqu'un devait forcément avoir su, pour les aigles. Mais on n'en avait parlé nulle part. Pas de reportage, pas de photos. Seul le journal de Katherine faisait état de leur présence.

Si Hollis Claybourne connaissait leur existence avant de vendre l'île, il était le premier suspect dans la mort de Katherine. Il me fallait un élément qui prouve qu'il détenait cette information.

À l'idée de ce que je m'apprêtais à faire, mon sang s'est glacé. Celui qui avait assassiné Katherine Heaton avait certainement tué Karsten et essayait aussi de me faire disparaître. Ce pouvait fort bien être Hollis Claybourne. Et j'étais sur le point de m'introduire chez lui.

J'avais une autre préoccupation. La question à un million de dollars.

Est-ce que Chance savait quelque chose ?

J'arrivais au niveau de Claybourne Manor. C'est une demeure historique. Elle possède même son propre site web. Avant de quitter Morris Island, j'avais potassé les photos en ligne pour avoir une idée de la topographie des lieux.

Construit juste après la guerre de Sécession, l'édifice est dans le style palladien. Pierre taillée. Lustres de cristal. Manteaux de cheminée en bois sculpté. Moulures ouvragées. Un lieu fait pour loger une famille royale. Et un Claybourne s'est toujours assis sur le trône.

Deux étages, quarante pièces, deux douzaines de cheminées, soixante salles de bains et un hall d'entrée de quinze mètres de long. Et j'avais l'intention de me pointer et de fouiller partout, toute seule. Impressionnant.

Un mur de trois mètres de haut hérissé de piques entoure les neuf mille mètres carrés de la propriété et un portail en fer forgé bloque l'accès.

En passant devant les grilles, je les ai examinées nonchalamment. En touriste.

Le blason de la famille Claybourne y était représenté : un écusson gris avec trois renards noirs entourés de plantes grimpantes rouges et noires. La devise familiale le surmontait. *Virtus vincit invidiam*. Vertu surmonte envie.

Je vous en prie.

J'ai jeté un coup d'œil à travers les barreaux.

Un gardien était assis à l'intérieur d'une guérite au bord de l'allée, le regard braqué sur une petite télé en noir et blanc. Sans marquer d'arrêt, j'ai poursuivi ma route.

Une vingtaine de mètres plus loin, le mur tournait et protégeait l'arrière du domaine. Un chemin étroit séparait la propriété de celle des voisins, qui avaient planté une haie de sumacs pour dissimuler le mur à leur vue.

J'ai respiré un bon coup, regardé de tous côtés, puis j'ai emprunté le sentier. Une quinzaine de mètres encore et je suis parvenue à une petite porte de service.

Exactement là où je m'attendais à la trouver.

À genoux, j'ai testé les briques en dessous de cette grille. L'une d'elles avait du jeu. J'ai tiré un bon coup et elle s'est soulevée. Une clé gisait dans la poussière.

J'ai souri. D'une oreille à l'autre, comme le chat du Cheshire.

C'est fou ce qu'on peut entendre pendant les cours, pour peu qu'on prête l'oreille. Merci, Jason.

Le plus discrètement possible, j'ai ouvert la porte. Devant moi s'étendaient les jardins du manoir. J'ai remis la clé à sa place et je suis entrée.

Ce n'était plus le moment de reculer. J'étais en train de m'introduire sur une propriété privée. Encore une fois.

J'avais devant moi une allée pavée, bordée de chaque côté de cornouillers fleuris. Sur les pelouses impeccablement tondues se dressaient ici et là des statues, témoins de générations de pique-niques, garden parties et matchs de croquet familiaux.

Faute de mieux, j'ai suivi un petit chemin qui conduisait à une majestueuse fontaine de pierre. L'eau sortait d'une corne d'abondance tenue par un chérubin au sexe caché par une feuille de vigne. Classieux.

La fontaine se trouvait au centre d'une petite cour d'où partaient des chemins en direction des quatre points cardinaux. J'arrivais par l'est. Le chemin à ma gauche allait vers le sud et la porte d'entrée. J'ai pris vers le nord. Mon but était d'atteindre l'arrière de la maison.

Jusque-là, aucune alarme n'avait retenti. J'échappais aux radars.

Le sentier s'enfonçait dans le domaine, entre de hautes haies. D'autres, plus étroits, le croisaient ici et là, ce qui donnait au jardin une allure de labyrinthe. Je n'ai pas tardé à perdre mes repères.

Les battements de mon cœur se sont accélérés. Bien sûr, j'étais dissimulée aux regards, mais je n'y voyais rien. À tout moment, je pouvais buter sur quelqu'un.

Je suis parvenue à une autre fontaine. Trois dauphins crachaient de l'eau par leur bouche. Des poissons rouges nageaient en dessous. Trois bancs de pierre étaient disposés sur trois côtés. Une haie dominait l'ensemble.

Dans quelle direction aller ?

J'ai pris sur la gauche, en espérant être toujours dans la bonne direction. Le chemin s'est élargi, avant d'aboutir à une petite pelouse. Qui donnait sur l'arrière du manoir.

Bingo ! J'avais devant moi une porte de service.

J'ai examiné les environs. La route était libre.

J'ai bondi en avant et me suis plaquée au mur, le dos contre les briques tièdes. Sans attendre, j'ai essayé d'ouvrir le loquet. Il a tourné.

Une profonde inspiration, et je me suis glissée à l'intérieur de Claybourne Manor.

62

Mes yeux ont mis un peu de temps à s'habituer à l'atmosphère de l'intérieur.

Je me trouvais à l'extrémité d'un étroit couloir de service, bordé de chaque côté de placards et d'étagères.

Sans attendre, j'ai foncé, attentive au moindre bruit. Aucun membre de la famille Claybourne ne passerait normalement par ici, mais ce n'était pas le cas des employés de maison. Et j'aurais du mal à justifier ma présence, c'est le moins qu'on puisse dire.

Une bonne dizaine de mètres plus loin, le couloir tournait à droite et débouchait sur une porte qui ne devait pas mesurer plus d'un mètre vingt de haut.

Je l'ai entrouverte, avec l'impression d'être Alice au Pays des Merveilles. Devant moi s'étendait le fameux hall d'entrée.

Le soleil baignait le sol de marbre blanc et se reflétait dans les lustres de cristal accrochés au plafond, à six mètres de hauteur. Sur des consoles ornées de dorures étaient posées des statues, des vases et des sculptures de grande valeur. Une famille de Wookies aurait pu vivre à l'aise dans cet espace.

J'avais à ma gauche la porte d'entrée dont les gigantesques battants de chêne auraient pu résister à un lancer de missile. À ma droite, une véritable autoroute de marbre blanc.

J'ai tiré la petite porte derrière moi. Elle s'est refermée avec un clic et s'est confondue avec le mur. J'ignorais comment on l'ouvrait.

D'après le site web, l'escalier principal se trouvait au bout du hall. Autrement dit, pour atteindre le premier étage, je devais m'engager sur l'autoroute de marbre.

Bon, on y va.

Sur la pointe des pieds, je suis passée devant une vaste salle à manger, un salon et une pièce contenant un magnifique piano Steinway. Des portraits d'ancêtres des Claybourne, plus austères les uns que les autres, étaient accrochés aux murs.

J'avais le cœur battant et mes sens en alerte. C'était la zone de tous les dangers.

Le hall aboutissait à un vestibule circulaire surmonté vingt mètres plus haut par un superbe dôme en vitraux dont les couleurs dansaient sur le marbre. Des moulures et des fresques encadraient des peintures murales. On se serait cru au Vatican. Pendant quelques instants, je suis restée bouche bée, comme une touriste.

Au centre de la pièce, une grande statue représentait Milton Claybourne, l'architecte du manoir, mousquet à la main, visage bandé, sourcils froncés.

— Tu es marrant, toi, ai-je murmuré. Et modeste, avec ça.

Tout au bout du hall, un escalier aussi large que ceux du château de Versailles s'élevait entre des rampes de bois ciré. Je me suis dépêchée de l'emprunter.

Au premier étage, un couloir était parallèle au hall. Des portes s'ouvraient de chaque côté.

Il y faisait aussi sombre que l'atmosphère d'en bas était claire. Murs garnis de panneaux d'acajou. Pas de fenêtres. Lampes aux lumières tamisées, très espacées. Les ombres atténuaient les angles et se projetaient sur l'épais tapis pourpre.

J'avais un but précis. Le bureau de Hollis Claybourne. Mon instinct me disait qu'il devait se trouver par là.

Quelque part au bout du couloir, une porte s'est ouverte.

Affolée, j'ai cherché où me cacher.

J'ai tourné le premier loquet à ma portée. Un placard à linge. Impossible de m'y cacher.

Seconde tentative.

Dans le silence le bruit des gonds m'a semblé un cri.

Je me suis ruée à l'intérieur en retenant mon souffle.

Un mouvement dans le hall. Un bruit de porcelaine qui s'entrechoquait. Puis, au loin, une autre porte qui s'ouvrait et se refermait.

J'ai expiré d'un seul coup et me suis retournée pour examiner mon sanctuaire. Mon soulagement s'est changé en inquiétude. Puis en excitation.

Je me trouvais dans la chambre de Chance.

Aucun doute, en effet. Les murs étaient couverts de photos. Chance à Londres. À Paris. À Venise. Chance en tenue de baseball. De tennis. De golf. Chance à la plage, sur une couverture, en compagnie d'Hannah.

Des trophées et des souvenirs étaient exposés sur les rayons d'une imposante bibliothèque. Sur la commode, une photo d'Hannah en robe blanche, une rose à la main. Un cadeau, sans doute. Elle était époustouflante.

Beurk.

J'ai jeté un coup d'œil dans le placard. Des uniformes de l'école étaient accrochés en désordre. Par terre, il y avait un amoncellement de chaussures italiennes et des luxueuses cravates en soie étaient roulées en boule sur une étagère.

Quel flemmard, ce Chance ! Surprise, surprise !

J'ai regardé les titres des livres. Des documents, pour la plupart.

Je n'ai pas fouillé dans la commode. J'ai des limites, malgré tout. Et si par hasard, la porte s'ouvrait, je préférais ne pas être surprise un caleçon de Chance à la main.

Enfin, je suis arrivée devant son bureau. Des câbles attendaient le retour de son ordinateur portable. Des livres et des papiers étaient jetés ici et là. Un scanner était installé à côté d'une imprimante, tous deux débranchés. Dans un pot, il y avait des stylos et des surligneurs.

Une enveloppe en papier kraft a attiré mon regard. À l'origine, elle était fermée avec un ruban adhésif rouge, mais une partie avait été ouverte au coupe-papier. J'ai remarqué un logo, qui comportait l'acronyme SLED. La division de police de la Caroline du Sud.

C'était le rapport sur l'empreinte.

J'ai retiré une feuille de l'enveloppe. Une note manuscrite y était trombonée : « Voilà l'info. À charge de revanche. À bientôt sur les links. Chip. »

J'ai froncé les sourcils. Pourquoi Chance ne m'avait-il pas donné le compte-rendu ? Et s'il me cachait quelque chose ?

Relax, Tory. Il avait certainement promis de ne pas s'en séparer. Et il ne voulait pas que je poursuive un type aussi dangereux que Newman. Pas étonnant qu'il ait gardé le texte imprimé.

Curieuse, je l'ai parcouru. Il y avait une photocopie de l'empreinte que j'avais relevée sur le lecteur de microfilms. Ainsi qu'une photo d'identité.

Sous le choc, j'ai failli laisser tomber la feuille.

Ce visage ! Je le connaissais. Les cheveux coupés à la tondeuse. La cicatrice sur le menton.

J'ai lu et relu chaque mot.

Le rapport ne mentionnait aucun James Newman. L'empreinte appartenait à quelqu'un d'autre. Quelqu'un que j'avais déjà rencontré une fois.

Tony Baravetto. Chauffeur personnel de Chance Claybourne. L'homme qui m'avait ramenée chez moi le soir de ce bal catastrophique.

Qu'est-ce que cela signifiait ?

En fait, je savais.

Chance m'avait menti.

L'un après l'autre, j'ai fait le lien entre les événements.

Baravetto nous suit jusqu'à la bibliothèque.

Baravetto apprend que nous sommes au courant de la disparition de Katherine Heaton.

Baravetto travaille pour Chance Claybourne, fils de Hollis Claybourne, notre principal suspect dans le meurtre de Katherine Heaton.

Et puis, une dernière déduction, épouvantable, mais incontournable.

Chance Claybourne essayait peut-être de me tuer.

63

Chance m'avait fait marcher.

Et non seulement j'avais marché, mais j'avais galopé. Comme une débile énamourée.

Chance ne pensait qu'à une chose, protéger le secret de son père. Il avait fait joujou avec moi. M'avait détournée de la vérité.

J'étais rouge de honte. Comment avais-je pu être aussi nulle ? Il était certainement persuadé de m'avoir entortillée.

Bon, on règlera ça plus tard. Tu ne sais pas à qui tu as affaire, Claybourne.

Je devais trouver la preuve. Faire tomber les Claybourne.

J'ai fourré le rapport dans mon sac.

En rogne. Contre Chance. Contre moi-même.

J'ai laissé la colère monter. Je me suis rappelé à quel point j'avais été bouchée. Crédule. Une vraie gamine. Et la rage a explosé.

Un flash dans mon cerveau.

Mes lèvres se sont retroussées tandis qu'un grognement sourd naissait dans ma gorge.

SNAP.

La flambée s'est déclenchée. M'a énergisée. Remplie d'une détermination mortelle. Mes sens se sont enflammés. Portés à incandescence.

Une lueur dorée a illuminé mes yeux.

J'ai ouvert la porte avec précaution et j'ai reniflé l'air

du couloir. Odeur de tabac. Parmi d'autres. Je l'ai suivie à la trace. Elle me ramenait vers l'escalier principal.

Hollis Claybourne fumait le cigare et l'arôme allait me conduire à son bureau. J'ai avancé furtivement dans le couloir, les yeux fouillant la pénombre.

Swish.

Je me suis immobilisée. Le son était léger, mais il augmentait. Et il venait vers moi.

À ma gauche se dressait une armoire imposante. Je me suis aplatie sur un côté, dans l'ombre.

Quelques instants plus tard, une employée est passée, sa jupe froufroutant au passage.

J'ai poussé un soupir de soulagement.

Sans ma flambée, je ne l'aurais pas entendue arriver à temps.

J'ai poursuivi ma route jusqu'à l'escalier, en suivant toujours l'arôme du cigare. La piste olfactive menait au second.

Après le dernier palier, j'ai emprunté un long couloir éclairé à intervalles réguliers par de petits bougeoirs de cuivre. Des peintures murales représentaient des hommes en train de chasser, de combattre ou de signer des documents avec une plume d'oie, une perruque sur la tête.

L'arôme de tabac provenait de la deuxième porte sur la droite. Je me suis glissée dans la pièce.

Elle était immense. À l'autre bout, face à moi, des rideaux de velours pourpres retenus par des embrasses dorées encadraient des fenêtres de toit. Des rayonnages couvraient les autres murs jusqu'au très haut plafond aux poutres apparentes. À trois mètres au-dessus du sol, une passerelle de fer forgé, accessible dans l'angle gauche par un escalier en colimaçon, faisait le tour de la pièce.

Au centre, face à une énorme cheminée, quatre fauteuils de cuir étaient disposés en arc de cercle autour d'une table basse. Un bureau monumental tournait le dos à la fenêtre. De nombreuses photos représentant Hollis en train de sourire ou de serrer des mains à des gens célèbres étaient posées dessus. Souvenirs d'une vie parmi le gratin.

Et maintenant ?

J'ai farfouillé dans le bureau. Rien de suspect.

Sous une tapisserie représentant le général Custer à Little Big Horn, il y avait un secrétaire. Les tiroirs ne contenaient que des habits datant de la guerre de Sécession.

J'ai parcouru la pièce en l'examinant avec ma vision laser. En d'autres circonstances, cela m'aurait sans doute amusée.

Hollis Claybourne était un collectionneur. Outre des livres et des photos de lui, les étagères étaient pleines de masques africains, de marionnettes indonésiennes et de sculptures, notamment Inuit. C'était une collection raffinée, l'œuvre d'un homme au jugement éclairé.

Mais rien de tout cela ne correspondait à mes recherches. C'était terriblement frustrant.

Qu'est-ce que tu attendais ? Un dossier intitulé Ici preuve formelle ?

J'ai fermé les yeux, cherchant une idée. J'étais seule dans le bureau d'Hollis Claybourne. Une chance qui ne se reproduirait pas.

Mes narines ont repéré une légère odeur de terreau, complètement déplacée dans cette pièce immaculée. Et une autre, non pas organique, mais chimique.

J'ai ouvert les yeux. Je connaissais cette odeur. Terre. Métal. Âcreté d'une solution de nettoyage, genre produit à vitres.

Les plaques d'identité militaires ! Elles étaient dans cette pièce.

Immobile, j'ai reniflé. Retrouvé l'odeur.

En haut.

Je me suis précipitée vers l'escalier en colimaçon. Une fois sur la passerelle, j'ai longé les étagères jusqu'aux fenêtres de toit, sur la gauche. La passerelle aboutissait dans l'angle opposé à l'entrée de la pièce.

Un placard en bois était intégré au mur. L'odeur provenait de l'intérieur.

J'ai appuyé sur la petite poignée d'argent.

Il était fermé à clé.

Finie la visite gentille.

Utilisant le tranchant de la main, j'ai donné un coup

violent sur le panneau. Il y a eu un craquement, mais le panneau n'a pas cédé. J'ai recommencé, malgré la douleur. La porte s'est fendue. Des éclats de bois sont tombés sur le sol.

J'ai examiné le résultat de mon travail. Le bois dépassait deux centimètres d'épaisseur. Même Mike Tyson n'aurait pas réussi à le fendre. Et pourtant, j'y étais parvenue en deux coups.

SNUP.

Soudain toute faible, je suis tombée à genoux.

Mes sens se sont émoussés, sont redevenus normaux.

Je me suis relevée et j'ai fait l'inventaire de l'intérieur du placard. Il contenait trois éléments.

Le premier était une vieille photo en noir et blanc d'Hollis Claybourne jeune. Il se tenait devant un bosquet de pins des marais et pointait le doigt vers un couple d'aigles qui volaient bas dans le ciel. Cole Island ! Ce fumier était au courant pour les aigles !

Sous la photo, il y avait une enveloppe kraft avec, à l'intérieur, des documents officiels. Je les ai feuilletés. C'étaient les actes de vente de l'île à Candela Pharmaceuticals. Plus un contrat de travail. Des preuves, mais insuffisantes.

Enfin, une petite boîte recouverte de velours rouge se trouvait sur l'étagère du bas. Je l'ai ouverte.

J'avais sous les yeux deux plaques d'identité. L'une pleine de terre, l'autre comme neuve.

Francis P. Heaton. Catholique. O positif.

Une personne saine d'esprit aurait détruit les plaques. Pas Hollis Claybourne.

De nouveau, la colère m'a saisie. Ces plaques représentaient le meurtre de Katherine et ce salaud les conservait pour pouvoir les admirer à son aise. Abominable.

La porte a grincé.

En dessous de moi, des pieds ont foulé la moquette.

— Qu'est-ce que tu fiches ici ?

64

— C'est toi, Tory ?

Chance était encore en tenue de lacrosse.

J'étais foutue.

— Que... qu'est-ce que tu fais ici ? ai-je balbutié.

— Comment, qu'est-ce que je fais ici ? Mais *j'habite* ici !

Il s'est avancé dans la pièce. J'ai tenté de dissimuler le placard à sa vue, mais les éclats de bois jonchaient la passerelle et la moquette en dessous. Impossible qu'il ne les voie pas.

— Si tu veux savoir pourquoi je rentre de bonne heure, c'est parce qu'on a perdu ce matin. Les autres peuvent assister sans moi à la finale. Ça ne m'intéresse pas.

— Tu as laissé Hannah là-bas ?

J'étais toujours en pleine panique. Comment m'en sortir ?

L'air aussi dégagé que possible, j'ai refait en sens inverse le chemin sur la passerelle.

Chance me suivait des yeux.

— J'ai déposé Hannah chez elle il y a dix minutes. Tu as peut-être essayé de la joindre ? Elle avait oublié son téléphone dans la voiture de Jason.

Oups ! Je n'avais pas pensé à ça.

Chance est allé s'appuyer au bureau de son père. De là, il pourrait atteindre les escaliers bien avant que je les aie descendus.

Je me suis arrêtée au milieu de la passerelle, juste au-dessus de la cheminée.

— Qu'est-ce que tu fabriques là-haut ?

Il a dirigé son regard derrière moi.

— Pourquoi as-tu démoli le placard de mon père ?

J'aurais dû trouver une excuse. Mentir. Faire l'andouille. Fondre en larmes. Mais j'étais trop furieuse. Hollis Claybourne était un monstre et son fils s'était fichu de moi.

J'ai agrippé la balustrade.

— Ça va, Chance. Je sais que tu me racontes des craques. Et maintenant, j'en ai la preuve.

— Qu'est-ce que ça signifie ?

Son visage s'est assombri.

— J'ai essayé de t'aider.

— De m'aider ? En me mentant ? En me traitant comme une nunuche ?

— Je t'ai dit tout ce que je savais.

Ses yeux sombres le contredisaient.

— Tu parles de James Newman ? C'est n'importe quoi ! Où est ton homme de main, Baravetto ? En train de raccompagner quelqu'un ?

Sans répondre, Chance est revenu sur ses pas. Il a refermé la porte et a tiré le verrou.

J'étais prise au piège.

Il est allé ensuite s'asseoir sur un fauteuil, jambes croisées, et il a levé les yeux vers mon perchoir.

— Qu'est-ce que tu penses avoir découvert ?

Sa voix de velours avait pris un timbre métallique.

— Je sais que ton père est un meurtrier.

— Comment oses-tu ?

Il a bondi en avant, mais a vite repris son calme.

— Tu as de la chance que mon père soit à Washington. Imagine que ce soit *lui* qui t'ait trouvée dans son bureau !

— Quoi ? Il m'aurait tuée, moi aussi ?

Il n'a pas répondu, mais je voyais son pied qui s'agitait nerveusement.

— Je connais l'histoire de Cole Island. L'accord avec Candela Pharmaceuticals. Ton père a assassiné une fille, Katherine Heaton, pour pouvoir vendre l'île sans problème.

— Tu n'as aucune preuve. C'est du pur délire.

365

Il a tendu l'index vers le placard défoncé.

— Et tu as commis une grave infraction. Plusieurs, même.

— Du délire ? Vraiment ?

J'ai brandi les plaques d'identité.

Son pied a accéléré le rythme.

— Et ce n'est pas tout, Chance. J'ai découvert le journal de Katherine Heaton. Je sais qu'elle avait repéré la présence d'aigles chauves sur Cole Island. C'est pour cette raison que ton père l'a tuée.

Il s'est mordu les lèvres et s'est tu quelques instants.

— C'est juste, a-t-il dit enfin. Félicitations.

Je n'en revenais pas. Chance admettait que son père était coupable de meurtre. Et que lui-même était au courant du crime.

— Donc, tu connais déjà la vérité, a-t-il poursuivi. Et tu es trop maligne pour te faire rouler de nouveau. Alors pourquoi me casser la tête ? Je le reconnais. Le vieux salaud a tué cette fille.

— Tu le savais ?

— Il m'a fait venir ici, dans cette pièce, il y a quinze jours.

Chance a contemplé le bureau, comme s'il imaginait son père assis derrière.

— Il m'a tout raconté. Les aigles. La vente. Une fille qui avait fourré son nez là-dedans et qu'il avait été obligé d'éliminer.

Il a hoché la tête avant de reprendre.

— Il parlait avec une nonchalance ahurissante. Comme si la mort de Katherine Heaton ne représentait rien pour lui. C'était incroyable.

— Mais pourquoi l'avoir tuée ?

Ma voix s'est brisée.

— Elle n'avait que seize ans.

— L'île était tout ce qui restait à mon père. Il était nul en affaires. En 1969, la fortune familiale n'était plus qu'un souvenir et il était endetté jusqu'au cou. Seul le nom de Claybourne le protégeait des créditeurs.

— Ce n'est pas suffisant pour justifier un meurtre.

— Il prétend que c'était un accident, a-t-il répondu

en détournant les yeux. Qu'il n'avait pas l'intention de la tuer.

— Et tu le crois ?

— Pas le moins du monde.

— Alors pourquoi le couvrir ?

— Cette fille n'aurait pas dû se trouver là !

Chance martelait le bras de son fauteuil.

— Cole Island était une propriété privée. Notre propriété. Si elle avait révélé la présence des aigles, c'était cuit pour la vente. Mon père ne pouvait l'accepter. Les enjeux étaient trop importants.

— Il devait y avoir des solutions. Les oiseaux auraient pu être déplacés, par exemple.

Chance a secoué la tête.

— La publicité autour de cette affaire aurait obligé Candela à faire machine arrière. Mon père n'aurait eu ni l'argent, ni le poste dans la compagnie. Notre avenir dépendait de cette vente.

J'étais écœurée.

— Ce n'était donc qu'une question d'argent ?

— Mon père aurait été forcé de vendre Claybourne Manor, une demeure qui est dans la famille depuis la guerre de Sécession ! Elle ne peut appartenir à personne d'autre. Il serait inimaginable de la vendre.

Pour la première fois, je voyais Chance tel qu'il était réellement.

— Il n'y a pas que l'argent !

Chance a eu un rire amer.

— Tu ne connais pas mon père. Il ne pourrait jamais accepter de déchoir et il préférerait mourir plutôt que de mener une vie de petit bourgeois.

Je n'en croyais pas mes oreilles.

— Tu es d'accord avec lui ! Tu me dégoûtes !

— Fais attention à ce que tu dis. Je ne lui ressemble en rien !

— Mon œil ! Tu l'aides à dissimuler son crime.

— Il avait vingt-quatre ans à l'époque. Un jour, il répondra de ses actes, mais ce qui est fait est fait. Je n'ai pas l'intention de perdre mon héritage à cause d'événements qui se sont produits avant ma naissance.

— Donc, tu es bien comme lui.

— Venant de toi, Tory, ça fait mal.

— Et puis quoi, encore ?

J'étais folle de rage.

— Tu me balades depuis le début, en me racontant que tu t'inquiètes pour moi, que je suis la plus jolie fille du bal. Alors que tu te fiches de moi. Tu as joué avec mes sentiments pour te protéger.

Il a haussé les épaules.

— Et ça a marché.

— Tu m'as menti.

— J'ai inventé un nom pour l'empreinte. Tu avais celle de mon chauffeur. Je n'avais pas le choix.

— Mais pourquoi lui avoir demandé de nous suivre ?

— Nous avons une taupe à la bibliothèque publique, qui a informé mon père de vos recherches sur Katherine Heaton. Il a envoyé Baravetto avec mission de déterminer ce que vous aviez appris, exactement.

Une taupe à la bibliothèque ? Limestone, ce rat !

— Bien sûr, mon père ne m'a rien dit. Mais quand Baravetto a fait son rapport, il s'est inquiété. Je suppose qu'il a pensé que j'étais assez adulte pour déterrer un squelette. Sinon, il aurait gardé tout ça pour lui.

— Désolant !

Chance m'a lancé un regard noir, puis il a eu un sourire narquois.

— Tu sais que j'ai cru à ton histoire d'ordinateur volé. C'est seulement quand j'ai vu le rapport que j'ai compris.

Il a agité l'index dans ma direction.

— Futé, vraiment !

— Ce n'est pas une plaisanterie ! ai-je hurlé. Tu as essayé de me tuer cette nuit-là, à Loggerhead !

— Te tuer ? Mais non. J'ai tiré bien au-dessus de ta tête.

— Ah ouais !

— C'est la vérité. Mon père m'a ordonné de récupérer le squelette, rien d'autre, mais comme tu étais sur notre chemin, il a fallu te faire peur pour te décourager.

Son pied s'agitait de nouveau nerveusement.

— Tu avais déjà découvert les ossements, c'est incroyable ! Heureusement qu'on n'a pas attendu un jour de plus.

Le célèbre clin d'œil.

— Merci, tu nous as évité de creuser pendant des heures !

— Va te faire voir. Si je suis là, c'est uniquement parce que tu es un tireur de merde.

— Arrête ton cinéma ! Tu as aimé les ossements de singes ? C'était mon idée. Mon père m'a dit où les trouver. Il connaît des gens au LIRI.

Des espions sur Loggerhead Island ?

— Qui ça ?

Il a ignoré ma question.

— Les ossements étaient dans une caisse près du quai. J'aurais aimé être là quand tu les as montrés aux flics, a-t-il ajouté en souriant.

— Tu trouves ça drôle ? Tu as tué le Dr Karsten de sang-froid.

Son sourire s'est effacé.

— Quoi ?

— Je sais que tu es un meurtrier. J'étais là.

— Je n'ai tué personne, je le répète. J'ai visé au-dessus de vos têtes. D'ailleurs, mon père était furieux que je vous aie laissés échapper.

— Je ne parle pas de Loggerhead, mais du bunker.

Il a plissé le front.

— Quel bunker ? Attends, tu es en train de me dire que quelqu'un est mort ?

Je ne comprenais plus.

— Jeudi soir. Toi et tes truands, vous avez abattu le professeur Karsten sur Morris Island.

— Je n'ai jamais mis le pied sur Morris Island.

— Tu n'as pas pourchassé Hi et Shelton dans le marché un peu plus tôt dans la soirée ?

Il s'est levé et s'est avancé jusqu'au pied de l'escalier.

— C'est une plaisanterie ? Qu'est-ce que c'est que cette histoire ?

La voix de Chance, son expression, semblaient sincères. Et je ne sais pourquoi, je l'ai cru. Il ignorait tout de la mort de Karsten.

— Jeudi soir, ai-je dit en l'observant de près, on était avec un… un ami sur Morris Island. Un adulte. Et puis des hommes sont arrivés. Ils étaient armés et habillés exactement comme toi sur Loggerhead.

— Je n'étais pas là, je te le jure. Que s'est-il passé ?

Il paraissait authentiquement choqué.

— On a réussi à s'enfuir, mais notre ami est resté et...

Mes doigts se crispaient sur la rampe.

— Et ces salopards l'ont abattu.

Pendant un long moment, Chance est resté silencieux, le regard dans le vide. Sa main droite tremblait.

— Je l'ignorais, a-t-il dit enfin.

Puis il a levé les yeux vers moi, l'air fermement résolu.

— Donne-moi ton sac, m'a-t-il ordonné.

— Mon sac ?

— Oui. Tu as trouvé le carnet de Katherine Heaton. Donc, je suppose que tu l'as avec toi. Je veux aussi le rapport sur l'empreinte et tout ce que tu viens de faucher dans ce placard. Game over.

Quelle idiote ! Pourquoi avoir emporté le carnet ?

— Ton père a assassiné Katherine. Et il a probablement donné l'ordre de tuer Karsten. On va s'apercevoir de la disparition de Karsten et on finira par retrouver son corps. Tu peux faire tout ce que tu veux, la vérité finira par éclater.

Chance a secoué négativement la tête.

— Faux. Quand j'aurai détruit les preuves, y compris les ossements, le passé restera enfoui.

— Ton père essaie de nous tuer, moi et mes amis !

— Je l'en empêcherai, a-t-il dit d'un ton ferme. Mais je ne sacrifierai pas la réputation de ma famille au nom d'une affaire ancienne. Et je n'enverrai pas mon père en prison.

Inutile de me faire des illusions. Chance ne m'aiderait pas.

J'ai regardé autour de moi, cherchant comment m'échapper. Mais l'escalier était la seule issue.

Il va falloir te battre. Faire appel à tes pouvoirs.

Fermant les yeux, je me suis concentrée. En vain. Impossible de provoquer une nouvelle flambée.

— Tory ! Le sac ! Ne m'oblige pas à employer des méthodes désagréables.

J'ai ouvert les yeux. Chance m'observait, un méchant sourire aux lèvres.

Survivre, déjà.

J'ai dévalé l'escalier. Il a tendu la main et je lui ai remis mon sac à dos et les plaques. Que pouvais-je faire d'autre ?

— Parfait, a-t-il dit. Maintenant, tu sors d'ici et tu la fermes. Ce sera notre petit secret, à tous les deux.

Il n'envisageait même pas de prendre la précaution de me raccompagner hors de la propriété. Il savait qu'il avait gagné.

J'ai avancé jusqu'à la porte.

Là, je me suis retournée.

Avec un sourire narquois, Chance m'a fait au revoir de la main.

J'ai filé comme une flèche.

65

Tory Brennan passait devant la Bentley.

Hollis Claybourne faillit en avaler son cigare. Il fit craquer ses phalanges. Une veine palpitait sur son nez proéminent.

Cette petite garce sortait de chez lui !

Que faire ? La poursuivre ? Elle n'était pas très loin dans la rue. Il pouvait résoudre le problème lui-même, et définitivement.

Non. Trop dangereux. Impossible de prendre le risque de lui sauter dessus en plein jour.

Le gamin va devoir s'en occuper.

Et je ne peux me montrer ici, pensa-t-il. J'ai besoin d'un alibi.

Il donna un coup sur la paroi qui le séparait de son chauffeur.

— Changement de programme, dit-il. On retourne au Capitole.

— Vous voulez repartir là-bas, monsieur ? demanda le chauffeur. Mais on en vient !

— Fais ce que je te dis, imbécile !

Hollis Claybourne regrettait d'avoir engagé le neveu de Baravetto, un parfait abruti, mais il avait besoin de personnes de confiance. Sa carrière était menacée.

Tandis que la Bentley faisait demi-tour, Hollis prit d'un geste brusque son téléphone dans la poche de son veston et appuya sur un raccourci.

Deux sonneries, puis :

— Oui.

— Cette Tory Brennan, aboya-t-il. Il faut s'occuper d'elle et de ses amis immédiatement. Je serai à Washington.

À l'autre bout du fil, une inspiration. Il prit les devants.

— Et finies les erreurs !

66

— Il ment, a déclaré Shelton, ce n'est pas possible autrement.

Ben a approuvé de la tête.

Hi s'est agité, mal à l'aise.

Nous étions tous les quatre à bord du *Sewee*, amarré au quai de Morris Island. Aucun de nous n'avait idée de ce que nous devions faire.

Une heure plus tôt, j'avais quitté furtivement Claybourne Manor. Humiliée.

La traversée de la ville m'avait semblé interminable.

Les autres Viraux m'avaient vue arriver à la marina avec un certain soulagement. Je leur avais raconté mon expédition et nous n'avions pas prononcé un mot pendant la traversée du port.

— Je pense que Chance dit la vérité, ai-je déclaré. Je le crois.

— Mais il a reconnu que son père avait tué Katherine Heaton, a affirmé Shelton. Il a reconnu avoir volé les ossements et nous avoir tiré dessus. Qui d'autre aurait pu tuer le Dr Karsten ?

— Chance n'avouera pas un meurtre, a décrété Ben. Son ego n'est pas assez énorme pour ça.

Hi a plissé le front.

— Pourquoi avoir laissé partir Tory ? S'il avait l'intention de nous liquider tous au bunker, il aurait très bien pu se débarrasser d'elle tant qu'il l'avait à sa merci.

— Il a eu la trouille d'être pris, a expliqué Shelton.

374

Il savait que Tory nous avait dit où elle allait. Une fois en possession de toutes les preuves, il pouvait la lâcher dans la nature.

— Comment est-ce que j'étais censée réagir, en lui bottant le cul ? Il est bien plus costaud que moi !

J'avais pris un ton indigné, mais en réalité, j'étais embarrassée. J'avais gentiment remis le carnet à Chance. Une vraie pomme.

— Tu as essayé de provoquer une flambée ? a demandé Hi. Après tout, à la soirée, tu as pu bousculer Jason. Or Chance n'est pas beaucoup plus grand que lui.

— Oui, j'en ai déclenché une, avant que Chance arrive. C'est comme ça que j'ai su où était le bureau d'Hollis Claybourne et que j'ai mis la main sur les plaques. Mais quand j'ai voulu recommencer, ça n'a pas marché.

Ben m'a rassurée.

— Tu as fait ce qu'il fallait, Tory. Tu n'avais pas le choix.

— Maintenant, il faut réagir, a dit Hi. Chance peut nous tomber dessus à tout moment.

— Écoutez !

Je me suis penchée en avant.

— Je le crois honnête. Il a reconnu avoir échangé les ossements de Katherine contre des ossements de singes, mais son père lui avait indiqué où elle était enterrée. Comment aurait-il découvert notre bunker ?

— En nous filant, a proposé Shelton. Comme pour Karsten.

J'ai hoché négativement la tête.

— Ce soir-là, personne ne nous a suivis depuis Loggerhead, Ben et moi. J'en suis certaine. Et Karsten a affirmé vous avoir suivis depuis ce quai. Il a juré qu'il n'avait vu personne d'autre. Ça ne colle pas.

Hi s'est frotté le menton.

— Alors les tueurs ont découvert notre bunker d'une autre manière.

— Mais comment ? ai-je demandé. Impossible de le repérer juste en se promenant autour.

— Soyons francs.

Ben nous a dévisagés l'un après l'autre.

— Est-ce que l'un d'entre vous a parlé du bunker à quelqu'un ? Moi pas.

— Non.

— Niet.

— Pas du tout.

— Donc, il va falloir découvrir qui connaissait son emplacement, ai-je conclu. En attendant, on est en danger.

— Malheureusement on n'a plus les preuves, maintenant, ni le squelette de Katherine, a dit Shelton. On est mal barrés.

— On ne peut pourtant pas laisser gagner les Claybourne, ai-je dit avec force.

— Non, a approuvé Ben.

Hi a fait un petit salut militaire.

— D'accord, Tory. Prends le commandement !

J'ai réfléchi à voix haute.

— Chance m'a dit qu'il allait tout détruire, le carnet, les plaques, les restes de la pauvre Katherine. Ce qui signifie…

— Qu'il possède encore les ossements, a conclu Hi.

— Ouh là là ! a maugréé Shelton. Je vois où ça va nous mener.

— Il faut les récupérer, ai-je décidé. Ils ne peuvent être qu'à Claybourne Manor.

— Et bien sûr, c'est pour ce soir !

Shelton a baissé la tête.

— Chaque fois que je crois pouvoir passer une nuit tranquille, Tory nous envoie à l'assaut d'une forteresse.

— Oui, mais là, on va faire ça à notre manière, ai-je dit avec un grand sourire. Chaud devant ! On va montrer aux Claybourne ce qui arrive quand on s'en prend aux Viraux !

67

— Mince, la clé a disparu !

J'ai remis la brique à sa place sous la porte.

Il était deux heures du matin. Nous étions réunis devant le mur d'enceinte de Claybourne Manor, vêtus de noir comme des rats d'hôtel. La pleine lune éclairait le sentier. Par chance, les sumacs nous dérobaient aux regards d'éventuels promeneurs sur le trottoir.

— Chance n'est pas débile, a chuchoté Hi. Il a compris comment tu avais réussi à entrer.

Effectivement. Il fallait trouver une autre solution.

— On va passer par-dessus le mur, ai-je dit. C'est le seul moyen.

Shelton a jeté un coup d'œil aux piques de fer qui couronnaient le mur, trois mètres plus haut.

— Tu es complètement barge !

Pour toute réponse, j'ai tendu la main.

— La corde !

Ben a tiré de son sac le rouleau de cordage en nylon qui lui servait à amarrer le *Sewee*. En nouant les extrémités, j'ai créé un lasso.

— Laisse, je vais le faire.

Ben a lancé le lasso sur une pique. Manqué. Deux nouveaux essais. Deux échecs.

— Je peux ? ai-je demandé.

Ben m'a tendu le cordage.

J'ai fouetté le lasso au-dessus de ma tête, puis j'ai détendu le bras et j'ai tout relâché. Le cercle est retombé sur une pique. J'ai tiré d'un coup sec pour resserrer le nœud.

— Camp d'équitation, ai-je chuchoté. Médaille d'argent de prise au lasso !

— Les potes, si j'essaie d'escalader ce mur, je vais réveiller tout le quartier, a dit Hi. J'ai peur de ne pas y arriver.

— Ben ? ai-je proposé.

Ben ne s'est pas fait prier. Il a saisi le cordage à deux mains.

Je me suis tournée vers les autres.

— Attendez ! On ne réussira pas sans nos pouvoirs. Il faut que chacun provoque une flambée.

— Mais comment ? a chuchoté Shelton. Chez moi, ça n'arrive pas sur commande, uniquement quand j'ai la trouille.

— Les flics ! a soudain lancé Hi en se jetant à terre.

On s'est tous retrouvés à plat ventre.

— C'est la merde ! a murmuré Shelton d'une voix tremblante.

Hi s'est relevé. Une lueur dorée brillait maintenant dans le regard de Shelton.

— Tu me remercieras plus tard, a lancé négligemment Hi en s'époussetant.

Il a fermé les yeux et quand il les a rouverts, une nouvelle paire d'iris d'or luisait dans l'obscurité.

— Mais comment fais-tu ? a demandé Shelton.

— Je pense à tout ce qui nous arrive et là, bingo ! Je passe en mode loup. Mais ça ne marche pas à tous les coups.

À mon tour.

Je suis allée chercher la colère au fond de moi. J'ai pensé au meurtre de Katherine, à l'attaque du bunker, à l'expérience infligée à Cooper.

Rien. Pas de flambée.

Alors, j'ai pensé à Chance. À ses clins d'œil. À ses sourires. À la façon dont il m'avait serrée de près en dansant, dont il m'avait pris la main, dont il m'avait embrassée sur la joue.

Dont il s'était foutu de moi, quoi.

Cette fois, la rage m'a envahie, est montée comme une mèche allumée jusqu'à mon cerveau.

Je voyais avec une netteté incroyable. J'entendais le glissement des limaces sur le paillis du jardin, le choc des vagues sur la jetée à des centaines de mètres. Je percevais les odeurs dans l'air comme si je lisais une carte routière.

— Je n'y arrive pas ! a gémi Ben en serrant les poings.

Sans hésiter, je lui ai balancé une gifle monumentale qui a failli l'envoyer au sol.

Furieux, il m'a saisie avec force par les avant-bras, les doigts s'enfonçant dans ma chair. Ses yeux lançaient des éclairs d'or.

— Bon boulot, Tory, a-t-il craché. Merci.

— De rien. Maintenant, tu peux me lâcher.

Ce qu'il a fait.

Il a saisi le cordage et commencé à escalader le mur. Une fois au sommet, il a attrapé une pique dans chaque main, a plié les genoux et a envoyé ses pieds par-dessus sa tête. Une rotation des poignets. Pendant quelques instants, il est resté dans la position du poirier, les bras tremblant sous le poids de son corps. Puis il a terminé son saut périlleux arrière.

On a entendu ses Nike atterrir de l'autre côté.

Un truc digne des J. O.

La porte s'est ouverte. J'ai précédé Shelton et Hi et nous sommes entrés sans un mot.

À part le vent dans les feuilles et les bruits des insectes, tout était silencieux.

J'ai guidé les Viraux dans les jardins. Grâce à la lune et à ma vision exceptionnelle, je me déplaçais comme en plein jour.

Surprise, la porte de service que j'avais déjà empruntée n'était pas fermée. Chance était étonnamment imprudent.

À l'intérieur de la maison, le couloir était toujours aussi sombre et désert. Arrivée devant la porte basse, je l'ai ouverte avec précaution et j'ai jeté un coup d'œil. Le hall immense était silencieux comme un tombeau.

Hi a sifflé entre ses dents. Shelton ne savait plus où poser les yeux. Ben, lui, restait vigilant. À ma suite, ils ont emprunté le couloir et monté deux volées de marches. Quelques instants plus tard, nous étions dans le bureau d'Hollis Claybourne.

Je m'apprêtais à faire appel à mon odorat, mais Hi a pointé l'index vers la table.

Incroyable. Toutes les preuves étaient posées là, comme attendant d'être mises à la corbeille. Le rapport sur l'empreinte. Le journal de Katherine Heaton. Les plaques d'identité. Le bordereau de dépôt bancaire de Karsten.

Chance avait eu la flemme de s'en débarrasser. Et il m'avait sous-estimée. Cela allait lui coûter cher.

J'ai fourré les documents dans mon sac et empoché les plaques.

— On s'en va ! a soufflé Shelton.

— Non, ai-je répondu. Il faut découvrir les ossements de Katherine avant que Chance les détruise.

— Où chercher, Tory ? a chuchoté Hi. Cet endroit est vaste comme un aéroport.

— Si tu habitais une demeure ancienne, où cacherais-tu un squelette ?

— Dans la cave ?

— Exactement ! Cette maison a été bâtie quand l'électricité et la réfrigération n'existaient pas. Il doit y avoir des espaces de stockage en sous-sol. Cherchons les cuisines. On y trouvera certainement l'accès à la cave.

J'ai lancé mon sac sur mon épaule pendant que Hi allait jeter un coup d'œil dans le couloir.

La voie était libre.

Nous avons descendu l'escalier sans rencontrer personne. La maison semblait vide.

Au rez-de-chaussée, mes narines ont été assaillies par de multiples odeurs de nourriture.

— Par là !

On s'est glissés dans la salle à manger, puis dans un couloir. Au bout, il y avait une grande porte peinte en blanc. Elle donnait accès à une cuisine d'une taille impressionnante.

Deux portes-fenêtres laissaient entrer la clarté lunaire qui se reflétait sur le sol gris et les murs carrelés. Des

380

ustensiles en inox entouraient un billot assez grand pour qu'on y débite un bœuf entier.

— Psst !

Shelton montrait une porte à peine visible dans un angle de la pièce.

J'ai appuyé sur le loquet.

Qui a tourné.

68

On a filé le long d'un étroit passage jusqu'à une grille en fer forgé. À travers les barreaux, on apercevait un escalier de pierre qui disparaissait dans l'ombre. Une odeur de moisi flottait dans l'atmosphère.

— Les caves doivent être en bas, ai-je dit.

La grille s'est ouverte avec un grincement et nous nous sommes glissés à l'intérieur sans la refermer, de peur de faire du bruit.

La descente des marches dans une obscurité totale m'a paru interminable. Même en pleine flambée, j'ai besoin d'un minimum de lumière.

Quand je suis arrivée en bas, j'avais la main glacée à force de tâter le mur et je frissonnais.

Je respirais des odeurs de pierre humide, de vieille poussière, de fer rouillé. Prenant une profonde inspiration, j'ai cherché à repérer l'odeur de la mort. Rien.

Ben m'a tendu une lampe de poche. Je l'ai allumée. Les autres en ont fait autant avec les leurs.

Nous étions au seuil d'une gigantesque caverne de pierre soutenue par des piliers de béton. Au centre, une demi-douzaine de chaises entouraient une table ronde en chêne. Des buffets contenaient des verres de cristal, des ouvre-bouteilles et divers instruments pour la consommation du vin. Des tonneaux étaient alignés sur deux rangées.

J'ai promené la lumière de ma lampe autour de la salle.

À droite et à gauche, des casiers à vin sur lesquels

étaient disposées des bouteilles couvertes de poussière formaient des allées.

J'ai dirigé le rayon de ma lampe sur l'une de ces allées sans rencontrer de mur. Idem sur une autre.

— Il y a là de quoi saouler toute la planète, a lancé Hi. Au moins dix mille bouteilles.

— Concentre-toi sur ce qu'on a à faire, a répondu Ben.

— On se déploie, ai-je ordonné. Les restes de Katherine Heaton sont forcément par ici. Ben et Hi, vous fouillez les allées de droite. Shelton et moi, celles de gauche.

Shelton a poussé un petit cri.

— Ma lampe s'est éteinte !

— Utilise ton téléphone. La lumière sera suffisante tant qu'on est en flambée.

— C'est complètement ouf ! Je suis en train de chercher à repérer à l'odorat un squelette dans la cave à vin d'Hollis Claybourne, alors qu'il y a quinze jours, je ne pensais qu'à jouer au baseball sur mon ordi.

Il avait raison. La situation était devenue folle. Redeviendrait-elle normale un jour ? Non. Rien ne serait plus comme avant. Nous avions subi une modification fondamentale.

— Bon, Shelton, on va alterner les rangées. Tu vérifies celle-ci, moi la suivante. On avance comme ça vers le fond de la cave.

Le nez en l'air comme un chien de chasse, j'ai progressé méthodiquement. Mais je n'ai rien trouvé.

— Hé, venez voir !

La voix de Hi. Je me suis précipitée.

Il se tenait près de la table et éclairait de sa lampe un petit tonneau isolé.

— Je suis passé deux fois devant avant de repérer l'odeur.

Un pied de biche appuyé contre un pilier est apparu dans le rayon de ma lampe. Ben l'a pris et s'en est servi pour forcer le couvercle du baril.

L'odeur de la mort m'a sauté au visage. J'ai manqué suffoquer.

À l'intérieur du baril se trouvait un amas d'ossements

humains, dont un crâne percé d'un petit trou sur le front.

— Le squelette de Katherine !

J'étais surexcitée. Hollis Claybourne était cuit !

Soudain, un grincement.

Mes poils se sont hérissés. Au moment où je tournais la tête vers l'escalier, toutes les ampoules de la cave se sont allumées. J'ai cligné des paupières, mais j'ai dû fermer les yeux, éblouie.

Ma flambée s'est achevée.

Quand j'ai ouvert les yeux, Chance se tenait au bas de l'escalier, vêtu d'un short et d'un T-shirt blanc. Il avait les cheveux ébouriffés et sortait visiblement du lit.

— Petits salopards ! Vous n'avez pas pu rester tranquilles !

Un pistolet luisait dans sa main. Un Sig Sauer 9mm. Une arme mortelle.

Mon cœur s'est arrêté de battre.

— Tout le monde là-bas ! a-t-il ordonné en désignant la table du bout du pistolet.

Nous avons obéi, les mains en l'air, en prenant garde à ne pas faire de mouvements brusques.

— Vos téléphones. Sur le sol.

Là aussi, on a fait ce qu'il disait. D'un coup de pied, il a envoyé les téléphones valser contre le mur.

J'ai jeté un regard discret aux autres. Aucun n'avait plus de flamme dorée dans les yeux. Nous étions maintenant des cibles faciles.

— Je peux vous tuer tous ! Personne ne sait que vous êtes ici. On ne retrouvera jamais vos corps.

Chance a pointé sur moi le Sig Sauer.

— Tu n'aurais pas dû revenir, Tory, a-t-il poursuivi. J'ai cru que tu étais suffisamment intelligente pour reconnaître ta défaite. J'ai eu tort.

— Chance...

— Ta gueule !

Il avait le regard d'un type sous speed, des gouttes de sueur sur le front.

— Je ne referai pas la même erreur. Je ne donnerai pas raison à mon père.

Il s'est avancé vers moi, les doigts tellement crispés

384

sur le manche de l'arme que ses phalanges blanchissaient.

Que faire ? Essayer de s'enfuir ? De le raisonner ?

Et soudain, à ma grande surprise, il a abaissé son pistolet.

— C'est impossible, a-t-il murmuré. Je ne peux exécuter quatre personnes. Je ne suis pas mon père.

Nous n'avons pas bougé.

J'allais ouvrir la bouche pour parler lorsque la grille a grincé de nouveau.

— Chance ?

La voix d'Hannah venait du haut des escaliers.

— Chance ? Tu es dans la cave à vin ?

J'ai hurlé.

— Hannah ! En bas !

Chance a levé une main tremblante.

— Non, ne…

— Hannah, s'il te plaît ! Viens à notre secours !

Des pas légers se sont dirigés vers nous.

Chance a pivoté, l'arme dissimulée derrière son dos.

— Mais qu'est-ce qui se passe ici ?

Hannah portait des pantoufles en peluche et une nuisette en soie. Malgré le danger, je me suis demandé où ses parents la croyaient cette nuit.

— Les *boat kids* se sont introduits dans la maison. Une gaminerie.

Chance ruisselait de sueur, maintenant.

— Ne l'écoute pas ! ai-je crié. Son père est un assassin ! Nous en avons la preuve et Chance essaie de la détruire.

— Tiens, regarde !

Hi s'est penché vers le baril et a soulevé le crâne de Katherine.

— Il a un pistolet ! a hurlé Shelton.

Hannah a regardé Chance.

— Un pistolet ? Qu'est-ce qu'il veut dire ? C'est ça que tu caches dans ton dos ?

Chance a jeté un regard noir à Shelton, mais il a ramené l'arme devant lui et l'a laissée pendre au bout de son bras.

Hannah était stupéfaite.

— Mon Dieu ! Chance, mon cœur, à quoi penses-tu ? Donne-moi cette chose abominable.

— Mais...

— Tout de suite !

Elle a tendu une main soigneusement manucurée. Pendant quelques instants, Chance a paru sur le point de refuser. Puis, avec un soupir, il lui a remis l'arme.

Ouf ! C'était fini. Nous étions sains et saufs.

Le visage impassible, Hannah a levé le pistolet. Puis elle l'a armé et l'a braqué sur ma tête.

— Tu es vraiment idiote, Tory.

Son sourire éblouissant était diabolique.

— Va chercher deux pelles, trésor. Il faudra enterrer les corps.

69

J'ai écarquillé les yeux, tandis que les autres Viraux se figeaient, incrédules.

Hannah gardait le Sig braqué sur moi. J'ai regardé le canon, imaginant la douleur des balles pénétrant dans ma chair.

— Hannah ? Qu'est-ce que tu fais ? Lâche ce pistolet.

Chance semblait troublé.

— Ce n'est pas mon intention.

La voix de miel avait pris des intonations métalliques.

— Ils en savent trop. Je vais terminer le travail.

Chance est resté bouche bée.

— Ferme ton bec, Chance, tu ressembles à un poisson, a ordonné Hannah, le regard dur. Tu crois que je vais te laisser tout foutre en l'air ?

— Mais de quoi parles-tu ? Fais attention ! Tu ne sais pas te servir d'un pistolet.

— Je sais plus de choses que tu ne crois. *Beaucoup* plus.

Je commençais à comprendre.

— C'était donc toi, ai-je dit. Tu as conduit les truands jusqu'à notre bunker. Et tu as tué Karsten !

— Ne sois pas ridicule ! a rétorqué Hannah avec un petit rire. Je n'ai tué personne. C'est Baravetto qui a tiré sur cet imbécile de chercheur. Je me suis contentée de regarder.

— Baravetto a abattu quelqu'un ?

Chance avait l'air assommé.

— Qu'est-ce que tu fichais avec mon chauffeur ?

Hannah a hoché la tête, l'air navré.

— Chance, Chance ! Tu te comportes parfois comme un enfant. Il fallait bien que quelqu'un nettoie les dégâts de ton père. Et il se trouve, mon cœur, que tu n'as pas assez de cran pour ce genre de choses.

— Comment as-tu fait pour nous trouver ? Pour localiser notre bunker ?

Ben avait du mal à maîtriser sa fureur.

J'ai vu le regard qu'Hannah lançait dans ma direction. Éloquent.

— iFollow, ai-je avancé. Hannah et moi faisons partie du groupe de Jason. On s'est réunis pour partager des infos en biologie. Comme je n'ai jamais fermé la session, le GPS me repérait chaque fois que je prenais mon téléphone. Y compris dans le bunker.

— Très juste. Tu aurais dû y penser avant, vois-tu.

Hannah a agité son arme en direction de la table.

— Pose ton sac, a-t-elle ordonné.

J'ai ôté le sac de mon épaule et suis allée le déposer.

— Maintenant, vous reculez. Tous.

On a reculé. Hannah s'est avancée, s'est emparée du sac, puis a rejoint le pied de l'escalier.

— Ça n'a pas été facile de te suivre, Tory. Comme il n'y a pas de réception de l'iPhone sur Morris Island, on te perdait souvent. Mais on s'est débrouillés. C'est grâce à iFollow que j'ai su que tu étais ici ce soir.

Chance a voulu s'approcher d'elle. Elle l'a arrêté net en braquant son arme sur lui.

— Je ne comprends pas, a-t-il dit, les yeux rivés au Sig Sauer. Comment es-tu au courant des affaires de mon père ?

— J'ai surpris votre conversation à propos de Cole Island et de Katherine Heaton. Je l'ai aussi entendu te dire ce qu'il fallait faire. Ce qui n'a pas servi à grand-chose, d'ailleurs. Vois-tu, Chance, quelqu'un doit s'assurer que tu ne ruines pas ton avenir.

— Mais je maîtrisais la situation !

Hannah m'a désignée d'un geste du menton.

— En flirtant avec cette pauvre fille ? Honnêtement, Chance, tu pensais vraiment sortir de ce merdier par ton *charme* ?

388

— Tu n'avais pas à te mêler des affaires des Claybourne.

Une veine battait sur la tempe de Chance.

— Et te laisser résoudre le problème ? Voyons, tu es incapable de faire ce qu'a fait ton père il y a longtemps.

Elle a agité l'arme sous son nez.

— Tu es faible. Moi pas.

— Je t'interdis de me parler comme ça ! Tout cela te dépasse.

— Pauvre cloche ! Je suis plus capable que tu le crois. Demande à ton père.

Chance s'est immobilisé.

— Ça veut dire quoi ?

Le couple s'est affronté du regard. Discrètement, j'ai jeté un coup d'œil autour de moi, à la recherche d'un objet qui puisse me servir.

Le pied de biche. Il était toujours près du baril contenant les ossements.

Centimètre par centimètre, pendant qu'ils continuaient à s'expliquer, je m'en suis approchée.

— Est-ce que tu t'imagines que j'aurais pu donner les ordres aux hommes de ton père sans son autorisation ? a lancé Hannah sur un ton méprisant. C'est moi qui suis allée le voir. Il a admis que tu étais incapable de gérer… cette situation.

— Tu n'avais pas le droit !

— On ne pouvait laisser ta faiblesse de caractère mettre en péril la fortune des Claybourne. Et ma place dans la famille. Ces fouille-merde en ont trop vu et trop entendu. Mais ne t'inquiète pas, Chance, je m'occupe du sale boulot.

Que pouvais-je faire ?

Essayer de gagner du temps.

— Pourquoi Baravetto a-t-il abattu le Dr Karsten alors que vous auriez pu le laisser partir ? ai-je demandé.

— On ne pouvait se le permettre. C'était un adulte crédible et il aurait pu tout raconter à la police. En plus, il en savait trop sur d'autres sujets. Ça a été un coup de chance de le trouver avec vous dans votre cachette.

Sur d'autres sujets ?

389

— L'expérience du parvovirus, ai-je avancé.

Hannah a ouvert des yeux comme des soucoupes.

— Qui t'a parlé de ça ? Même Chance n'est pas au courant.

— Regarde dans mon sac, il y a les bordereaux de versement. Nous savons que Candela Pharmaceuticals finançait les recherches illégales de Karsten.

— C'est exact, Hollis payait Karsten pour qu'il découvre un médicament contre le parvovirus canin. Le prochain grand succès de la firme.

Elle s'est tournée vers Chance avant de poursuivre :

— Ton père est un beau salaud. Si Karsten n'avait pu trouver de remède, Hollis voulait qu'il fabrique lui-même un virus.

— Comment ça ? ai-je demandé.

— Hollis se serait contenté d'une maladie nouvelle, que seul un produit de Candela aurait pu soigner. Il voulait un virus qui infecterait les chiens, de façon à vendre de nouveaux médicaments à leurs propriétaires. C'est un génie des affaires.

— Mais c'est méprisable ! Karsten n'aurait jamais accepté !

— Va savoir. En tout cas, Karsten a échoué et il l'a payé. Comme vous allez payer.

Je me suis tournée vers Chance.

— Ne la laisse pas faire ça !

— Ne compte pas sur lui, Tory.

Hannah a plissé les yeux.

— Et reste là où tu es. J'ai eu un échantillon de ta force à la soirée, quand tu as envoyé Jason au tapis. Impressionnant !

— Hannah, donne-moi cette arme, a ordonné Chance. J'ignore comment mon père a réussi à te laver le cerveau, mais il sera puni pour cela. Je vais aller voir la police.

— Me laver le cerveau ? Tu me crois incapable de décider par moi-même ? Tu te trompes, Chance. Je ne fais que prendre ce qui m'appartient.

— C'est-à-dire ?

Cette fois, le ton de Chance était glacial :

— Tu n'es plus rien, maintenant. Tout est fini entre

nous et tu ne remettras plus les pieds dans cette maison.

Hannah a éclaté de rire.

— Alors comme ça, tu crois que cela dépend de toi ! C'est trop mignon. Ton père et moi avons un accord. Il compte sur moi pour gérer ses affaires, pas sur toi. Pour lui, je suis plus une Claybourne que son fils.

Chance en est resté médusé.

— Que tu le veuilles ou non, tu n'es pas une Claybourne, Hannah, a-t-il dit enfin.

— Mais je vais le devenir. Ton père me l'a promis. Je vais t'épouser et entrer dans la famille. Comme je l'ai toujours rêvé.

Son expression s'est durcie.

— Ce n'est plus toi qui décides, Chance.

70

— Tu as perdu l'esprit, Hannah ! Je ne t'épouserai jamais, pas après ce qui vient de se passer.

— Tu feras ce qu'on te dit !

Hannah avait crié. Elle était en train de perdre son sang-froid et pouvait tirer à tout moment.

Progressant insensiblement, j'étais parvenue à quelques centimètres du baril. Mes doigts ont effleuré le pied de biche.

L'expression d'Hannah s'est adoucie.

— Ne t'inquiète pas, mon chéri, a-t-elle roucoulé. On s'en sortira, je te le promets. Quand on sera débarrassés de ces fouineurs, on oubliera cette sale histoire. Je serai une épouse parfaite, tu verras.

Sourire éblouissant. Les yeux dans les yeux de Chance.

Pendant quelques instants, ils ont été seuls au monde.

C'était le moment d'agir.

Fais appel à tes pouvoirs.

J'ai fermé les paupières et je me suis représenté mon image.

Tory Brennan, quatorze ans. Grande. Maigrichonne. Taches de rousseur. Cheveux roux. Yeux vert émeraude.

L'image a pris corps.

J'ai ajouté des traits de caractère. La tête sur les épaules. Intelligente. Téméraire. Loyale.

Là-dessus, j'ai branché des souvenirs. Séances de cinéma en mangeant du pop-corn avec ma mère. Première rencontre gênée avec Kit. Lecture des bouquins de Tante Tempe sur la plage.

Cette Tory rêvée s'est solidifiée dans mon cerveau. Je la connaissais. Je la reconnaissais.

Laissant son image de côté, je suis partie à la pêche de l'autre partie de ma psyché. Mon moi de base, soumis aux pulsions primaires issues de mes gènes.

J'ai cherché le loup en moi.

Un vertige.

Le tunnel. Au bout, une silhouette m'attendait. Coop. Bondissant et se tortillant d'excitation.

J'ai fixé mon attention sur le chien-loup.

Coop a aboyé une fois, puis il a fait demi-tour en courant. Je l'ai suivi, en m'enfonçant profondément dans les marécages de mon esprit.

J'avais perdu le sens du temps et de l'espace. Mes cellules grises m'envoyaient des sensations étranges. Ma langue en train de laper l'eau fraîche d'un ruisseau. Mes crocs en train de déchirer la chair tiède d'une carcasse. Ma gorge libérant un hurlement sous la lune.

SNAP.

Un courant électrique m'a parcourue. Ma perception s'est aiguisée. Mes yeux sont devenus un brasier d'or.

J'étais en train de vivre une *flambée*.

Mentalement, j'ai crié.

Les Viraux ! Flambez ! Maintenant !

Les garçons ont vacillé sous l'impact de mon message. J'ai perçu leurs pensées, faiblement, comme des voix flottant d'une rive à l'autre d'un lac.

Avec toute ma volonté, j'ai renouvelé mon appel muet.

Flambez ! Maintenant !

J'ai vu Ben prendre sa tête dans ses mains. Shelton mettre un genou à terre. Hi hoqueter.

Puis tous trois m'ont regardée. Avec des yeux couleur d'or.

Qu'on ne me demande pas comment, mais je les avais *obligés* à avoir une flambée.

Maintenant nous étions une force. Nous pouvions nous battre.

Hannah s'est tournée vers nous. Le pistolet a suivi le mouvement.

Elle a sursauté en nous voyant.

— Qu'est-ce que vous avez aux yeux, tous ?

Détournez son attention !

Hi a bondi vers la rangée de casiers à bouteilles la plus proche, puis il a disparu.

— Stop !

Hannah s'est précipitée en tirant comme une folle dans l'allée.

Bang, bang !

Du verre explosait de tous côtés autour de Hi. Une odeur de poudre emplissait l'atmosphère.

Hi s'est effondré sur le sol et n'a plus bougé. Une tache rouge s'élargissait sous son ventre.

— Hi ! a hurlé Shelton.

Chance était paralysé.

J'ai empoigné le pied de biche. Il m'a paru aussi léger qu'une plume. Je l'ai pris à deux mains et, avec un grognement, je l'ai lancé sur Hannah.

Elle a plongé de côté en poussant un cri. Le pied de biche a fracassé le casier derrière elle, faisant voler les bouteilles en éclats. L'arôme du vin s'est mêlé à l'odeur du soufre et de la fumée.

Ben a chargé Chance, qu'il a renversé d'un coup d'épaule. Il a ensuite continué sa course jusqu'à la cage d'escalier, où il a balancé un coup de poing sur les interrupteurs. La cave a été plongée dans l'obscurité.

Hannah a tiré deux fois dans sa direction.

Bang, bang !

Les balles ont ricoché sur la pierre, faisant voler des étincelles.

On se disperse !

J'ai foncé à gauche, vers le fond de la cave.

Bang, bang !

Les balles ont sifflé près de moi. Hannah visait mon dos à l'aveuglette.

J'ai couru dans une allée. Au bout, l'impasse.

Réfléchis !

Soudain, j'ai entendu un bruit de lutte, des geignements. Shelton ? Ben ? J'ai fait demi-tour, déterminée à voler au secours de celui qui avait besoin d'aide.

Dans l'obscurité, des voix se sont élevées, mais ce n'étaient pas les leurs.

— Donne-moi le pistolet, sifflait Chance entre ses dents. Je ne te laisserai pas commettre un meurtre !

— Non, lâche ça !

Hannah haletait.

Quelque chose a cogné contre le mur. Je me suis rapprochée avec précaution, mes hyper-sens en alerte.

Bang !

Hannah a hurlé.

Les Viraux, revenez vers la table ! Chance a besoin d'aide !

Au moment où je me dirigeais vers la double rangée de tonneaux, la lumière est revenue. Je me suis immobilisée, prête à me mettre à l'abri. Mais seules les ampoules au-dessus de la table brûlaient. Le reste de la cave restait dans l'ombre.

J'ai jeté un coup d'œil par-dessus un tonneau. Il y avait un buffet entre la table et moi. Quelques mètres plus loin, l'escalier était à peine visible.

Chance gisait en travers de la première contremarche, une tache sombre s'élargissant lentement sur son T-shirt. Penchée sur lui, Hannah était secouée de sanglots convulsifs.

Elle tenait toujours le Sig Sauer.

Chance a porté la main à son flanc et a contemplé ses doigts tachés de sang. Ses yeux se sont révulsés, sa main est retombée et il n'a plus bougé.

— Non ! a gémi Hannah.

J'étais tétanisée. Chance avait été touché. Il était peut-être mort. Et Hannah était toujours en possession du pistolet.

Les Viraux, j'ai besoin que vous fassiez diversion !

Quelques secondes plus tard, Ben jaillissait de l'allée sur ma droite et traversait l'espace découvert comme un boulet de canon.

Hannah a levé la tête. Elle avait le teint blême, les cheveux en désordre.

— C'est à cause de vous, tout ça ! a-t-elle crié en nous visant à deux mains.

Bang, bang, bang !

Ben a plongé entre les casiers à bouteilles.

Hannah s'est lancée à ses trousses.

Soudain, Shelton a fait irruption derrière elle.

— Par ici, salope !

Il a lancé de toutes ses forces une bouteille sur elle, mais elle l'a esquivée en tombant à genoux. Le missile est passé au-dessus de sa tête et s'est écrasé au sol. Shelton a filé vers les casiers de l'autre côté de la cave.

Hannah s'est relevée et a tiré à deux reprises.

Bang, bang !

Manqué.

Le vin ruisselait sur les dalles de pierre.

— Je vais vous tuer tous !

Furieuse, Hannah a fait deux pas en direction de Shelton.

Une ombre s'est projetée sur elle. Elle a levé les yeux.

Trop tard.

Perché sur le dessus du casier le plus proche, Hi avait pris son élan et fondait sur elle, tel un zeppelin potelé.

Hannah a reculé, mais Hi l'a heurtée avec son épaule. Elle a lâché le pistolet, qui a glissé sur le sol.

Emporté par son élan, Hi est allé s'assommer à moitié contre le mur.

Hannah a récupéré la première. Elle a ramassé le Sig Sauer et s'est appuyée à la table. Elle me tournait le dos, mais elle était face à Hi.

Qui n'avait pas d'issue.

Elle a levé son arme.

J'ai sauté par-dessus le tonneau et atterri sur le buffet. De là, j'ai bondi sur la table. Accroupie, j'ai fouillé dans le baril ouvert qui contenait les ossements de Katherine Heaton. Mes doigts se sont refermés sur un os long. Un fémur.

Hannah a pirouetté. Elle me faisait maintenant face, à trois mètres de distance.

Le temps s'est arrêté.

J'ai pris mon élan. J'ai sauté.

Hannah a tiré, une fois, deux fois.

Bang, bang !

Les balles sont passées à quelques centimètres au-dessus de ma tête.

J'ai touché le sol, roulé sur moi-même et je me suis retrouvée debout devant Hannah.

Stupéfaite, elle a levé le pistolet à hauteur de mon visage.

Et appuyé sur la gâchette.

Clic.

— Vide !

Rapide comme l'éclair, j'ai envoyé valser le pistolet d'une main, tandis que de l'autre, j'abattais le fémur de Katherine Heaton sur la tempe d'Hannah.

Son regard est devenu vitreux.

J'ai frappé de nouveau, en tenant cette fois l'os comme une batte de baseball. Il y a eu un bruit sinistre et Hannah s'est écroulée, inconsciente.

Lâchant mon arme macabre, je suis tombée à genoux. Ma poitrine se soulevait, les larmes ruisselaient sur mes joues. Je n'arrivais pas à croire à ce que je venais de faire.

SNUP.

Ma flambée s'est éteinte. J'étais trop fatiguée pour m'en préoccuper.

— Pas mal, Tory.

Hi était appuyé contre le mur. Son regard était redevenu normal.

— On se serait cru dans *Matrix*, opus 1. Mais un vrai héros aurait arrêté *trois* balles.

Shelton et Ben ont émergé des casiers. Eux aussi avaient des iris comme avant.

— Bon boulot.

Ben a ramassé le fémur.

— Justice poétique, je dirais.

Shelton s'est précipité vers Hi.

— Hiram ! Tu ne saignes pas ? J'ai cru qu'elle t'avait touché !

— Mais non, c'est du vin rouge. Quand j'ai vu que ça coulait partout, j'ai fait le mort. Mais je ne sauterai plus du haut de rayonnages ! C'était idiot.

— N'empêche, Superman, c'était un spectacle !

— Nul ne surpasse le blob volant, a gloussé Hi.

J'ai regardé du côté de Chance. Il s'était opposé à nous, mais à la fin, il avait essayé de nous sauver. Comme Karsten.

Ben a posé deux doigts sur sa gorge.

— Le pouls bat.

— J'appelle les secours !

Je me suis précipitée vers la pile de téléphones sur le sol et j'ai récupéré le mien.

Pas de réseau. J'ai commencé à monter l'escalier.

— Shelton, ai-je lancé, essaie de donner les premiers soins à Chance avec Hi, si vous pouvez. Ben, tu saucissonnes Hannah et tu mets les preuves à l'abri. Je m'occupe de l'ambulance.

— Appelle aussi la police, a dit Shelton.

— D'accord.

J'ai monté les marches quatre à quatre et filé le long du couloir de service.

Au moment où je traversais la cuisine, un bras a encerclé mon cou. Je me suis retrouvée la tête rejetée en arrière, avec le canon d'un revolver pointé sur ma gorge, me forçant à relever le menton.

— Où tu vas, comme ça ? a chuchoté une voix rauque à mon oreille. On dirait que je vais devoir faire le ménage moi-même.

Baravetto.

Il m'a entraînée dans un coin de la pièce, à l'écart de la fenêtre.

— Il ne faut jamais faire faire un boulot de mec à un gamin.

J'ai senti que le revolver remontait jusqu'à ma tempe.

SNAP.

Mon coude est violemment entré en contact avec les côtes de Baravetto.

Qui a expiré brutalement, relâchant légèrement la pression de son bras.

J'ai plié la jambe, remonté le pied et lui ai donné un bon coup dans les parties.

Il est tombé à genoux en hurlant.

Un rouleau à pâtisserie était accroché au mur. Je l'ai arraché.

Et schlac !

Baravetto s'est effondré. J'ai frappé une seconde fois, histoire d'être tranquille.

SNUP.

Un vertige. Des étoiles devant mes yeux.

Je suis sortie en titubant.

Bip ! J'avais enfin du réseau.

J'ai fait le numéro des urgences.

— Vite, envoyez une ambulance ! ai-je dit, haletante. Des terroristes attaquent Claybourne Manor !

Puis je me suis évanouie sur le gazon.

71

— Tory, ça va ?

Hi me secouait l'épaule.

Clignement de paupières.

— Que... quoi ? ai-je réussi à articuler.

J'étais étendue sous un majestueux magnolia, à quelques mètres de la porte des cuisines. Toutes les fenêtres de la maison étaient illuminées. On devinait les lumières rouges et bleues des gyrophares au-delà du mur du jardin.

— On te cherchait partout.

Hi était blême.

— Je vais appeler un docteur et dire à tout le monde que je t'ai trouvée.

— Attends !

Je me suis assise et j'ai tenté de m'éclaircir les idées.

— Dis-moi d'abord ce qui s'est passé.

— Les flics sont ici, a répondu Hi en m'aidant à me mettre sur mes pieds.

— On a découvert Baravetto dans la cuisine et on a trouillé à mort. On ne savait pas où tu étais passée.

— Je suis tombée dans les pommes.

Petit à petit, tout me revenait.

— Chance ! Comment va-t-il ?

— Il va... bien. Enfin, il est en vie, si c'est la question.

— Mais ?

— La balle n'a fait que l'effleurer. Il devrait se remettre.

— Il devrait ?

— Eh bien, il ne réagit pas. Il garde les yeux dans le vague. Cette affaire l'a drôlement secoué.

— Je suis restée combien de temps dans les vapes ?

— Peut-être une demi-heure. Les flics ont fait irruption peu de temps après ton départ de la cave. Ils pensaient qu'il y avait une attaque de la maison ou je ne sais quoi. Ils nous ont menottés jusqu'à tout à l'heure.

— Ils ont arrêté Hannah ? Et Baravetto ?

— Quand les secours ont ranimé Hannah, elle a complètement perdu les pédales. Elle s'est mise à insulter tout le monde, surtout toi !

Hi a souri avant de poursuivre :

— Elle a craché le morceau. Du coup, la police nous a laissés partir.

Qu'elle aille en prison. Pas d'objection.

— Et Baravetto était inconscient quand on l'a découvert. Qu'est-ce que tu lui as fait, Tory ?

— Coup de pied dans les couilles, suivi d'un coup de rouleau à pâtisserie sur le crâne. Double.

— Il a eu son compte, ce charmant garçon. Pour ton info, Hannah clame qu'il a tué Karsten et elle a même indiqué aux flics où se trouvait le corps.

— Mais à quoi pensait-elle, Seigneur ?

— Crois-moi, elle ne pensait pas. Elle a pété les plombs. Elle pleurait, elle criait, elle était prête à tout pour sauver sa peau. Elle regrettera sans doute d'avoir trop parlé.

— Si les policiers découvrent le cadavre de Karsten, ils en sauront assez pour l'inculper, ainsi que ses complices.

— Ils ont pris le revolver de Baravetto, a déclaré Hi. C'est certainement l'arme du crime.

— Parfait. Ils vont tous les deux se retrouver dans une confortable petite cellule.

— Hollis Claybourne aura aussi cet honneur. Quand Hannah se sera calmée, elle pourra sans doute s'en sortir pas trop mal avec l'aide de son avocat. C'est au gros poisson que les policiers s'intéressent.

— Vous leur avez remis toutes les pièces à conviction ?

— Oui. La photo avec les aigles, l'acte de vente de l'île, le rapport sur l'empreinte, les ossements de Katherine Heaton et son journal. Mais on n'a pas trouvé les plaques.

J'ai tapoté ma poche.

— C'est moi qui les ai.

— On a tout raconté à un policier, l'inspecteur Borken.

J'ai sursauté.

— Quoi ?

— Ne t'inquiète pas. On n'a pas parlé de l'expérience de Karsten, ni de ce qui nous est arrivé.

— Vous n'avez pas donné le bordereau de versement, au moins ?

— Mais non. On ne tenait pas à ce que quelqu'un fourre son nez dans les recherches de Karsten sur le parvovirus.

Je me suis détendue. Bien vu.

J'ai repensé à quelque chose. Hannah avait affirmé qu'Hollis Claybourne avait engagé Karsten pour qu'il mette au point un virus destiné à infecter les chiens. Je n'arrivais pas à y croire.

Hi a lu dans mes pensées.

— Karsten utilisait l'argent de Claybourne pour trouver un traitement contre le parvo canin. Il n'aurait jamais créé une nouvelle maladie, j'en suis certain.

J'ai hoché affirmativement la tête. Je ne demandais qu'à le croire.

— Donc, ai-je dit, vous n'avez rien révélé sur nos pouvoirs. Vous n'avez parlé ni de notre intrusion dans le labo, ni du virus de Coop, ni des flambées ?

— Évidemment, a répondu Hi en souriant. Personne n'est au courant, pour les Viraux.

— Il faut que ça continue.

— Et Chance et Hannah ?

— Je ne crois pas qu'ils se doutent de quoi que ce soit. Tout s'est passé très vite dans la cave. Et s'il leur vient à l'idée de parler de nos pouvoirs magiques, on les prendra pour des nazes.

— J'espère bien ! s'est exclamé Hi. Je n'ai aucune envie d'être disséqué comme un rat de laboratoire.

Imagine que les gens apprennent de quoi nous sommes capables…

— Nous ne dirons rien à personne, même pas à nos parents.

— Entendu.

Hi s'est tourné vers le manoir.

— Tu es prête à affronter l'orage ?

— Quel orage ?

— J'avais oublié que tu étais partie dans les pommes. Nos parents ont débarqué. Ils sont au portail d'entrée.

*
* *

— Tory !

Mon père se précipitait vers moi dans l'allée.

— Tory ? Est-ce que ça va ?

Il m'a serrée dans ses bras à m'étouffer.

— Je vais bien, mais j'ai des explications à fournir.

Un peu plus loin, Ben et Shelton parlaient avec leurs parents. Ben m'a jeté un coup d'œil par-dessus l'épaule paternelle. Shelton souriait jusqu'aux oreilles. Tout le monde était sain et sauf.

— Pourquoi vous êtes-vous introduits dans la demeure des Claybourne ? m'a demandé Kit. Et qui est cet homme menotté ? Bon sang, qu'est-ce qui se passe ici ?

— Je vais tout te raconter, Kit. Mais d'abord… d'abord tu dois savoir que le Dr Karsten a été assassiné.

Kit a vacillé.

— Marcus Karsten ? Assassiné ? Comment sais-tu ça ?

— Quand nous disions que nous avions découvert les restes de Katherine Heaton, c'était vrai. Chance Claybourne et cet homme – j'ai pointé l'index vers Baravetto, enfermé dans une voiture de police – les ont volés à l'endroit où on avait creusé, sur Loggerhead.

— Pourquoi ?

— Parce qu'Hollis Claybourne l'avait tuée en 1969.

Kit me regardait, bouche bée. J'ai poursuivi mon récit.

— Karsten nous a suivis jusqu'à Morris Island un soir, pour nous interroger sur l'intrusion dans le labo. Il était toujours persuadé que c'était nous.

Voyant Kit froncer les sourcils, je me suis hâtée de continuer.

— Mais Karsten nous a sauvés. L'homme que je t'ai montré a tenté de nous tuer, pour que la vérité sur Katherine Heaton ne soit jamais révélée. Karsten est mort pour nous permettre de nous échapper.

— Et la jeune fille qu'on a arrêtée, c'est qui ?

— La petite amie de Chance Claybourne, Hannah Wythe. Elle a monté l'opération au cours de laquelle Karsten a perdu la vie. Elle a essayé de nous tuer tout à l'heure, mais elle a touché par erreur Chance. Il n'a pratiquement rien, m'a-t-on dit.

Il y a eu un long silence.

— Je ne comprends pas, a dit enfin Kit.

— Je te dirai tout, promis. Mais plus tard. Rends-toi compte qu'on m'a pourchassée, tirée comme un lapin, forcée à envoyer deux personnes au tapis. J'ai besoin de me reposer.

Je voyais qu'il mourait d'envie de me poser des questions, mais il n'a pas insisté.

— Les policiers disent que je peux te ramener à la maison. Il faudra quand même faire une déclaration au poste demain. Toi et tes copains, vous avez mis un sacré bazar.

Il avait raison.

Quatre ambulances, une dizaine de voitures de police et même un camion de pompiers étaient garés dans la rue. Des journalistes étaient déjà sur place.

Une bien mauvaise publicité pour Claybourne Manor.

Dans l'allée, j'ai repéré une silhouette familière assise sur un brancard, le regard dans le vide.

— Kit, attends-moi une minute.

Je me suis approchée de Chance.

— Chance, c'est moi, Tory, ai-je dit.

Il n'a pas remué un cil.

— Tu es une crapule, mais tu as tenté de me sauver la vie. Alors pour ça, je te remercie.

Son visage est resté inexpressif.

J'ai hoché la tête, puis j'ai rejoint Kit.

Les criquets donnaient un concert dans la nuit chaude de Charleston. Quelque part, une colombe roucoulait.

J'ai bâillé.

Il était temps de rentrer à la maison.

Épilogue

Le soleil était au zénith quand Ben a jeté l'ancre du *Sewee* devant Turtle Beach. J'ai sauté du bateau, impatiente de goûter la fraîcheur de l'eau.

Une brise légère ébouriffait mes cheveux. L'odeur du sel et du sable se mêlaient à celles des myrtes et des palmiers nains.

Nous étions de retour à Loggerhead Island.

C'était merveilleux de me retrouver dehors. J'avais été privée de sorties pendant quinze jours, et pourtant je n'avais pas encore tout dit à Kit.

Hollis Claybourne avait été arrêté devant le Parlement et inculpé des meurtres de Katherine Heaton et de Marcus Karsten, entre autres crimes.

Hannah et Baravetto devaient répondre tous les deux du meurtre de Karsten et de quatre autres tentatives d'homicide. Le neveu de Baravetto, l'autre homme de main de Claybourne, avait également été arrêté. Le bruit courait qu'Hannah allait témoigner contre ses complices.

On n'avait toujours pas retrouvé le cadavre de Karsten. D'après Hannah, il avait été jeté à la mer. Sa voiture avait été découverte dans le parking de l'aéroport de Charleston. L'un des trois avait dû la conduire jusque-là depuis Morris Island, la nuit du meurtre.

Chance était poursuivi pour profanation de restes humains et obstruction à la justice, mais il échappait à des accusations plus graves.

Dans son cas, le procureur devrait faire preuve de

patience, car Chance demeurait prostré. Et nul ne savait s'il sortirait un jour de l'hôpital psychiatrique dans lequel il avait été placé d'office.

Tout en avançant vers la plage, je me remplissais les yeux du paysage. Je le répète, Turtle Beach est la plus belle plage du monde. Je sentais la douceur du sable sous mes orteils, laissais flotter mes bras dans l'eau, éclaboussais autour de moi.

Nous avions déjà fait un arrêt ce matin, quand les restes de Katherine avaient été inhumés au cimetière, après confirmation de son identité par les analyses ADN.

Il y avait peu de monde lors de cette petite cérémonie. Un prêtre. L'inspecteur Borken. Sylvia Briggerman, accompagnée d'une infirmière. Abby Quimby. Quelques parents de Morris Island. Et les Viraux, bien sûr.

J'avais enfilé les plaques militaires de Francis Heaton sur une chaîne neuve et je les avais placées dans le cercueil.

Repose en paix, Katherine.

— Tory ! a crié Hi du bateau. Donne-moi un coup de main avec cet animal !

Il était en train d'essayer de persuader Cooper de sauter par-dessus bord. Sans succès. Le chiot, qui pesait maintenant vingt-cinq bons kilos, n'avait aucune hâte de se mouiller.

En riant, je suis revenue vers le *Sewee*. Coop a gémi, mais il m'a laissée le soulever. Il m'a même léché le visage.

— Allez, viens !

Je l'ai porté pendant quelques mètres, puis l'ai déposé dans les vagues. Il avait de l'eau jusqu'aux genoux. Il a poussé un jappement et s'est précipité vers la plage, où il s'est secoué comme un fou, faisant jaillir des gouttes d'eau de son pelage. Puis, museau en l'air, oreilles couchées, il a disparu dans les buissons.

Quand on s'est tous retrouvés sur le sable, on a regardé autour de nous. Le chien-loup n'était nulle part en vue.

— Et voilà, a dit Shelton, visiblement déçu. Ce petit ingrat ne s'est même pas retourné.

À ce moment, une cacophonie d'aboiements s'est élevée des buissons et quatre animaux ont déboulé, bondissant et se faisant fête. Une louve. Un berger allemand. Deux chiens-loups.

Soudain, le regard de Whisper s'est posé sur nous. Le poil hérissé, elle a montré les crocs et s'est placée devant son petit.

Ben a reculé dans l'eau.

— Ouh là ! Ça ne ressemble pas à une réunion de bienvenue !

— C'est ainsi que l'aventure se termine, a lancé Hi sur un ton mélodramatique. Dévorés tout crus par une mère louve en colère. Super-plan, Tory.

Tandis que nous restions figés sur place, Coop a mordillé le flanc de sa mère. Whisper l'a regardé. Le chiot a aboyé, puis s'est avancé vers moi.

Whisper s'est raidie, mais elle n'a pas bougé.

J'ai mis un genou à terre. Coop a posé ses pattes de devant sur mes épaules et m'a léché la joue. J'ai frotté mon visage contre sa tête.

Whisper s'est assise. A levé la tête. Dressé ses oreilles.

J'ai poussé un soupir de soulagement. Coop se portait garant de ses compagnons à deux pattes. Maman semblait sceptique, mais ne s'y opposait pas.

J'ai souri, heureuse et triste à la fois.

— Il est temps de rejoindre ta famille, petit bonhomme.

Coop a aboyé de nouveau, a tourné en rond, puis il a filé vers la meute. Les quatre silhouettes ont disparu dans les bois.

Nous avons attendu quelques minutes, espérant les voir revenir. Je n'avais pas envie de partir.

— Il est mieux ici, a dit Ben. Il a tout l'espace qu'il veut et personne pour le harceler. Il sera heureux, tu verras.

J'ai approuvé de la tête, mais je n'arrivais pas à chasser la mélancolie qui s'était emparée de moi. Je ne reverrais que très rarement Coop. Il allait sans doute m'oublier.

— Prête ? a demandé Hi. Je suis encore puni et j'ai

409

dû supplier qu'on me donne une permission pour cette occasion spéciale.

— Prête.

Pas tout à fait, mais bon.

À ce moment-là, il y a eu un bruissement de feuilles et Coop a émergé des bois, le reste de la famille sur ses talons. Sans hésiter, il a trotté jusqu'à moi et s'est assis à mes pieds.

Wouf, wouf!

Je lui ai gratté la tête.

— D'accord, d'accord! Allez, maintenant, c'est ta maman qui prend le relais.

Je l'ai gentiment poussé vers la meute, mais il est parti comme une flèche en sens inverse, vers le bateau. J'ai couru après lui en pataugeant.

Je l'ai rattrapé et à genoux dans l'eau, j'ai entouré son cou de mes bras.

— Cooper! Qu'est-ce qui se passe? Tu ne veux pas revenir avec les tiens?

Soudain, il m'a échappé. Il a bondi dans les vagues et s'est mis à nager vers le bateau.

J'ai jeté un coup d'œil du côté de la plage.

La famille de Coop attendait à la lisière des arbres. Whisper s'est dressée et a poussé un aboiement bref.

Je me suis retournée. Coop nageait toujours vers le *Sewee*.

J'ai pris une décision. Kit devrait faire avec.

— Aidez-le à monter à bord, ai-je dit. Il a fait son choix. Désormais, il fait partie de *notre* meute.

Hi et Ben ont hissé le chiot dégoulinant par-dessus le plat-bord. Il s'est secoué. Tout le monde a eu droit à une douche salée.

J'ai sauté dans le bateau et je l'ai attiré contre moi. Sur le rivage, Whisper et les siens se sont fondus dans la forêt.

— C'est ce qu'on est, une meute? a demandé Shelton en souriant.

— Bien sûr, a répondu Hi. Une meute avec des super-pouvoirs. Et avec un lourd secret.

— Tory peut me donner des ordres directement

dans ma tête, a déclaré Ben. Si ça ne nous rend pas proches, qu'est-ce qui le fera ?

J'ai caressé le pelage de Coop.

— Nous sommes une meute. Nous sommes liés par notre ADN bidouillé.

— Nous sommes des Viraux. Une famille.

Hi a tendu la main.

— Des Viraux.

La main de Shelton a couvert celle de Hi.

— Des Viraux.

Ben a ajouté sa main.

— Des Viraux.

J'ai posé la mienne sur les trois autres.

J'ai souri et j'ai crié dans le vent :

— Que Dieu vienne en aide à celui qui s'en prendrait aux Viraux !

Mes amis ont hurlé leur approbation.

Coop également.

Cet ouvrage a été composé par IGS-CP
à L'Isle-d'Espagnac (16)

Dépôt légal : novembre 2010
Nᵒ d'édition : 450/01 — Nᵒ d'impression :
Imprimé au Canada